新復興論

ゲンロン叢書｜009

増補版

小松理虔
Riken KOMATSU

genron

いわきの宿命を見る

いわきの人間は自嘲的にこう語る。「いわきは山と海にもともとあったもんを獲って、それで栄えた町だから、自分たちで何か作ったりすんのが下手くそなんだ」。山からは石炭を。海からは魚を。言い換えれば、エネルギーと海の恵みによってこの地は栄え、そして、その両方が破壊されたのが震災と原発事故であった。山と海に行くと、いわきらしさがあちこちに見つかる。かつての栄華、震災の傷跡、うまいものも、神の痕跡も、そこにある。本書には、それらを辿る「ツアー」に関するエッセイを複数収録した。

03

05

04

07

06

09

08

10

14

勝手に楽しむというアクティビズム

自称「ローカルアクティビスト」。日本語ならば「地域活動家」だろうか。酒を飲み、魚を釣り、特産品を売り、祭りに参加し、各地で語らい、うまいものを食らう。日々の暮らしを楽しむことの延長線上に企画を立て、それを地域にアウトプットし、伝え、問うことの繰り返し。いわき海洋調べ隊 うみラボ（写真10）の活動は、その最たるもの。第一部で詳しく紹介していく。

「食と復興」を考える

かまぼこメーカーに転職したことで、食と地域づくりに関わるようになった（写真11）。現在は、有志たちとともに食のイベント「さかなのば」も企画している（写真13）。ものを食べるという行為は、エネルギーを摂取するということだけでなく、先人の知恵や文化、地域をまるごと体内に取り込むという行為でもある。本書では、いわきの食を紐解きながら、いわきの歴史や産業の役割、さらには原発事故後の食を巡る分断についても考えている。

11

12

13

16

15

18

17

20

Korea | Choreographer
무용가를 뛰어넘어 예술가로 사회 안의 본질을
표현하고, 함께 할때의 아름다움으로 판을 기획하
리켄 고마쓰 Riken Komats
Fukushima, Japan | Udok 우독
활기를 잃은 후쿠시마에 퇴근 후 직장인들이
방사능을 측정하는 실천적인 일상문제해결시
린첸 다와 Richen Dawa
Butan | The Promise 더 프라미스

19

22

21

24

23

25

「文化と復興」を考える

幽霊や死者の存在を身近に感じる。芸術や文化に触れる。外国に行き、価値観の違う人たちと話す。歴史の痕跡を辿り、未来を想像する。自分たちで自由に、勝手に表現の場を作る。それらは皆、自分の「外部」と交信するための手段である。本書の第三部では、筆者がこれまでに見聞きし、参加し、自ら企画した文化的取り組みについて紹介している。現実のリアリティに縛られやすい「外部なきフクシマ」を超えるため、「文化と復興」を考えてゆく。

i.

01 いわき市小名浜港に水揚げされる常磐沖の魚。潮目の豊かさの象徴だ

ii.–iii.

02 小名浜の美しい海と空、そして工場地帯。その景色のなかに、この地の宿命も見えてくる

03 いわき市豊間海岸。防潮堤は、復興のジレンマの象徴でもある

04 いわき市沿岸部に点在する八大龍王の碑。想像力と防災はこの地で「龍」と結びつく

05 国道6号線の帰還困難区域の風景

06 復興のさなかにある小名浜漁港。本書では助成金の負の面にも光を当てていく

07 2011年3月13日に撮影した、被災直後の小名浜の沿岸部

08 人々の日常とソープランドが溶け合うように存在している小名浜の風俗街

09 いわき市南端の勿来漁港のそばの八大龍王碑

iv.–v.

10 筆者が共同代表を務めるいわき海洋調べ隊「うみラボ」　撮影=橋本栄子

11 2012年から15年まで、筆者はかまぼこメーカーの広報担当だった　撮影=尾藤旭

12 いわきの特産品であるかまぼこ。いわきの地域性や役割が色濃く反映されている

13 筆者が月に一度主催する「さかなのば」。鮮魚店を舞台に、地元の酒と魚を存分に楽しむ

14 さかなのばでは、いわきの水産に関わる人たちのトークも行っている　撮影=橋本栄子

15 東京で開催された地域づくりに関するトークイベント　写真提供=TEAM iups　撮影=アキタカオリ

16 地元の祭り「いわきおどり」。筆者も毎年必ず参加している　撮影=鈴木禎司

vi.–vii.

17 いわきの新しいシンボル、いわき回廊美術館

18 筆者が参加した「みちのくアート巡礼キャンプ」

19 韓国の青年団体「青年ハブ」に招かれ、福島について講演を行った　写真提供=Seoul Youth Hub

20 同講演の様子。韓国の若者も、原発事故や震災復興に強い関心を示してくれた　写真提供=Seoul Youth Hub

21 本書ではエネルギー産業を受け入れた常磐の歴史を振り返ることで、その未来を考える

22 茨城県北茨城市にある常磐炭鉱中郷鉱跡

23 復興庁のイベントで、当時の今村復興大臣にうみラボを紹介する筆者とメンバー　撮影=橋本栄子

24 福島第一原発を視察した際の筆者。　写真提供=一般社団法人AFW

25 筆者が共同主宰を務めるオルタナティブスペースUDOK.

viii.

26 工場の煙突と煙のたなびく空。筆者にとっての原風景

本書中の写真は特に断りのないかぎりすべて著者の撮影による。

増補版刊行に寄せて

二〇一一年三月一一日に発生した東日本大震災、そして、東京電力福島第一原子力発電所の事故から一〇年となった。大きな節目ではあるだろう。思い返せば、三年目も五年目も、震災のこと、地域の復興のことを考えずにはいられなかった。節目に立つと、なにか心がざわざわするような、もっともっと何かできたのではと焦るような気持ちになったものだ。けれど、昨年あたりから、不思議と、三月が近づいてきても落ち着いていられるようになった。

これを書いている二〇二一年も同じだ。震災を忘れたということではない。故郷への思いがなくなったわけでもない。むしろ、以前よりも、地域について、社会について、復興について思索が深まった気がするし、実際にそれを言葉として、あるいは活動として社会に出してきた。借り物の言葉ではなく自分の言葉で語ることができるようになった、とも思う。なんというか、震災や原発事故が前よりも体の内側にあるような、震災と原発事故の経験が自分の血や肉になったような気がするのだ。だからこそ、以前ほど心がざわつくことなく、心静かに三月を迎えられるようになったのだろう。一〇年とは、そのような時間でもあった。内なる震災と原発事故を忘れることはない。

『新復興論』初版の刊行から二年半が経過したこの二〇二一年に、増補版を皆さんにお届けできることをうれしく思う。この二年半、ぼくは相変わらず「復興とは何か」という問いをモヤモヤと考えてきたが、ようやくここにきて、自分なりの答えのようなものが見えてきた気がするのだ。それを皆さんにお伝えし、共に考えることができるのが素直にうれしい。初版の時は本を出すことに不安しかなかった。けれど今はいくらか「うれしさ」がある。これもまた、時間がもたらした変化かもしれない。

増補にあたって本書を再定義したいと思う。本書『新復興論』は、ぼく、小松理虔が、この一〇年、いかに土地と交わり、思考を重ね、いかに震災と原発事故を血肉化してきたのか、つまり、ぼくがどのように復興してきたのかを記した「復興の書」である。初版に記した第一部から第三部までと「はじめに」「おわりに」はほぼそのまま収録したうえで、「復興と物語」と題した三万字ほどの文章を付け加え、それを「第四部」とした。食、原発、文化と辿り、発行から二年半を経て、なぜ本書が「物語」で締め括られているのか。そこに、復興とは何かのぼくなりの答えを示したつもりだ。著者自らこんなことを書くのは恥ずかしいことかもしれないが、ぼくは、この第四部の文章を書き上げることで、ようやく『新復興論』がいかなる書なのかを理解できた。その意味で本書は、この増補によってようやく完結する。

二年半もかかってしまった。でも、今なら自信を持ってこう思える。タイトルは、この『新復興論』でよかった。そしてこれは、紛れもなく、ぼくの書いた本であると。本書もまた、ぼくの血となり肉となったわけだ。本書は、復興の物語である。

小松理虔

新復興論

増補版

目次

はじめに

本書は、ゲンロンが発行する『ゲンロン観光地化メルマガ』『ゲンロン観光通信』『ゲンロンβ』に、足かけ三年、五〇回にわたって連載されたエッセイ「浜通り通信」を抜粋し、単行本として再構成したものである。連載では、福島県いわき市の港町、小名浜で東日本大震災に被災し、東京電力福島第一原子力発電所の爆発事故を経験した私個人の、日々の暮らしのなかで得られた問題意識や、福島の食に関わる人間としての考え、地域活動に関わることで感じた復興政策への疑問などを書き綴った。その集大成でもある本書もまた、学術書でもなければ、最新のデータや情報を網羅した専門書でもない。小名浜という町に暮らす一人の人間の経験を書き連ねたまでだ。

では、本書はいったい何の本で、いったい誰に向けて書かれた本なのだろう。書籍化を構想するにあたって連載を読み返してみると、これは「地域と関わること」について書かれたものなのだと改めて気づかされた。各々の記事は、刻一刻と変わる被災の状況や、その時々の時事問題などに大きく左右されていて、主張が揺れ動いていているときもあれば、現在ではまったく状況が変わってしまったものもある。しかし、いわき市小名浜で地域づくりに関わる一人の市民としての立場で書かれているということだけは一貫している。ライターやジャーナリストが対象と距離を置いて書いたものではない。

ゼロ距離で地域に関わり、そこで暮らしたいと願う人間の視点で、すべての記事は書かれている。だから本書は、平たくいえば「地域づくり」の本だと言えるかもしれない。

復興とは、傷ついた町を再生し、賑わいを取り戻し、人と人をつなぎ直して、その地域での暮らしを、よりよいものにしていくこと、つまり「地域づくり」だ。復興というと、被災地特有の取り組みに聞こえるかもしれない。しかし、日本各地を見渡せば、地域づくりに邁進しない地域はない。地域をよりよいものにし、魅力を発見しながら、その魅力を次の世代に引き継いでいく。規模の大小の差はあれど、多くの地域が、よりよい地域を目指して何かしらに取り組んでいるはずだ。

本書では、震災後に浜通りで始まった興味深い取り組み、刺激的なスペース、地域アートのプロジェクトなども紹介する。そこには、福島だからこそ、原子力災害を経験したからこそのアイデアや理念が詰め込まれている。福島は「課題先進地区」ともいわれる。他の地区よりも先に進んで課題に直面している、という意味である。もしそうならば、福島から生まれたアイデアや理念は、これから課題と向き合うことになるであろう皆さんに、何かしらの示唆を与えてくれるはずだ。

また、本書では、地方ならではの労働問題や、産業の構造的な課題について考えたエッセイも数多く収録している。そこでは、希望と絶望の両方が含まれた「地方暮らしのリアル」を思うがままに書き綴った。私が書いたエッセイや論考が、これから地域を目指す若い人たち、地方に移住したい、地域で何か始めたいと思う人たちへのエールや叱咤、ヒントになれば幸いである。

しかし、なぜそのような「地域づくり」の本が、思想書や批評誌を世に届けてきたゲンロンから発行されるのだろうか。そこに言及しなければなるまい。地域づくりと思想、批評が、なぜ私のなかで結びついたか。今少し、私とゲンロンの関わりについて振り返る。

福島第一原発を観光地化する?

もともと、私とゲンロンの間には、私が『思想地図β』という雑誌の熱心な読者だったということ以外なんの関わりもなかった。きっかけは、その一冊として二〇一三年に出版された『福島第一原発観光地化計画』だ。

そこでは、福島第一原発事故を後世に伝えるため、原発と周辺地域を「観光地化」しようという大胆な提言がなされた。その提言はあまりにも大胆で、各領域で様々な議論を巻き起こした。当時からSNSをやっている人は、あの時の炎上を記憶しているかもしれない。

炎上、といっても、本に書かれた中身に関するものというより、まだ復興途中だった被災地での「観光」という概念そのものに向けられた疑義であったり、突如として現れた「ダークツーリズム」という言葉に対する違和感、あるいは、批評やアートの暴力性に対する反発が主だった。また、当時は福島に対するデマや差別的な言説がまだまだ残存しており、「福島を題材にする」というだけで厳しい目線が注がれる時期でもあった。同書は、結果的に大失敗に終わる。

しかし、様々な議論が二極化する福島において、「観光」という概念は、より重要性を増しているように思う。観光は、より遠くにいる人たちを切り捨てない。ふまじめな人、物見遊山の人、勘違いしている人や、もしかしたら偏見を持っている人すらも切り捨てることはない。賛成／反対、食べる／食べない、帰る／帰らない、県内／県外、支持／不支持、様々に二極化される福島だからこそ、外部を切り捨てない観光という概念は、今、もう一度再起動されるべきだと私は感じている。

以前は遠くから不安の声ばかりを吐き出していたけれど、『福島第一原発観光地化計画』を読み、一念発起して福島を旅し、福島に関する情報をアップデートしていくなかで食に対する不安を解消した。そんな方が実際にいるのを知っている。福島を観光することで福島の良さを知った人、不安が解消された人、友人ができた人、学びを得た人が、いったいどれほどいるだろうか。物見遊山で訪れた人を開眼させる何かが福島にはきっとある。それを信じたい。

福島第一原発を抱える福島県双葉郡にも、すでにショッピングセンターやスーパーマーケットが開店している。富岡町にはホテルも開業し、ＪＲ富岡駅も復活した。町内の再開発も進み、双葉郡内のツアーなども盛んになってきている。それらの動向をもってして「観光地化」と言うつもりはないし、今ごろになって「福島第一原発観光地化計画は正しかったのだ」と言いたいわけでもない。言えることは、この地を訪れる人たちを誰にも止めることができないということだ。今や多くの人たちが「福島を観光することが何よりの支援だ」と考えるようにもなっている。福島は、観光（客）を受けいれるほかないのだ。

思想と地域を往復する人たちのために

観光は常に外部へ扉を開く。同じように、思想もまた外部を切り捨てない。一〇〇年後、二〇〇年後を考え、「今ここ」を離れて思考が膨らんでいくものだ。地域づくりもまた、そうあるべきではないだろうか。ソトモノやワカモノ、未来の子どもたち、つまり外部を切り捨ててはいけない。今ここに暮らしている当事者の声のみで、地域をつくってはならないのだ。

私がこの浜通りで見てきたものは、現場における思想の不在であった。一〇〇年先の未来を想像することなく、現実のリアリティに縛り付けられ、小さな議論に終始し、当事者以外の声に耳を傾けようとしない。いつの間にか防潮堤ができ、かつての町は、うず高くかさ上げされた土の下に埋められてしまった。復興の名の下に里山が削られ、ふるさとの人たちは「二度目の喪失」に対峙している。被災地復興は、いわば「外部を切り捨てた復興」でもあったのだ。これから地域づくりに関わる人は、こんなことを繰り返してはいけない。歴史を紐解き、批評的な視座を地域に持ち込み、一〇〇年、二〇〇年先を見据えながら、それでもなお地域の人たちと、泥臭く、膝と膝を突き合わせて、楽しく地域の未来を考えて欲しい。

地域づくりだけではない。福祉、医療といった、人の幸福にまつわる領域にも、この「外部の切り捨て」は共通している。特に障害福祉などの領域では、外部を遮断し、関係者や同業者、つまり「内部」だけで事業を進めてきたことが、利用者への暴力といった形に留まらず、様々な問題を引き起こしている。社会に開かれることはなく、外部を受け入れるのでもなく、縦割りの区分けにとどまり、他の領域と連携することなく、内部の論理だけで問題を処理しようとするがあまり、狭い議論、当事者のリアリティに終始してしまう。つまり「今ここ」の問題に支配されてしまうのだ。

現場に関わる私たちは、だからこそ一旦小さな利害を離れ、自分たちの現在位置を探るために、先人たちや知識人たちの膨大な知に触れながら、未来に向けて自らの羅針盤を修正していかなければならないのではないだろうか。本書は、まさにそのような、思想と地域、思想と現場を行き来する人たちのためにこそ書かれる。

そのような視座が得られたのも、「ゲンロン」という思想の場で書き続けてきたからだろう。私は批評家でも思想家でもない。哲学の専門家でもない。どこまでも無知な、現場で体を動かすほか能のない人間だ。しかし、そんな私が、何を間違ったか思想の世界に足を突っ込んでしまった。それはつまり、本来は届くはずのない現場の人間に、何かしらの思想が届いてしまったということだろう。ゲンロンから私のような人間の本が出版される。それはまさに「誤配」の賜物だ。

日本は、そして地方は、これからさらに速いスピードで縮小していく。少子高齢化は次のステージに入り、団塊の世代が次々に亡くなっていく「多死社会」が迫っている。地方の力が弱まれば、政府による強引な地域開発が推し進められることも考えられる。地方は、今よりももっと混迷を極めることになるだろう。そんな混迷の時代には、絶望と希望を先取りし、被災地での暮らしを、それでも前向きに楽しもうとしてきた私たちの経験が役に立つかもしれない。これから地域で生きることを考えるあなたにとって、この本が何かしらの肥やしになり、福島との新しいつながりができれば本望だ。『新復興論』などという大逸れたタイトルをつけたのも、そう願うがゆえである。極度に政治的な言説に埋め尽くされ、「今ここ」のリアリティに支配されてしまった「フクシマ」を終わらせるため、本書は、敢えてふまじめに、そして遠くを迂回しながら、地域の復興を考えていく。

現場の人たちよ、さあ、観光をはじめよう。

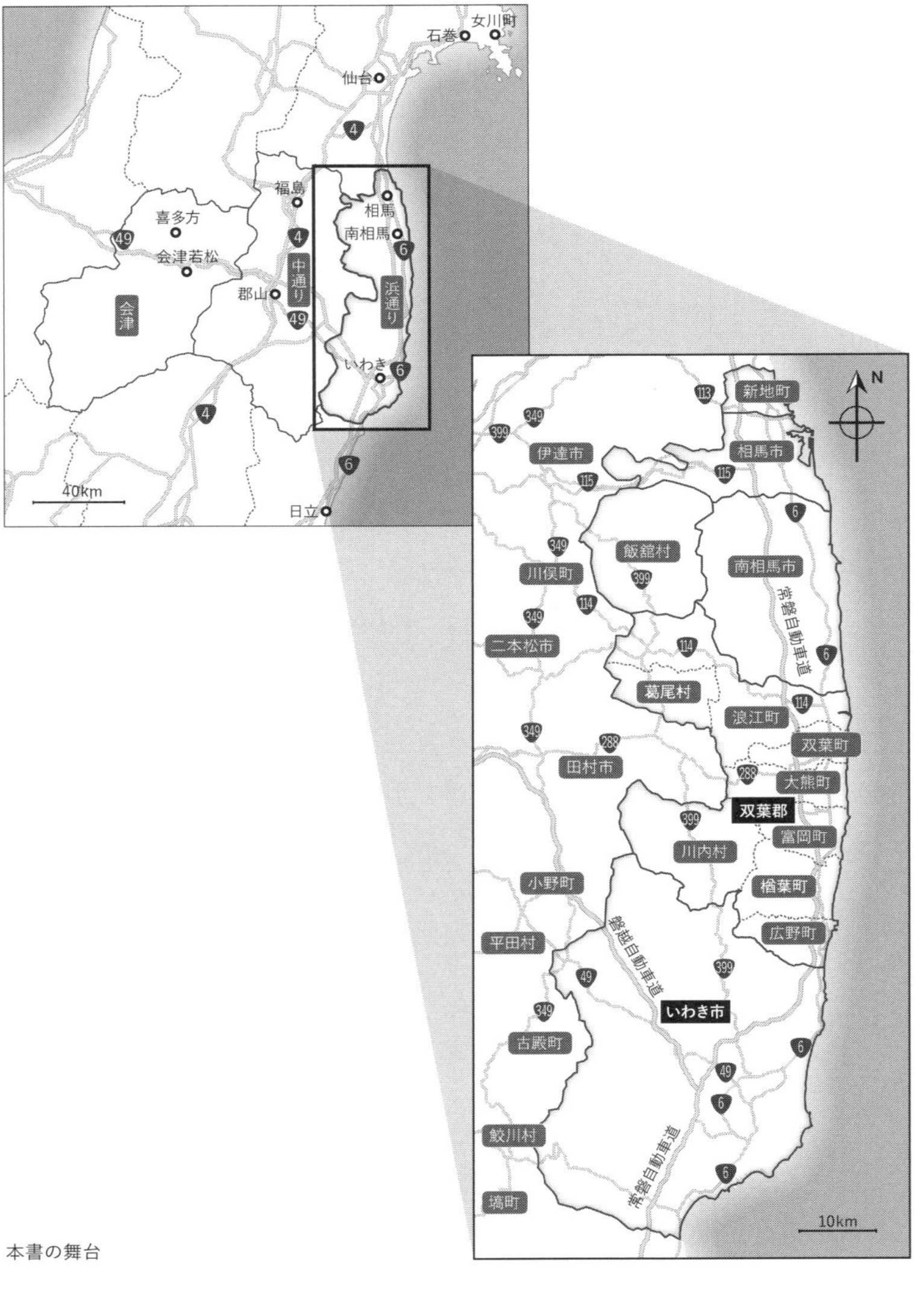
女川町
石巻
仙台
4
福島
喜多方
相馬
南相馬
49
4
6
会津若松
中通り
浜通り
郡山
会津
49
いわき
6
4
6
40km
日立
N
113
新地町
349
399
伊達市
相馬市
115
115
6
349
飯舘村
南相馬市
川俣町
399
114
349
常磐自動車道
二本松市
114
6
葛尾村
114
浪江町
349
288
双葉町
田村市
288
大熊町
双葉郡
399
富岡町
川内村
小野町
楢葉町
磐越自動車道
平田村
広野町
399
49
いわき市
349
古殿町
6
49
6
鮫川村
常磐自動車道
6
塙町
10km

本書の舞台

第1部

食と復興

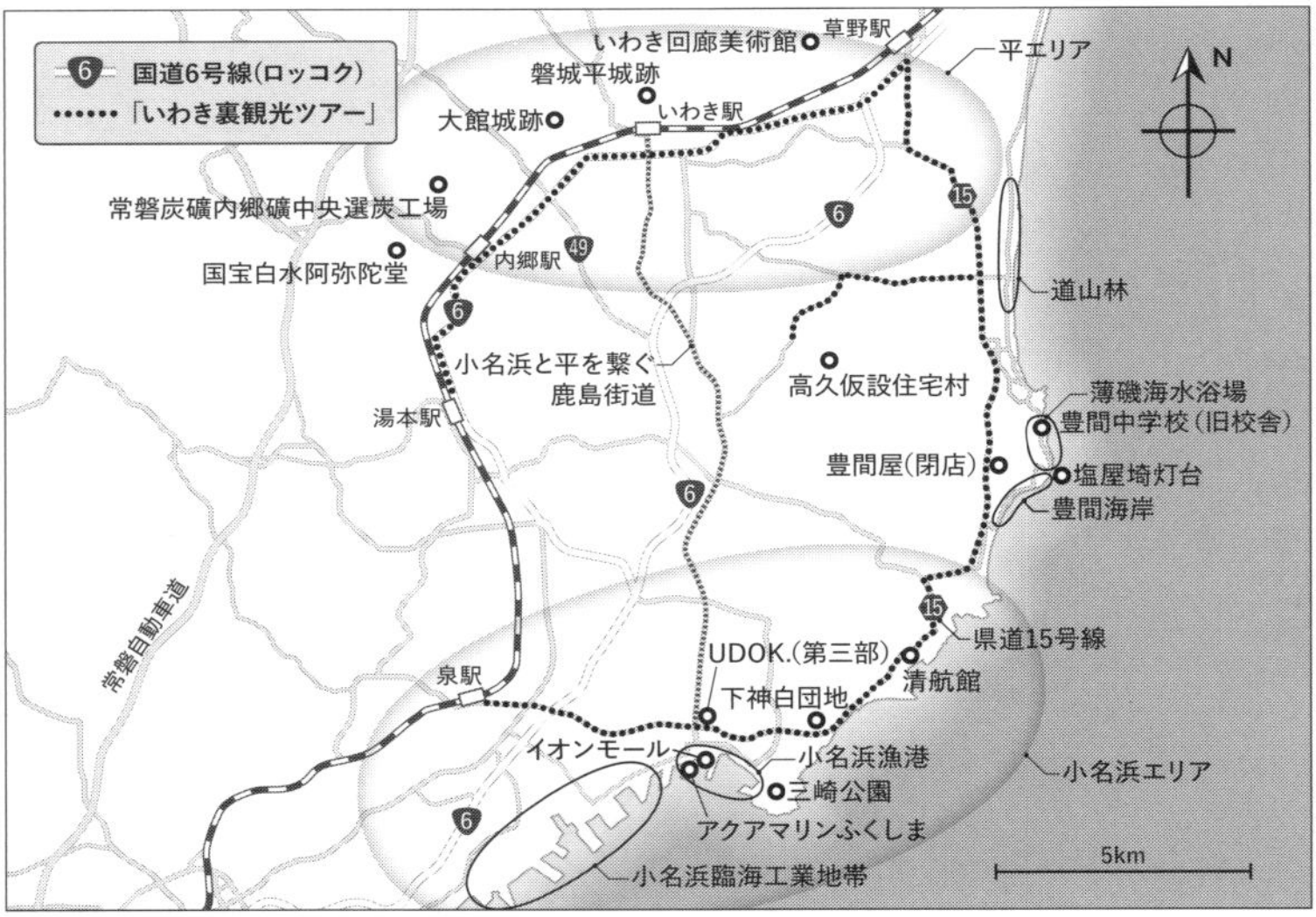

国道6号線(ロッコク)
「いわき裏観光ツアー」
いわき回廊美術館
草野駅
平エリア
N
磐城平城跡
いわき駅
大館城跡
常磐炭礦内郷礦中央選炭工場
国宝白水阿弥陀堂
内郷駅
道山林
小名浜と平を繋ぐ
鹿島街道
高久仮設住宅村
湯本駅
薄磯海水浴場
豊間中学校(旧校舎)
豊間屋(閉店)
塩屋埼灯台
豊間海岸
常磐自動車道
県道15号線
UDOK.(第三部)
清航館
泉駅
下神白団地
イオンモール
小名浜漁港
小名浜エリア
三崎公園
アクアマリンふくしま
5km
小名浜臨海工業地帯

2018年現在

第1章　いわきの現場から

0　福島の食

人は、ものを食べなければ生きていくことはできない。福島から遠く離れたところに住んでいるあなたも、本書が書かれた五〇〇年後の世界に生きているあなたも、たぶん、何かしらものを食べているはずだ。食べること、おいしいと感じること、それは遠くにいる誰かと自分、そして地域をつないでくれる扉のようなものだ。食とは本来、弱いつながりのようなものを起動する、極めて観光的なものである。「うまい!」を通じて、何かと何かがゆるやかに接続される未来を信じたい。本書を通じて福島を観光するあなたと私の最初の出会いは、やはり食であるべきだろう。

本書の冒頭で「食」を取り上げるのは、食が、私たちに必要不可欠なものであり、また同時に、多くの人たちをつなぎ合わせることができるものだからだ。福島県産の食品は、ブランド品は多くはないが、日々の食卓を支えるものとして日本中に出荷されている。どこかで知らず知らずのうちに福島県産の食品を食べているという読者も、きっと多いことだろう。また、食は私が震災後に仕事として関わった分野でもあり、多くの実体験を自分の言葉で語ることができる。食を通じて、いわきという土地と皆さんとをゆるくつなげること。それが第一部の狙いだ。
また、第一部には、残る第二部と第三部の概要を示すという役割を持たせている。第一部を読んでもらえれば、私が住む福島県いわき市の状況や歴史的背景、私が本書で伝えようとしていることのおおまかな中身を理解して頂けると思う。このため第一部では、「この問題については後ほど詳しく解説する」という記述がたびたび出てくる。そのまま読み進めて頂いても構わないし、指定する箇所に飛んでもらっても構わない。もともとは連載記事であり、それぞれが独立した記事である。自分の関心のありそうなところからバラバラに読み進めて頂いても、本書が伝えていきたいことが伝わるように書いたつもりだ。

本書は、福島県の沿岸部、浜通りから広く「復興」や「地域づくり」について考える本である。第一部が「食」、第二部が「原発」、第三部が「文化」というように、各部に大きなテーマを設けている。さらに、地域づくりの本として別の構造も意識した。第一部と第二部では復興や原発事故の現実的な課題を取り上げているのに対し、第三部では現実を離れ、外部へと目線が向かっていくというような構造だ。特に第三部はあなたの暮らす地域と密接につながっていくように見えるだろう。また、第三部だけ切り離すと、文化と地域づくりについての独立した文章として読める。いわゆる「地域アート」などに興味のある人は、こちらから読み進めて頂いてもいいだろう。

というわけで、第一部のテーマは食である。何を食べ、どう調理し、誰と食卓を囲むのか。それらをひとつひとつ選びとる行為には、その人のライフスタイルが色濃く反映される。特に原発事故後は、食べるという行為の選択を巡って、大きな社会的分断が生まれてしまった。何を食べ、何を食べないのか、その食べる／食べないという意思をどのように表示するのか。選択の違いは分断となり、風評被害という言葉でも語られてきた。食べることは、生きることそのものでもある。ならば、食を巡る分断は、生（活）を巡る分断でもあったのだ。

二〇一二年に、いわき市内のかまぼこメーカーに転職して以来、私は、食の当事者として考えずにはいられなくなってしまった。なぜそのような分断が起きてしまったのか。分断は被災地にどのような影響を及ぼしたのか。震災と原発事故特有のものなのか、そうではないのか。それを解決する糸口はどこにあるのか。よその地域に役立てられるような知見はあるのか、というような問いを。私にとって食とは、福島と原発事故を理解するための出発点である。

現場から自問し、自分なりに答えを求めて数々の実践も行ってきた。第一部では、その食の現場での体験を、地域の歴史や風土、産業形態と接続しながら紹介していく。ただ、私の模索は、決して分断を縫い合わせようとはしないだろう。むしろ、自分勝手な解釈を付け加えながら、好き勝手あちこちに寄り道しながら、そして遠回りしながら、分断の向こう側を見ていくことになる。

本論に入る前に、食と絡めて自己紹介をしておこう。私は、二〇一二年から、いわき市内のかまぼこメーカーに勤務し、営業・広報担当として様々な情報発信にあたってきた。私と食、そして福島をつなげてくれたのが、このかまぼこだ。ゆえに本書には「かまぼこ」という単語がたびたび出てくる。かまぼこはほんとうに面白い食材だ。私の暮らすいわき市らしさが存分に込められた商品であるだけでなく、「食の分断」を語るのに相応しい食材でもあるからだ。かまぼこを材料に、いわきとはどのような土地なのか、風評被害とは何なのかを考えていく。

かまぼこメーカーに勤めながら、二〇一三年の冬から、有志たちと福島第一原発沖の海洋調査プロジェクト「いわき海洋調べ隊うみラボ」をスタートさせた。この活動を通じて、私はデータや数値を学び、福島の海について科学的に対峙していくことになる。しかしその一方で、データや数値が作り出した分断にも思いを馳せるようになった。第二章では、うみラボの科学的な側面と観光的な側面を紹介しながら、分断の向こう側へ辿り着くためのヒントを考えてみたい。科学的な専門書とはだいぶ違った趣になると思うが、福島の今をアップデートするための刺激的なガイドになれば幸いである。

二〇一五年にかまぼこメーカーを退社し、フリーランスになってからは、津波被災地の復興商店を手伝ったり、水産加工プロジェクトや鮮魚店の広報支援などを手がけながら、自ら食のイベントを企画するようになった。所属先はなくなったけれども、自由になったぶん、地域との距離はますます近づいたように感じている。地域の課題とも直に接する機会が増え、おいしいや楽しいだけではない、復興のネガティブな面が見えてきた。第一章の後半において、津波被災地の復興政策のジレンマなど、復興がもたらす負の部分について取り上げた。原発事故や復興がもたらした困難は、その後の第二部にも引き継がれている。

ここまで読んで頂ければ分かるように、第一部の中身は、私が日々の仕事で体験し、現場で見聞きしてきたことである。現場の人間として、それなりの経験を重ねてきた自負もある。しかしその一方で、私の目線はいつも観光客のそれであり続けた。私は食品メーカーの経営者ではないし、生産者本人でもない。「当事者づら」しておきながら、結局はサラリーマンであり、好きな時に「福島の食」を離れることもできた。当事者だけれど当事者ではない。福島の食に関わっているけれども、いつでもそこから離れることができる。ふわふわと日々を楽しむ延長線上で福島の食に関わってしまった人間に過ぎない。

だから私は、こんなことを知らないのかバカめ、もっと勉強せい、などと誰かを非難することもないし、福島を知るためにはこの本くらいは読んでおけ、などと要求することもない。私は、二〇一二年まで、ヒラメとカレイの違いすら分からない、まったくのド素人だったのだ。双葉郡のことだってよく分からなかったし、そもそも地元のいわきのことだって、深く興味を持ったのは震災後だ。本書は何の前提知識も必要としない。初めて訪れるどこぞの町をふらりと観光して楽しむようなつもりで読んで頂ければ幸いだ。

もうひとつ、断っておかねばならないことがある。私は、福島の食に関わってきた立場を利用し、当事者づらして、誰かの無知や理解不足を叩いた時期があった。私は、原発事故がもたらした社会的分断の被害者であったが、また同時に加害者でもあったのだ。原発事故への怒りと、分断を深めてしまったことへの反省、その両端を抱えながら、この第一部は書かれる。

前置きが長くなった。そろそろ第一章へと入っていこう。この章では、いわき市の食文化や歴史、産業などに触れながら、原発事故がもたらした社会的分断、さらには震災復興がもたらした「二度目の喪失」の問題を考えてみたい。第一章は1から3のテキストに分けた。まず、1において、いわきという地域の特性を「潮目」というキーワードで読み解く。2では、いわき市の沿岸部、豊間地区を例に「二度目の喪失」と復興の負の側面について考えていく。さらに3では、風評被害を取り上げたうえで、いかに異なる他者の選択を受け入れていくのかという問題を考えている。この他者の問題は、本書の第三部にも引き継がれる。

1 潮目の地にて

自宅から車で三分ほどのところに「アクアマリンふくしま」という水族館がある［写真1］。潜水艦のような外観をした、ガラス張りのとても美しい水族館だ。地元の海を再現した水槽や、トドやアザラシなどの海獣の飼育、子どもたちが実際に触れることのできるタッチプールなどがウリの水族館で、

写真1　アクアマリンふくしまの外観。美しいガラス張りが特徴

連休ともなると駐車場に車を止めきれないほどの来客がある、小名浜地区を代表する観光地だ。自宅のそばに水族館があるというのは、子を持つ親としては素直にうれしいことである。毎年「年パス」を購入し、ちょくちょく娘を連れて遊びに出かけている。

アクアマリンふくしまの最大の目玉が「潮目の大水槽」だ。暖流と寒流がぶつかり合う潮目の海、すなわち福島県沖の海を再現した水槽で、暖流のほうにはカツオやイワシなどの回遊魚が群れをなして泳ぎ、一方の寒流のほうには、ヒラメやカレイ、メバルといった沿岸の海底に生息する魚や、タラなど寒流に棲む魚が泳いでいる。ふたつの水槽の間には、三角の形をしたガラス張りのトンネルがあり、観覧者は、トンネルを通過しながら、左右両方の水槽を見上げて楽しむことができる。フォトジェニックな場所でもあり、まさにこのいわきの地域性を反映させた場でもある。

寒流とは「親潮」のことを指す。千島列島に沿って南下し、日本の東まで達する海流だ。これを親潮と呼ぶのは「魚を育てる親となる潮」ということに由来する。栄養塩が豊富に含まれ、春になると日射量の増加にともなって植物プランクトンが増殖し、動物プランクトンや魚類の格好の繁殖場となる。一方、暖流とは「黒潮」のこと。日本列島の南岸に沿って、房総半島沖を東に流れる。流れが速いため栄養もプランクトンも親潮ほど豊富ではないが、その分透明度は高く、海の色は青黒色となり、それで「黒潮」と名付けられたそうだ。

福島県沖で寒流と暖流はぶつかり合う。豊富にプランクトンが集まるため、それを餌にする魚たちもこの海域にやってくる。福島県沖の「潮目の海」とは、豊かな漁場の象徴だ。実に多種多様な魚が獲れ、その海の恵みは各地域に豊かな食文化を形作ってきた。福島の海の名産といえば、カツオ、サンマ、サバ、ヒラメ、カレイ、メヒカリ、アンコウ、さらにはイカやタコ、カニなど数えればキリがない。私も第二章で詳しく紹介する「うみラボ」の活動で頻繁に釣りをしているが、福島第一原発の沖でも実に多様な魚たちを釣り上げることができる。

地理学的には、東北地方の太平洋側の海域をすべて「三陸沖」と呼ぶ。この三陸沖は世界三大漁場のひとつに数えられている好漁場だ。三陸沖のなかでも、松島以南勿来（なこそ）以北の「常磐沖」で獲れる魚は、築地では「常磐もの」と呼ばれ、新鮮なヒラメやカレイ、スズキなどがもてはやされた。鮮度の落ちやすい常磐のアイナメの刺身や、いわき名物であるメヒカリの刺身などは、首都圏でもなかなか味わえない絶品だ。こちらへお越しの際には、ぜひ味わって頂きたい。

暖流の影響を受けていることもあり、浜通り地域は温暖な気候で知られる。例えば、住宅の省エネ基準における地域区分（全国を1から8の地域に分け、数字が増えるほど温暖な地域とみなされる）を見てみると、福島県浜通りをのぞく東北地方はすべて「3地区」か「4地区」になっているのに対し、福島県浜通りは、東京や茨城、西日本の内陸部と同じ「5地区」に指定されている。しかも、いわき市の年間日照時間は東北で一位だ［表1］。冬でもほとんど雪は降らず、氷点下になる日も少ない。「厳しい寒さと雪深さ」に連想されるような東北の冬が浜通りに訪れることは少なく、このため、浜通りの人間は「東北の人間」だというアイデンティティを持つことはほとんどない。

夏の最高気温も、いわきの沿岸部では三〇度を超えることはあまりない。窓を開け放っておけば冷房を使う必要がない日も多いくらいだ。いわきの住宅建築業界では、冬も夏も冷暖房を使わない高気密高断熱のパッシブハウスを志向する工務店が少なくない。住宅の性能を高め、いわきの温暖な気候を最大限に生かせば、冬暖かく夏でも涼しい家ができるというわけだ。いわき市が「サンシャインいわき」や「東北の湘南」などと恥ずかしい自称をしているのもこのためである。「東北の湘南」などは、東北でありながら関東の仲間入りをしたいという、いわき市民の欲望が透けて見えるようだが。

それでちょっと思い出したことがある。いわき市の呼称だ。今から五二年前に、平市（たいら）や磐城市、勿来市など、いわき地区の一四市町村が合併して、現在のいわき市は作られた。新しい市の呼称の候補のなかには、ひらがなの「いわき市」以外に、なんと「北関東市」という呼称があったそうだ。もしかしたら、今頃いわき市は「福島県北関東市」になっていたのかもしれない。それを考えると、今の「いわき市」にも、なんとか愛着を持てるような気がするが、そんなところにも「関東への欲望」が透けて見える。

観測地点	2016年 日照時間（時間）	
青森	1622.4	
深浦	1493.1	
八戸	1910	
盛岡	1823.9	
宮古	2003.2	
大船渡	1859.9	
秋田	1673.5	
横手	1573.7	
大館	1559.9	
酒田	1647.8	
新庄	1512.9	
山形	1683.3	
石巻	2005.8	
仙台	1895.7	
古川	1858.3	
若松	1716.6	
福島	1817.7	
小名浜	2180.1	全国26位
南鳥島	2669.3	全国1位
磐田市	2328.3	全国2位
豊橋市	2293.9	全国3位

表1　東北各地の日照時間
（気象庁のデータをもとに著者作成）

樹木から伺える「黒潮文化」の北限

浜通りは、海の多様性だけでなく、植物の多様性も持ち合わせている。常磐沖が暖流と寒流の交わる潮目の海であるのと同じように、浜通りは様々な植物の南限と北限が入り交じっているのだ。

諸説あるが、いわき市が北限となっている植物の代表的なものにヒノキがある。ヒノキは住宅建材としてよく使われるが、意外にも積雪に弱く、その分布は冬でも雪の少ない太平洋側に偏っている。国内での分布は広く、南は屋久島、北は福島県いわき市赤井地区までで、霊山として知られる閼伽井(あかい)嶽(だけ)のヒノキが最北端の自生ヒノキとされる。その閼伽井嶽にあるのが水晶山常福寺だ。常福寺の代名詞である薬師堂は、名僧徳一の開基（八〇六年）とされ、樹齢数百年を超えたヒノキとスギの原生林に囲まれている。こちらもなかなかの迫力なので、いわきに来たときにはぜひ足を運んで頂きたい。

もうひとつ、北限となっているとされる植物が、常緑樹のクスノキ。国内のクスノキの分布は九州・四国地方でおよそ九割を占めると言われていて、東北ではほとんど見ることができない。自生のクスノキについて調べていると、いわき市小浜地区のものを北限とする説を東北地方整備局のウェブサイトで見つけた［★1］。クスノキは腐敗に強いため、かつては舟の材料として日本各地で植樹され

★1 「浜通りの生物の北限と南限」URL=http://www.thr.mlit.go.jp/iwaki/hama-lib/rika/limit_n_s.html

た。いわき市内の神社などに残るクスノキもその名残だろうか。クスノキと舟の関わりは日本書紀の説話が有名だ。スサノオノミコトに関する説話のなかに、スサノオが体中の毛をむしると、それがスギ、ヒノキ、クスノキ、マキの四種類の木に変わり、ヒノキは宮殿に、スギとクスノキは舟に、マキは棺に使うよう用途を教えた、というものだ。特にクスノキの植林に適した西日本では、遺跡などからクスノキ製の舟が出土することも多いそうだ。

七一三年に編纂された『常陸国風土記』には、天智天皇の時代に作られた大舟のことが出てくる。次のような内容だ。「軽野［引用者注：現在の鹿島郡神栖町周辺とされる］から東方の大海の浜辺には、漂着した大きな船がある。長さ十五丈［一丈は約三メートル］、巾は一丈余もあり、波に打ち摧されてしまって砂に埋まっており、今に至るまで遺っている」。これには以下のような注がついている。「淡海の世（天智朝）に、国土を探し求めるために（人を）派遣しようとして、陸奥の国の石城の大工に命じて大船を作らせたが、この地まできて流れ着き、たちまちこわれてしまったという」と［★2］。

こうした説話を直接的に裏付けるものではないが、確かにいわき市内の複数の神社にクスノキが植えられている。いわき市平塩にある熊野神社、そしていわき市錦町の熊野神社などがそれにあたる。錦町にある熊野神社では、七月三一日から八月一日の祭礼時に稚児田楽が奉納されている。「御宝殿の稚児田楽」と呼ばれ、国の重要無形民俗文化財に指定されている。福島県文化振興財団によれば、舞の一部は和歌山県の熊野那智大社の田楽と類似しているそうだ。造船技術やクスノキの植林を伝えるため、いわきと熊野を往来した人たちがいたとしてもおかしな話ではない。熊野との往来によって稚児田楽も伝わったのだろう。黒潮に乗って各地の港を中継すれば、熊野からいわきはそう遠い距離ではない。黒潮の北端である浜通りは、ヤマトの最北端であったのだ。

豊かで、そして貧しい土地

一方、いわき市は「南限」の町でもある。東北地方のアイヌ語地名をくわしく探索した山田秀三、鏡味明克らの説[★3]によると、アイヌ語で「川」を表す「別・ベツ」という地名の南限を調べると、いわき市小名浜の「弁別」がその南限にあたるというのだ。「ペッ」というのは「川」を指し、それが「ペッ・ペッ（べんべつ）」と重ねられている。つまりふたつの川が合流することを指すアイヌ語地名なのだという。北海道内にも別々川（べつべつがわ）という川があり、語源的には同じである。確かに、弁別という地区は、藤原川と釜戸川が合流するポイントである。ヤマトの影響が及ぶ以前、この地にもアイヌの民が住んでいたのだろう。何しろ小野小町や西行法師も歌うほどの歌枕になり、奥州三関のひとつに数えられる「勿来の関」の北である。この地がアイヌの地の最南端だとする説に、大きな破綻はないように思える。

★2 秋本吉徳『常陸国風土記　全訳注』、講談社学術文庫、二〇〇一年、一二七頁。
★3 山田秀三『東北と北海道のアイヌ語地名考――山河を愛する人々に捧ぐ』、楡書房、一九五七年。鏡味明克「東北地方のアイヌ語地名の再確認」。URL=http://kiyou.lib.agu.ac.jp/pdf/kiyou_02F/02_24F/02_24_51.pdf

ちなみに私も、子どもの頃から東南アジア人とかサモア人などと呼ばれたものだ。明らかに顔が濃いし、肌の色も黒いし、アイヌ人の特徴である、体毛が太く長い、頭の毛が縮れている、眉稜と鼻骨が隆起している、耳垢が湿っているなどもドンピシャ。もしかしたら、私もアイヌの血を引いているのかもしれない。

いわきの南限はアイヌだけではない。いわき市が南限（あるいは南限に近い）という植物も多い。エゾノコギリソウ、ハマギク、ハマベンケイソウやハマナスといった沿岸性の花がそうだ。これら南限の花に加え、北限の花もかなり多く自生し、それらが同時に見られることから、いわき市では花を観光資源にすべきだという人たちも多い。

ヤマトとアイヌが混じり合い、暖流と寒流がぶつかり、北限の植物と南限の植物が共生する。浜通りとは、実に豊かで多様性のある地域なのだ。しかし、その潮目が自然環境の豊かさを与えてくれる一方で、境界線であるがゆえの難しさ、貧しさをもたらしてきたのも事実だろう。境界とは、境界を隔てて分けられたその両者どちらから見ても「周縁」であり、中央の論理に翻弄されやすい土地だからだ。

浜通り中部。双葉郡富岡町の桜の名所夜ノ森（よのもり）は、戦国時代にこの場所を治めた小大名、北の相馬氏と南の岩城氏が争って「余の森」と呼んだことに由来するという話がある。その相馬や岩城とて、結局は伊達や佐竹、徳川といった大大名の影響を受けずにはいられなかった。いわき市の源流である石城国も、もともとは蝦夷支配のための前線基地だし、いわき市平に存在した磐城平城も、伊達政宗を牽制するため、徳川家康が家臣の鳥居忠政に整備させた防衛拠点である。どちらも中央の論理で築かれたものといっていい。

さらに、拠って立つ土地すらも、分与やら転封やらで小藩に分けられ、かつて広大だった岩城氏の土地は、磐城平藩、湯長谷藩、泉藩、棚倉藩、笠間藩などの領地や、幕府の直轄領に分裂してしまった。明治以降は、常磐炭鉱の発見によってエネルギー供給地となり、石炭の時代が終わると、今度は国策による市町村合併が推進され、工業化されることになる。もともとはひとつだったはずの土地が中央の論理によって分割あるいは統合され、その分断の痕跡は、いわき市誕生から五二年が経過した今も、市民のアイデンティティに根強く受け継がれている。国や東電といった中央の論理に翻弄され、いわき市民と双葉郡の避難住民が様々な軋轢を抱える構図は、数百年前の「余の森」の時代とあまり変わっていないようにも思える。

自然豊かな潮目の土地は、関ヶ原と戊辰、二度の内戦で敗北を経験した。関ヶ原と戊辰については第三部でも詳しく紹介するので、ここでは短い説明にとどめるが、この土地は、敗北のたびに、中央から常に新しい産業を背負わされた。その最たるものがエネルギー産業だ。常磐炭鉱に始まり、その後の工業化、そして原子力産業の受け入れ、さらには廃炉産業の集約化も、自ら望んだ部分はあるにせよ、そもそもが国策によるものである。

エネルギー産業だけではない。地域らしさが存分に発揮されるべき食の分野でも、全国に冠たる特産品はほとんどなく、下請け的な生産工場が多い。いわきを代表する特産品である「かまぼこ」がいい例だろう。日本でトップクラスの生産量を誇りながら、その大部分が、安価なコモディティ商品として首都圏に出荷されているため、地元の特産品であることは地元民にすらほとんど知られていない。農産物のシンボルであるコメもそうだ。山間部のような寒暖差がないため、甘味や粘りの強いコメが作りにくく、新潟や山形、秋田といった名産地の商品に比べどうしても市場評価が下がり、価格が落ちてしまう。震災前から、福島県浜通り産のコシヒカリの市場での評価は決して高いものではなかった。だから、多くの農家がコモディティ米を目指すことになる。そしてこの「安価な大量生産品を供給する土地柄」であることが、原発事故後の風評被害（とりわけ経済的被害）を固定化する遠因にもなっていく[★4]。風評被害についてはこのあと詳しく取り上げていくが、いずれにしても、浜通りで生産されるものの多くが下請け的であると言っていいかもしれない。これらは、豊かであるがゆえの貧しさということができるだろう。

常磐炭鉱の開発以来、この地は、国策を受け入れることでジャンプアップを図ろうとしてきた。しかし、エネルギー産業に傾倒するあまり、首都圏を支えることが誇りになり、本来そこにあった文化や歴史に目を向ける機会が減ってしまった。地域の発展のため、時代の要請を粛々と受け入れ、忸怩たる思いを抱えながらも、首都圏の大消費地を支える「もの言わぬ供給地」であり続けた。日本という国をどこよりも支えているのに、なぜか周縁化され、何かが起きると切り捨てられてしまう。戊辰の例を見るまでもなく、それがこの潮目の地の運命なのかもしれない。

しかし、そうではない道があるはずだ。原発事故を経験してなお、私たちは同じ道、首都圏を下支えするというバックヤードの役割を自ら背負い続けるしかないのだろうか。浜通りは、潮目の豊かさと貧しさの両方を直視し、それを逆手に取って、私たちにしか発信できない思想を生み出していかなければならないと私は感じている。戊辰戦争の悲劇すらしたたかに利用した会津のように、もの言わぬ周縁として耐え続けるのではない道を、自分たちで選び取らなければならないのではないだろうか。それを考えることが、本書の趣旨である。

中央による文化や資本の収奪、無意識に生まれる中央への依存。それに抗うために、自分たちの地域の文化を自ら決定し、育て、守ることが必要だ。劇作家の平田オリザは、地域が自ら文化を育て、収奪に抗う力を「文化の自己決定能力」と呼んでいる［★5］。潮目の町、いわきに足りなかったのは、まさに文化の自己決定能力だったのではないか。エネルギー産業を受け入れ、下請けを受け入れ、首

★4 福島県産の農産物の価格や流通量など、経済的なデータを比較検証し「風評被害」の実態をまとめたのが、筑波大学大学院准教授の五十嵐泰正による『原発事故と「食」市場・コミュニケーション・差別』（中公新書、二〇一八年）である。五十嵐は研究者でありながら、うみラボにはアドバイザーとして関わって下さり、地元の千葉県柏でも、ホットスポットになってしまった同地区の農産物の安全安心について、地域の農家や流通業者、市民とともに合意形成にあたったアクティビストでもある。感情論に流されることなく丁寧にデータを紡ぎ、分断を超えた成熟社会のあり方を指し示した同書は、福島の「食と分断」を知り、解決策を探るうえでの必読書である。五十嵐との協働は、風評被害や差別を考えるうえでとても大事な視点を筆者に提供してくれた。

★5 平田オリザ『下り坂をそろそろと下る』、講談社現代新書、二〇一六年。

都圏のバックヤードになって生き延びるという戦略を採ったことで、私たちは「いわきとは何か」という問いを捨て、文化の自己決定能力を放棄した。だからこうして、同じような歴史を繰り返してしまっているのではないだろうか。

震災から七年が経った今、浜通りは、また周縁化への道を進んでいるように見える。自分たちで決めるのではなく、結局は、上から押し付けられる廃炉産業や自然エネルギーばかりを追いかけているように見えるのだ。エネルギー産業が地域を潤すのは、石炭がそうであったように、せいぜい一〇〇年程度である。そうではなく、私たちは、廃炉や自然エネルギーの次まで見据え、自己決定された文化による地域づくりを進めなければならないのではないだろうか。それは、地域の魅力を創出するためだけではもちろんない。エネルギー産業に依存してしまう構造に自覚的でいるためにこそ、私たちは文化や歴史に目を向けなければならないのだ。

今一度、いわきの文化とは何かという初歩的な問いを生み出していこう。そんな理念を掲げ、二〇一七年秋から、いわき市内で文化事業やアートプロジェクトを企画する市民有志たちが、いわき市と「いわき潮目文化共創都市づくり推進実行委員会」というチームを結成した［★6］。私もその実行委員会のメンバーになっている。自治体との共同プロジェクトなので、正直どこまで展開できるかは未知数だが、文化的アプローチを続けていくことによって、文化の自己決定能力を育み、一〇〇年後も抵抗を続けられる思想のようなものをわずかでもいいから築き上げていきたいと思っている。

いわきという地域の大きな流れは、これからもエネルギー産業やコモディティ産業に向かっていくだろう。だからこそ、小さくとも尖った流れをそこにぶつけ、忘却や依存に抗うような「潮目」を作らなければならない。潮目文化共創都市づくりの「潮目」という言葉には、そのような抵抗の意味が込められていると私は理解している。潮目を作る。それはまさに「抗うこと」そのもの。本書が、本稿「潮目の地にて」から始まっているところにも、そんな抵抗の意志を込めたつもりである。

2 豊間から考える

二〇一六年の五月から、いわき市の豊間（とよま）地区にある復興商店の手伝いをしてきた。豊間はいわき市の沿岸部に位置する浜辺の町。東日本大震災では巨大津波に襲われ、地区の六二〇世帯のうち、およ

★6 いわき市文化振興課と、地域のクリエイティブや文化事業に関わる一〇人ほどのメンバーが実行委員を結成し、いわき市内で「潮目」をテーマにした様々な文化プログラムを実行する事業。二〇一七年度には、観光家の陸奥賢によるコミュニティ・ツーリズムのワークショップや、民俗学者の石倉敏明を講師に迎えたセミナー、劇作家の岸井大輔を地元の寺院に招いた「講」の企画、さらには、様々な作品制作、ドラマリーディングの上演など三〇あまりのプログラムを実施した。外部の有識者を講師として招くものの、基本的にはディレクターは置かずに、いわき市民の担い手がそれぞれの問題意識から企画を作り、市民とともに実行に移している。

そ三分の二の世帯が全壊。八五名の尊い命が失われた。いわき市でもっとも甚大な被害を受けた地区のひとつである。その豊間地区に再び賑わいをもたらすとともに、被害を受けた店の再開の場を提供しようと二〇一五年一月に完成したのが「とよマルシェ」という復興商店街だ。中華料理店、鮮魚店、食堂など四つの店舗が軒を連ねていて、私はそのうちのひとつ、「豊間屋」という物産商店の手伝いをしていた。

この豊間屋という商店、地域の女性たちが作る郷土料理「さんまのポーポー焼き」などの惣菜と[★7]、地元の産直野菜をウリにした物産商店で、主に、近くの復興住宅で暮らす高齢者や地元の人たちが利用してきた[写真2]。

二〇一五年のオープン当初は、被災した人たちが購入できるよう生活雑貨を並べ、そのついでに地元の母ちゃんたちが集まってお惣菜を作って販売しようという、いわばコミュニティ機能重視の場所であったそうだ。心の復興を目指す場所と言えばいいだろうか、そ

写真2　豊間屋のお母さんたちがつくるポーポー焼きは絶品だった

こまで数字にはこだわらず、地域の皆さんが元気を取り戻す場所としての性格が強かったと聞く。

ところが、母ちゃんたちがこだわって作ったさんまのポーポー焼きがことのほかおいしく、遠方からも注文が入るなど売り上げが増え、お店としてしっかり運営すれば、さらなる売り上げ増や若者の雇用などにつながる可能性が見えた。そこで本格的に商売を始めることになり、ならばそれに適した経験者を探そうということで私に声がかかり、お手伝いをするに至ったというわけである。私は、商品の販売戦略や店づくりに関する提案をしたり、仕入れ商品の選定や陳列、ポップやショップカードなど販促物の制作などにあたった。要するに店の売り上げを上げるための「なんでも屋」だ。

もともとは、首都圏など県外の若者、とりわけ地域づくりに関心のある若者を店長候補として採用し、店づくりを任せる計画だった。東京に本部があり、震災直後から人材派遣を通じて被災地支援を続けているNPO法人ETIC.の「右腕プログラム」というプロジェクトのウェブサイトには、豊間の皆さんが人材募集をかけた記事が残っている［★8］。

★7　いわき市を代表する郷土料理のひとつ。さんまの身をたたき、味噌、ネギ、ショウガなどを加えて、ハンバーグのように丸めて焼いた料理。漁師たちが船の上でこれを作り、さんまの脂が炭火に落ちて「ポーポー」と音が鳴ったということから「ポーポー焼き」と名付けられた。さんまのポーポー焼きを製造販売する会社は多く、筆者も二〇一六年から「小名浜さんま郷土料理再生プロジェクト」というプロジェクトに参加し、広報担当として情報発信にあたっている。

★8　『東北の湘南』と言われる地で、若者とタッグを組みたい!-」URL=http://michinokushigoto.jp/magazine/9489

その記事は、私がライターとして取材して書いた。だからよく覚えている。はじめは県外から人材を呼ぶ予定だったのだ。しかし、募集をかけたのは二〇一五年。もはや東北の被災地に熱い視線を送る血気盛んな若者も減っていた。さらには店の業務も多岐にわたり、当然ながら激務が予想される。そもそも移住のハードルは高い。結局人が集まらず、たまたまライターとして取材していた私ぐらいしか、声をかけられそうな人が残っていなかったのかもしれない。

責任者の見えにくい地域復興

豊間屋というお店の難しさのひとつに「責任者の不在」という問題があった。商店街にあるほかの店舗は、震災前からの店主が健在だ。運営は非常にシンプルである。しかしこの店には店主がいない。店長も社長もいない。いるのは、豊間地区の区長、復興に関わるコンサルの先生、実動部隊としての「ふるさと豊間復興協議会」のメンバー、そして地域の母ちゃんたちである。

発足の目的が「コミュニティ機能」だったから無理もない。外部に営業をしかけてお金を儲けて地域に産業をもたらそう、という思いで始まったわけではなく、区長は地域のリーダーではあるが店の経営のプロではないし、コンサルの先生もあくまで外部の人である。協議会メンバーも母ちゃんたちも、地域のために一肌脱いでくれているものの、皆さん高齢であり、一儲けしよう、ガンガン事業を進めていこうというわけでもない。そんな「宙ぶらりん」の状態が、責任者の不在を温存してしまっていたのだろう。

私だって、あくまで外部から関わる人間である。自分だけが率先して動いても、業務が引き継がれなければ意味がない。だから皆さんにあれをして欲しい、これをして欲しいとお願いをする。しかし皆さん、もう六〇歳をゆうに超えた普通の父ちゃん母ちゃんたちである。すぐに仕事ができたら、そもそも右腕なんて頼む必要がない。当然時間もかかる。それでも、豊間の皆さんの、若い人たちに豊間を引き継ぎたいという思いが本物なのはヒシヒシと感じていた。自分の力のなさにはいつも歯がゆさしか感じられなかったが、それでも「やらないよりはやったほうがいい」と開き直って一年間のお手伝いをしてきた。

次第に豊間の皆さんも本腰を入れ、メンバーのなかから店長を選出、販売部と製造部が張り切って日々の仕事を推進してくれるようになった。私の手伝い期間が終わったあとも、知り合いの大学院生がお店づくりに関わってくれることになり、日々の情報発信もとても充実してきた。この調子なら、まだまだ豊間屋も盛り上がっていけそうだ。私も「豊間にみんなで楽しめる農園を作ってはどうか」と提案したところ、現地の農家の方がレモン農園づくりを始めることになった。すでに初収穫を終え、地域の料理人などに販売された。完売だったという。

しかし、その豊間屋も、二〇一八年一月をもって閉店となってしまった。やはり売り上げが低迷し、サンマの不漁や価格高騰などもあり、コンスタントに商品を作れなくなってしまったのだという。豊間屋のような小さな店には、辛い日々が続いたことだろう。

地域の衰退スピードを速める復興

被災地復興は、多くの場合、当該地区に作られた復興協議会のような団体が担う。協議会は、地区の商工会や商店会、自治会や地域の区長などが中心になる。若手は日中は働きに出ているため、当然、メンバーには高齢者の割合が高くなる。そこに外部から研究者や建築家、NPOなどがコンサルとして入ってくる。豊間の場合も、まちづくりの専門家の先生がコンサルとして入り、様々な提案・提言を行いつつ、助成金や補助金の申請などにも関わっていらっしゃった。

被災地であるがゆえに、助成金や補助金は入りやすい。このため、地域の長老たちだけで地域づくりを進めてしまうこともできる。宮城県の女川町では、一定の年齢以上の人たちはまちづくりに口を出さないという決まりごとを作ったことで知られたが[★9]、そんな芸当ができるのは一部だけだろう。地域の長老と若手の間の対話のチャンネルは狭くなり、結果的に、若い世代の意見を反映させた地域づくりが難しくなってしまう。いわき市内のよその被災地でも、「なかなか若手の意見が反映されない」、「おじいさんたちだけで決めてしまう」という愚痴を若い世代から聞いたことがあった。

当然、何かしらの事業を続けていくためには利益を生み出していく必要がある。しかし、利益を出さなくても「復興」さえ掲げれば金銭的、人的な支援が受けられてしまう。それが地域の自立を妨げる障害になっている面がある。「復興の利権化」や「支援の受け慣れ」といってもいいかもしれない。もっとも、これは被災地に限らず、助成金絡みの地方活性化プロジェクトなどに共通する問題かもしれない。助成金ありきの地域づくりになってしまうのだ。

地域のベテランたちは、当然のように「若者を取り込んでまちづくりをしたい」と願う。しかし、実際には若手がいないためコンサル頼みになってしまう。コンサルは各地の成功事例などとともに、現代的な地域づくりの提案をする。ところが現場は高齢者が多いのでうまくいかない。ベテラン主導になってしまうと、数少ない若者は疎外感を感じてしまい、結果的に若者にとって魅力のない地域になり、移住者なども集まりにくくなり、町の衰退が進んでしまう。そんな負のスパイラル。復興事業は、地域の衰退を速めているだけなのだろうか。

もちろん、皆、そうならないように、若い人たちに地域復興のバトンを渡そうと考えている。しかしそれが難しい。特に、いわきの沿岸部の場合はなおさらだ。中心部から離れているため、通勤や通学を考えれば市内の中心部に移住したほうがいいからだ。人材がいない。仕事もない。一人や二人、県外から優秀な若者が入ってきたとしても、大きな変化は望むべくもない。しかも、豊間や、その隣

★9 宮城県女川町の復興は、若者が主体になってゼロからまちづくりをしてきたことが知られている。復興を担ったのは「女川町復興連絡協議会」。二〇一一年四月の発足時、当時六〇代だった商工会長が「還暦以上は口出しをするな」と宣言。三〇、四〇代の若い世代が主体となって復興のまちづくりが進められることになった。若い協議会長のもと、まちづくり、水産、商業など五つの委員会を設け、それぞれのチームが広く連携。ベテラン世代は顧問としてアドバイスを出した。役場もそれを後押しし、公民が連携した地域づくりは、東北の沿岸部で数少ない「成功事例」として紹介されている。

の薄磯（うすいそ）といった地域はそれ自体が独立した自治体ではなく、いわき市内の「地区」にすぎない。別に、豊間から市内の別の住宅地に引っ越した人がいたからといって、市内間であれば人口変動もなく、自治体の人たちは困らない。

東日本大震災で被災した東北の港町。その多くは、震災前から衰退が始まっていた。皆、口を揃えて「かつての賑わいを取り戻したい」と言う。しかしその「かつて」とはいつなのか。高度経済成長の時代だろうか。北洋サケマス船が空前絶後の儲けをもたらしていた時期だろうか[★10]。残念ながら、私はそのような時代感は共有できない。どう冷静に見積もっても、被災地は、これまで以上に急速に衰えていくか、あるいは震災を原動力とし、アクロバティックにまちづくりを展開して生き残りを模索するか、濃淡はあれど、そのどちらかの道を選ぶほかないように見える。これまでのように「現状維持を狙いつつまったりと衰えていく」なんてことは望めないのだ。

豊間の皆さんは、後者の道を歩もうとされているはずだ。いや、東北の被災地の多くがそれを望んだに違いない。私は、手伝う以上、豊間には突き抜けて面白い場所になって欲しいと思っていた。そうなったほうが、豊間に関わる自分も圧倒的にヘルシーだからだ。どうしたら豊間に移住したくなるだろうか、豊間に行きたくなるだろうか。意見交換会などでは、そんな妄想をしながら勝手に意見を出させてもらった。

いわき市は「いわき七浜」と呼ばれる美しい浜を七つも持ちながら[★11]、海を見ながらビールを飲んだりまったりと時間を過ごせるようなカフェやバーがほとんどない。豊間の海岸は、震災前から鳴き砂の美しい海で知られ、震災後の現在も県内外からたくさんのサーファーが訪れている。「古き良き港町」ではなく、現代的な「ビーチタウン」として再生できたら面白い。メール配信などで日々波の情報を伝え、駐車場を整備し、復興商店で朝ごはんを用意する。必要なら、地域の公民館などもゲストハウスとして開放してしまえばいい。復興住宅の空いた部屋など、サーファーの宿泊場所として最適である。キャンプ場も作れるし、なんなら自然志向の強い人たちに畑を貸し出したっていい。

これから住宅地の造成が始まるのだから、地域独自の景観規則を作り、新築の家は木造の平屋を奨励する。例えば、いわき市産の杉などを活用したパッシブハウスなどに対して助成金をつけるのもいいだろう。いわき市は東北一の年間日照量を誇る地域だ。高気密高断熱のエコハウスを推進し、ゼロエネルギー住宅の先進モデル地区にしてしまえば、地域の間伐材の利用促進になり、山から甦ること

★10 北洋漁業とは、日本の北のベーリング海・オホーツク海で行われる漁業のこと。同海域は、特にサケ、マス、タラ、ニシン、カニなどの世界的漁場になっている。漁は日露戦争後に本格化。厳しい労働から小林多喜二の『蟹工船』などを生み出し、第二次大戦の敗戦により一旦はその歴史を終えるが、戦後、アメリカとの条約締結などで再び漁業権を手にして活性化。一九六〇年代頃まで東北の港町を大いに潤した。小名浜港ほか、いわき市内の港からもサケマス船が出港。港町は大いに栄えた。しかし、一九七〇年代以降は二〇〇海里の問題から急速に縮小。北洋サケマス漁は、今では「港町のかつての賑わいの象徴」として語られることが増えている。

★11 いわき市の沿岸部、全長約六〇キロメートルにも及ぶ長い海岸線の総称。南から勿来、小名浜、永崎、豊間、薄磯、四倉、久之浜で七浜。なかでも豊間、薄磯は、砂を踏みしめるとキュっと音がする「鳴き砂」で知られる。鳴き砂は砂のなかに石英(せきえい)が多く含まれ、砂自体も粒が小さい。美しい七つの浜は、まさにいわきの象徴である。

になる。海の見える高台に、無垢材をたっぷり使ったモダンな平屋の住宅が並べば、思わず移住したくなる人もいるだろう。

朝の波乗りを楽しんだサーファーたちが「豊間屋」を訪れ、母ちゃんの作った惣菜とともに、朝のコーヒーを楽しむ。昼ともなれば、ランチを楽しむ客がやってきて午後のコーヒータイム。海を見に外に出れば、モダンな木造住宅の軒下に置かれたサーフボードが目に入る。白い砂浜にはドッグランが整えられ、犬たちと走り回る子どもたちの声が聞こえてくる。勝手な妄想だが、豊間がそうなったら私が豊間に行く回数は確実に増えると思う。

「海の民」の尊厳を傷つける防潮堤

しかし、そのような妄想とは裏腹に、海岸線に沿って南北に走る防潮堤の建設はほとんど完了してしまった。サーファーが集まるカフェを作ったとしても、海が見えないのでは魅力は半減どころでは済まない。あのような巨大津波を経験した地元の皆さんが「安全」と「防災」を求めるのはよく分かる。しかし、その結果できた新しい町に、外の人でも感じられる分かりやすい魅力がなければ、やはり外から人はやってこない。若い移住者が来なければ、結果的に地域の高齢化と過疎化はさらに進んでしまう。

被災地の皆さんは「外から人に来て欲しい」と願う。それなのに、外の人たちにとっての価値、「海

写真3　豊間地区の造成地。まだ空き地が目立つ（2018年撮影）

が見える眺望」というほとんど唯一の価値を、防潮堤によって捨て去ってしまったというジレンマ。確かに復興はスピード感が重要だ。安全と防災も欠かせない。もちろん、高台の一部からは海を望むことはできる。しかし、今少し慎重に計画を練り、現地の人たちの思いを受け止めつつ、安全性と眺望を両立できるプランはなかったものかと考えずにいられない。

　震災から七年が経ち、豊間地区の造成地もできあがりつつある［写真3］。しかし今、「二度目の喪失」とも言うべき問題が、地域の人たちの心に起きていることを忘れてはならない。慣れ親しんだふるさとは、今やかさ上げされた土の下にある。海と陸を遮る防潮堤、一変してしまった町並み、これが自分の故郷だったろうかという喪失感。津波で町を破壊されたことだけでも大変な出来事なのに、復興の名のもとに故郷を破壊せざるを得ないというジレンマがある。復興事業は、被災地の復旧のために大きな役割を果たしたが、被災者に「二度目の喪失」という、大変大きな喪失感を与えてもいる。そのような負の面に今一度目を向けなければ、こうした喪失を、よその地でも繰り返してしまうことになるのではないだろうか。

以前、劇作家の岸井大輔をお連れしてこのあたりを視察したときに、岸井が嘆息しながら「建築もまちづくりも演劇もアートのワークショップも防潮堤に敗北したんだ」という趣旨のことを言ったことがあった［★12］［写真4］。それが強烈に記憶に残っている。確かにそうなのだろう。防潮堤の前に、人はあまりに無力である。防潮堤を前にすると力が失われるような気がするのだ。情緒的な発言で怒られそうだが、実際そうなのだ。海辺の町に生きてきた私のような人間にとって、海が閉ざされることは、自分の家の前に鉄のゲートをつけられるようなものだ。

思い出すことがある。数年前、福島の食を巡るイベントを開催したときのことだ。平地区で生まれ育った人たちと、小名浜生まれの私で「いわきの食文化」について語った。平の皆さんに話を伺うと、地域の食とは「母の味」、ひいては「先祖の味」だと言う。例えば、母が会津出身なら会津の味つけになり、仙台なら仙台の影響が残る味になる。地域の食を考えることは先祖の味を考えることであり、先祖を敬うことでもあるのだと。

一方、小名浜の味について話すと、例えば「カツオの藁焼き」は土佐の漁師から伝わったとか、「サンマのみりん干し」は、三陸のイワシが手に入らない時代にサンマで代用したのが起源だ、といったように、先祖ではなく、ほかの地区の港町と海でつながっていくという話になった。いわきの食という同じテーマでありながら、平の人たちが歴史を「縦」に遡って地域性を見出すのに対し、小名浜の人たちは空間を「横」に広げて太平洋に飛び出していく。そんなところに地域性が表れて面白いねと、そんな話をした。

港町は常に海に開かれている。小名浜の漁民たちにとって、例えば北の町といえば相馬や石巻、気仙沼といった港町であろう。しかし平の商人にとって北は四倉、久之浜、双葉郡など、鉄道で結ばれた土地である。空間の捉え方が、小名浜の人たちが「船、港、海」であるのに対し、内陸の人たちは「鉄道、駅、大地」なのだ。

だとするならば、防潮堤の出現は、海の民にとって生命線を断ち切られるようなものである。自分たちの命や文化を育んできた海との間に壁を作り、海の民としての遺伝子を捨ててしまうことになりかねない［写真5］。いわき市内の沿岸部に点在する龍王神社や数々の石碑は、津波に襲われながらも、海を畏れ敬い、海の神を鎮め共存しようとした海の民の知恵そのものではなかろうか［写真6］。そして

★12 いわき市中之作という小さな港町に古民家をリノベーションした清航館（せいこうかん）というスペースがある（第三章参照）。その古民家を地域のオルタナティブスペースとしてどう活用すればいいのか。そんなことを考える会が、二〇一四年に開かれた。そこで招聘され、いわきにやってきたのが劇作家の岸井大輔だ。いわき市内でも、まちづくり、アートプロジェクト、ツアー演劇などが模索されていた頃である。岸井はその後、いわき市平にある寺院、菩提院の副住職らが、廿三夜の月を見ながら地域の人たちと語らう「廿三夜講」の復活プロジェクトを立ち上げた際にも、プロジェクトのファシリテーターとして参加。廿三夜講が行われるときに合わせ、岸井はアーティストやアクティビストを連れていわきにやってきて、市内の被災地を巡りながら、地元の人間と外部の人材を引き合わせるという活動を続けている。

写真4　いわきでのリサーチで豊間を訪れた岸井大輔とツアー参加者

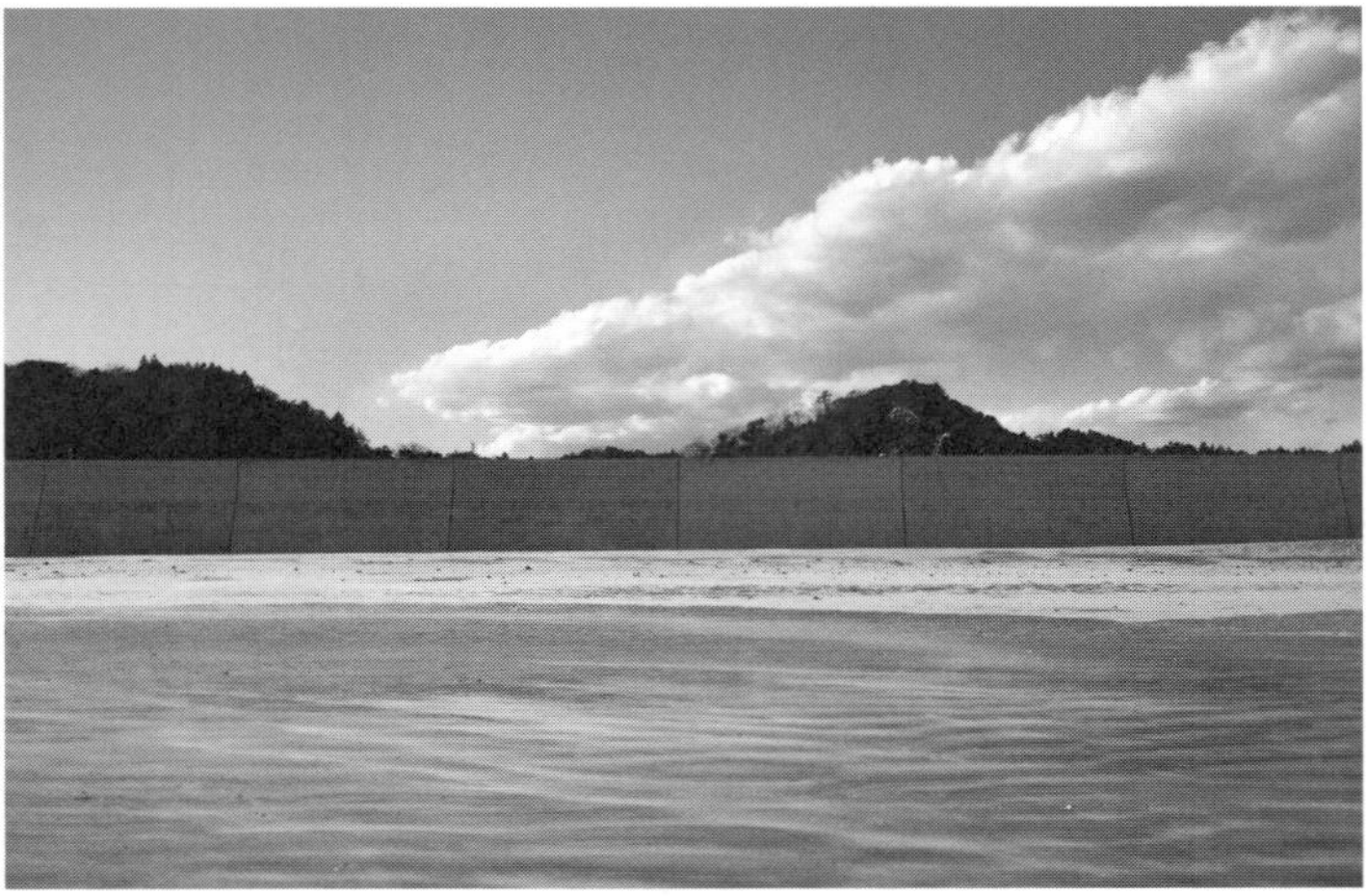

写真5　砂浜から撮影した薄磯海水浴場の防波堤。町がまったく見えない

写真6　勿来漁港のすぐ裏手にある八大龍王碑

何より、太平洋の水平線が視界に入る眺望こそ、この地の住人を海の民たらしめてきたものではなかったか。防潮堤を目の前にしたときのあの無力さ、力を無効化されるような感覚は、私のなかの海の民のＤＮＡのざわめきなのかもしれない。

海の民のＤＮＡと言ったところで、あらかた「お前は何を言っているんだ」で終わりだろう。だが、海に支えられてきた地域の歴史や文化、海に対するまなざしを無視した防潮堤の町や無機質なニュータウンをここに作って、よそから移住したくなる人がいるだろうか。

豊間のまちづくりは、いったい誰の問題なのか

豊間地区には高台の住宅地が完成しつつある。新築住宅の建設もあちこちで始まっている。しかし、家よりも空いた土地が目立ってしまうような状況で

ある。帰還率は伸び悩み、特に薄磯地区の高台は、豊間地区よりも空き地が目立つ。ロケーションがいいだけに、とてももったいなく感じてしまう。ここにどんな町を作るのか。豊間や薄磯にしかできないまちづくりを、いかに進めていくのか。被災地への関心は年々低くなるばかりだ。町の将来を考えるために残された時間はそう多くない。

当然のことながら、私には何の意思決定権もなければ、豊間の住人でもない。しかし、週に一度復興の手伝いをしてきたし、車で二〇分で行ける場所に暮らし、たまには豊間の海でも見ながらビールを飲みたいと思っているくらいには当事者だ。友人も知り合いも多い。暴力的な言い方になるが、豊間がどのような町になるかは、ちょっとだけ私の問題でもあるわけだ。だから、区長やコンサルの先生に対して「豊間はこうなって欲しいな」ということを言い続けてきた。

もちろん、地域の復興は、そこに暮らす人たちが決めるべき問題である。しかし、その町は、外から移住してくる人たちがいなければ急速に衰えてしまうという意味で、外部の人たちの意見も参考にしたほうがいいし、もっと言ってしまえば、かつてのそこに暮らしてきたご先祖や津波で命を落としてしまった人たちはどのような土地になることを望んだのだろうか、ということも考える必要があると思う。つまり、地域のことを決めるのは自分たちだが、自分たち以外の、外部の人たち（空間的にも、時間的にも）の意見も聞いたうえで決めなければならないのではないだろうか。その意味で、地域づくりに「真の当事者」など存在しない。

私の暮らす小名浜も、新しくイオンモールができたからといって安心してはいられない。イオンが去る日だって来ないとも言えないし、いずれは過疎化して魅力のない町になるかもしれない。そんなとき、小名浜のことは小名浜の人間が決めるのだから黙ってろとは言えないだろう。町を閉じるというなら話は別だが、存続を願うのならば、どんな町なら小名浜に移住したくなるか、必ず聞くと思う。もちろん一〇〇パーセント外部の意見に従う必要もない。けれど、チャンネルを閉ざすようなことは地域にとってマイナスでしかない。

被災地の復興には様々な負の面がある。地域が抱えてきた問題がより激しさを増した形で顕在化しているケースも多い。ここで問題提起したからといって、防潮堤が撤去されるわけでも、若者が大挙して訪れるわけでもない。厄介な問題を抱えたまま、そして少しずつ衰えながら、流れを変える潮目をぶつけていくしかないし、よその土地で同じようなことを繰り返さないためにも、この課題先進地区で起きていることを、問い続けることが必要だ。外部の人間は関わるなと遮断してしまっては、議論はますます閉じこもり、地域の発展は望めない。地域づくりには「ヨソモノ、ワカモノ、バカモノ」が必要だとよく言われる。地域の発展を願うからこそ、外部の声を遮断せず、接点を作り続ける必要があるのではないか。

復興とは地域づくりだ。これは、震災後、多様な形で地域に関わり続けてきた私の信念でもある。ところが、ここまで見てきたように、災害そのものの被害というより、その後の復興過程のなかで、魅力を減じられているようにも見える。なぜだろう。あれほどの予算があり、再生のチャンスはいくらでもあったはずなのに、だ。私は、そこに「思想の不在」を見ている。本章の1で紹介した言葉を使えば「文化の自己決定能力」がなかったということだ。

自分たちの町はどんな歴史を持ち、一体何が強みで、どんなプレイヤーが揃っているのか。そして、何によって資本や文化の収奪に抗っていくのか。それを判断する能力が欠けていたため、復興ビジョンを示すことができず、国の論理や補助金の期限、あるいは一部のクレームの声など、理想や想像力を差し入れる余白のない現実的な条件、いわば「現実のリアリティ」に押し切られてしまったのだろう。「がんばっぺいわき」という甘美な言葉の裏には、そのような問題がまさに防潮堤のように横たわってきたように見える。

逆に考えれば、外部の意見を受け入れつつ、自分たちの文化の強みを自分たちで決められるような開かれた地域を目指すことは、二度目の被災に対する「防災」になり得る。災害による破壊は防げなかったとしても、復興による二度目の喪失には抗うことができる、ということだ。防災としての文化振興。そう考えると、地域づくりに大きなダイナミズムが生まれ、地域のなかに思想のようなものが立上がってくるのではないだろうか。その思想は、エネルギー産業やコモディティ産業、あるいは国策を受け入れなければならないような地域においては、まさに依存に対する「抵抗装置」としても発揮されるはずだ。

3 引き裂かれた福島

読者の皆さんにお聞きしたい。福島県産の食品を「避ける」ことは「差別」だろうか。原発事故以降、特にSNSなどで盛んに議論されるテーマである。原発事故直後からずっと燻り続けていることで、この七年、どこかしらで炎上したり、燃え広がったりしている。個人的に思い出されるのは、南相馬在住の作家、柳美里の二〇一六年のツイッター投稿だ。

福島県産の食品は、放射性物質検査を行った上で、他県よりも厳しい基準値をクリアしたものを出荷し、県や市のHPで品目ごとの数値を公開している。「風評」という言葉は、責任の所在を曖昧にする。福島の食品、土地、人に対する謂れ無い忌避は「差別」であり「偏見」だと思う。[★13]

震災から七年が経過した今なお、悪質なデマや差別的な発言が生き延びている。発言主たちはます

★13 https://twitter.com/yu_miri_0622/status/742143419468783616

ますカルト化し、正義感からそうした発言を繰り返しているようにも見える。たとえ匿名のSNSであっても、福島県産品を故意に危険物扱いして忌避し、生産者を貶めるような発言をしてしまえば、それは差別につながると言わざるを得ない。他国よりも厳しい出荷基準をクリアしているわけだから毒物扱いされる謂われはない。「福島県産品を食べたらガンになってしまう」などと発言することでどんな影響があるか、よくよく考えて欲しい。

しかし一方で、商品を選ぶ権利は誰にでも存在しているし、農薬や添加物などに健康的な影響がなかったとしても、無添加・無農薬を選ぶ人もいる。そうした判断材料のひとつに「放射線量」が加わったとすれば、それは選択として尊重しなければいけないのではないだろうか。「福島県産品を避ける」という行為そのものは差別とは言えまい。

また、差別という言葉は大変取り扱いが難しい。何をもって差別と考えるかは人によって異なるし、当事者性の強い言葉であるがゆえに、差別という言葉を使って誰かの発言を封殺することもできる。誰かの発言によって自分が差別されたと感じたならば、当然それを告発する権利はあるが、ネット上の極端な党派制に回収され、不毛な論争になることも少なくなかった。県外に避難し、不如意な生活を送っている圧倒的マイノリティの避難者ではなく、むしろ大多数の人と同じ生活を送っている人たちがネット上で「差別」を持ち出し、考えの異なる人たちを糾弾する様を見て、複雑な思いをすることも多かった。

福島にまつわる話は容易に二元論化していく。中庸がなくなり、「どちらか」の立場を表明しなければならなくなってしまいがちだった。コップの中で交わされる議論は高度化し、関心のある人だけが激烈な議論を繰り返して摩耗している、というふうにも見える。中間にいる人たちは、エスカレートした議論についていけなくなり、最後には「めんどくさそう」「もう関わらないでおこう」と避けてしまう。このように中庸が抜け落ち、極端な意見やデマだけが残ってしまう状態を「風評の固定化」や「記憶の風化」と呼ぶのではないだろうか。だから私は、色々な方々が福島を語っていいと、常に中間層を意識するような発言を心がけてきた。

激しく二項対立化した状況では、対話や歩み寄りはない。反撃が苛烈になるほど、それは相手にとっての燃料になってしまう。また、不安を抱えていたに過ぎなかった人を安易にデマ認定してしまえば、その不安は政治的友敵の構図に回収され、より対話不可能な場所へその人を追い込んでしまうことにもなる。それではデマや差別はなくならない。むしろ再生産しているようなものだ。

大前提として、差別はいけないし、差別されたと感じた人は声を上げる権利がある。

私だって食の現場で悔しい思いをしてきたひとりだ。デマに対する怒りをぶちまけ、反原発勢力を「無知だ」と叩きまくった時期もあった。私が差別やデマに寛容なら、そもそも「うみラボ」のような活動はしない。悔しい、安全だということを知ってもらいたい、そう思うからこそ調べている。しかし、埋まらない溝がある。

そんなときに私を救ってくれたのが、「マーケティング思考」ともいうべきものだった。溜飲を下げたところで商品は売れない。広く情報が伝わり、ひとりでも多くの人の誤解が晴れ、福島の商品を買ってもらうことで反撃すればいいと思うようになったのだ。そのためには、やはり福島の魅力を伝えるのが近道。自分が楽しんだり、食を満喫したりすることが、結果的に福島の正しい理解を促し、差別的な言説を減らすことになるはずだ。そう理解するようになってから、気持ちがだいぶ楽になった。

正しい情報だけでは足りない問題

私の気持ちを楽にしてくれたもののひとつに、ダニエル・カーネマンの『ファスト&スロー』という本がある［★14］。

直接福島の原発事故後の風評被害を取り上げた本ではないが、行動心理学や認知心理学の観点から、人間がどのように情報を認識するのかを丁寧に解説していて、人間の認識のメカニズムや、風評被害が起こる構造を理解するのにとても役に立った。

当たり前のことだが、人間は非科学的で情緒的なものだ。科学的データがどれほど揃っていようと「イヤなものはイヤ」なのが人間というものだろう。クラスのガキ大将が、水泳の授業中プールに堂々とおしっこをしたとしよう。それがいくら希釈されようと、水質検査をしてどれだけ法的に安全だと言われようと、おしっこの現場を見てしまったからには泳ぎたいとは思わないし、ましてやその水を飲みたいとは思わないはずだ。これは極端な例だが、科学的な正しさだけで人は動かない。それを前提に対策を組み立てなければならない。

私たちが放射性物質に対して情緒的に反応してしまうのは、文化的なレベルで忌避感が染み付いてしまっているからだろう。東海村JCOでの臨界事故やチェルノブイリの事故の報道などを通じて、放射能に対する恐怖イメージがついてしまっている人が少なくない。さらに、電力会社や関係する自治体が「安全神話」を喧伝してきたせいで、放射能に対する予備知識を国民が学ぶ機会は奪われてきた。そんな社会での原発事故である。混乱は当然のことだ。今まで散々原発を安全だと言い続けてきた側が、事故が起きて不安になった人を「科学的なことが理解できないバカ」だの「もっと勉強しろ」だのと叱責する権利はないし、何の問題解決にもならない。何の前触れもなくその安全神話が崩壊し、大量のマスコミ報道や危険を煽るブログなどに触れ、突如としてその不安に向き合わざるを得なくなった人の心の混乱を、私は理解できる。

カーネマンは同書で、人間の意思決定について、意識しなくても自動的に働く直感的な思考である「システム1」と、意識的な熟慮を必要とする論理的な思考である「システム2」を定義している。文化的なレベルで染み付いた思考は、まさにこのシステム1にカテゴライズされる。そして文化的に染み付いてしまっている以上、不安がいかに不合理なものであっても、政府や自治体は情緒的な不安

★14 ダニエル・カーネマン『ファスト&スロー あなたの意思はどのように決まるか？ 上・下』、村井章子訳、ハヤカワ・ノンフィクション文庫、二〇一四年。

を勘案したうえでリスク政策を設計すべしとカーネマンは説く。

放射線技師や物理学者のように、誰もが正しく放射能を捉えられるわけではない。私たち福島県民は必要に迫られて放射性物質について色々詳しく調べたかもしれないが、それと同等の知識を別の誰かに求めるのは酷というものだ。放射能に関する不安が「情緒的問題」であることを受け止めたうえで、情報発信のあり方を見直すことからしか問題は解決しないように思う。

多くの識者が指摘するように、正しい情報を発信するというのは大前提だろう。ただ、これだけに囚われると硬直化してしまう。だから「正しい情報の発信」は自治体に頑張ってもらうことにしよう。自治体が「おいしい」や「楽しい」を連発すると官製PRになり、かえって胡散臭くなる。自治体は、コツコツと測った数値を公表し、できることなら在京メディアなどでも取り上げてもらえるよう働きかけたり、生産者が首都圏などで商品をアピールする「場」を提供することに注力して欲しい。

正しい情報だけでは人は動かない。人の心が動くのは「おいしい」や「面白い」や「楽しい」と相場が決まっている。これをやるのは私たちのほうだ。そこでぜひ、ブランドとして認知されている福島の地酒を見習って欲しい。福島の地酒が売れるのは科学的に安全だという理由からではないし、福島の地酒を買うお客は「線量大丈夫ですか?」なんてことを聞かない。杜氏のものづくりへのこだわりや、安心・安全に対する姿勢、おいしさや「金賞受賞蔵数日本一」という肩書きを「システム1」で理解しているのだ。結局、うまいもの、価値のある商品を作ることに尽きる。首都圏の胃袋を満たすコモディティ商品を作りつつも、味や品質で勝負する商品や場を同時に作っていくわけだ。

自治体と生産者のほかにもうひとつ意識して欲しいのが研究機関の役割だ。手前味噌になるが、アクアマリンふくしまで毎月開催されてきた「調べラボ」というイベントを紹介したい。これは、私たちがうみラボという海洋調査で釣り上げた福島第一原発沖の魚の線量を測りつつ、試験操業の魚を味わうというイベントである。魚の線量を調べて、福島の魚を食べる。そこから「調べる」という字に「たべる」という文字を重ねて「調べラボ」とした。情報の出し方や場づくりの手法が実に面白いので少し紹介したい。

調べラボのコンテンツは、観覧者の目の前で魚をさばいて線量を測ること、試験操業で獲れた魚を調理し無料で振る舞うこと、このふたつである。そして興味深いことに、ほとんどの客は線量測定には興味を示さない。皆さん、うまそうな匂いを立てている紅葉汁やタコ飯が食べたいのである。お客はそこで知らず知らずのうちに、おいしい福島県産の魚を食べる。この「食べた」という経験が重要で、食べた後に、そこで「測ってみたらこうでした」というデータに触れて帰る。「福島の魚おいしかったし、なんか安全だって言ってたよ」と、そういう受け止め方でよいのだ。

ほとんどの消費者は、科学的なデータを専門家のように理解して商品を買っているわけではない。ぼんやり大丈夫だと思っているから買っているのではないだろうか。不安だと思っている人の大半も、実は「なんとなく」不安だったりする。「なんとなく不安」は情緒的な問題なのだから、情緒的な体験がきっかけになって「なんとなく安心」に変わり得る。おいしさであったり、楽しさであったり、生産者の姿勢に触れることであったり、要するに「システム1」に働きかけるような取り組みを通過すれば、不安は安心にも変わり得るということだ。

詳しく知りたいという人、いわば「システム2」に近いところで理解したいという人にも、専門家であれば対応できる。調べラボでは、科学的な専門知識を有する水族館の獣医が魚の解剖や線量測定を担当する。聞きたいことがあれば、目の前の獣医に聞いて確認できるわけだ。このように、調べラボには、科学的なアプローチである「サイエンスコミュニケーション」と、情緒的なアプローチである「おいしさを味わう場」の両方がバランスよく設計されている。科学と情緒のハイブリッドとでも言えばいいだろうか。システム1と2を行き来できる専門家が市民のなかに入り、おいしいや楽しい、為になる、役に立つといったアプローチに加え、計測や調査や考察といった科学的なアプローチを組み合わせていく。そんな調べラボの手法には、福島における場づくりの大きなヒントがあると思う。

では、情緒的な領域で「安心／不安」を感じるのではなく、熟考に熟考を重ね、理性的なシステム2に近いところで福島県産を忌避している人はどうだろう。特段SNSで言及することもなく、福島に対して差別的な言動もせず、商品だけを静かに避けているという人もいるはずだ。福島県産忌避がすべて差別だと言うのなら、そのような人たちも「差別者」としてカウントされなければならない。しかし、こういうケースは「選択」として担保しなければならないのではないか。

以前、「放射性物質は添加物のようなものだと理解している」と語る人を見かけた。添加物も、できるだけ摂取しないに越したことはない、という点で放射性物質と同様である。しかも、無添加の商品を選ぶことは消費者の当たり前の選択として定着している。もし「添加物を使ってる商品は食べたくない」というレベルで「福島県産はできるだけ食べないようにしている」ということが語られているのだとすれば、それは「選択」として尊重するほかない。むしろ、「放射性物質＝添加物」という構図にしてくれるなら、デマを撒き散らされるのに比べたら雲泥の差だ。忌避派との共存、あるいは妥協点になり得るようにも感じる。

　ましてや日本は「水素水」や「サプリメント」が流行し、それが莫大な経済効果を生む国でもある。そしてまた高度に消費社会が進んだ国でもある。「福島ではガンが続発！」というようなデマ情報には毅然として対応しつつ、「福島県産を選ばない」という選択の自由は担保されるべきだろう。

　私の住むいわき市にも、放射線の影響を懸念し、今なお福島県産品を極力食べないという人たちが意外と数多くいる。決して「不勉強」なわけではない。自分なりに学び、研究して、選択している人もいるのだ。そのような人たちにも、当然「正義」や「正しさ」はある。そこに別の「正しさ」を持ち込んだところで対話は深まらないし、信頼関係は構築できない。もはや、選択を認めるほかないのではないか。

「科学的な正しさを認めない者は認めない」という路線だけになると、それ以外の伝え方が排除されてしまう。不安や感情を前提に、ある種のソフト路線も加えた複数の伝え方で臨んでいくほうが、結果的に不安が取り除かれ、正しい情報が伝わっていくのではないか。だいたい、私は科学者でもなければ専門家でもない。市民が科学者の流儀を真似る必要もない。ハード路線で否定された人がソフト路線では肯定され、福島に対する認識を改めることもあるかもしれない。その可能性に、私のような

「非専門家」は賭けることができる。

他者の選択をいかに受け止めるのか

地域づくりの現場にいると、専門家と市民の間に「コミュニケーター」というべき存在の必要性を痛感する。専門家は専門家であり、コミュニケーションのプロではない。科学的知識の押し付けが高慢な態度と取られて信頼関係を築けない、などということはよくある話だ。とはいえ、コミュニケーションのプロではない人に「じいさんやばあさんのことを考えて話せ」というのも無理な要求なのかもしれない。だから、地域づくりを担う人や、専門的知識を持つ人が、コミュニケーターとして地域に入り、理解を促していく。そうして市民の感情や情報を交通整理しながら、専門家のデータや数値、様々な知見を「翻訳」していくわけだ。

本来は、これはメディアのやるべき仕事である。そして、中央のメディアはその仕事を放棄している。だからここでメディア批判を展開することもできる。しかし、メディアにその役割を期待することはできそうもない。この七年そうだった。もはや諦めざるを得ないだろう。メディアの役割を担える人たちを、地域のなかから育てていくしかない。原発事故は多くの分断を生み出したが、生まれた分断を、さらなる分断と排除によって解決しようとすれば真の復興にはなり得ない。科学的な知見をベースに多様なコミュニケーションを担保すること。そのようなコミュニケーションができる人を育てていくこと。それがポイントになるのではないか。デマは当然ダメ。それを大前提にしつつ、一見非科学的に見える選択や不安も一旦は承認するという姿勢も必要だと思う。

粘り強い対話も重要だ。いわき市で継続されている「未来会議」は、震災直後から様々な立場に置かれた人たちの話を聞く、ということを続けている[★15]。そこでは、被曝に対する不安を抱えている人、福島県産品忌避を差別だと感じている人、専門家、市民に学生、様々な人が交わる。こうした対話を続けながら、じっくりと地域社会の合意形成を図っていくようなアプローチも継続していかなければならないだろう。やはり「聞く」ことの効果は大きい。

とはいえ、対話は疲れてしまうこともある。ならば、考えの違う人たち、選択の違う人たちを割り切ってしまうという態度を持ち合わせるのはどうだろう。食べたくないという人に食べさせるのは暴力になってしまう。食べてもらえなかった場合は「ご縁がなかった」で終わり。そのような相互不干渉的な割り切りが、意外と「多様性」のようなものにつながっているような気がする。

★15　未来会議は、二〇一二年から始まった地域住民による対話の集いである。被災の状況、立場、賠償の有無や放射能に対する考え方など、様々な違いを受け止め、相手の話を否定せず、対話を続けようという模索が続いている。弁護士、アーティスト、僧侶、地域づくりの担い手などが中心メンバーになり、定期的にワークショップや対話を続けている。双葉郡の町村の住民が集まった「双葉郡未来会議」、浜通りの人たちが広く学び合う「はまどおり大学」、劇作家の岸井大輔をファシリテーターに迎えた「廿三夜講再生プロジェクト」などのスピンオフ企画も、この未来会議から生まれている。

対話にせよ、割り切りにせよ、共通するのは「違った判断をした人をいかに受けとめるか」という問題である。海外に行けば、ビーガンもいればムスリムもいる。肉が大好きという人もいれば、どうしても食べたくないものがある人もいる。そこで逐一「これこれを食べないのは差別だ」と言っていても始まらない。福島県産品を毒物扱いして「放射性廃棄物は福島県民が食べて応援すればいい！」などと言葉を発してしまえば間違いなくアウトだが、福島県産品を避けること、不安を持ってしまうことは差別とは言えないし、各々の選択は尊重するほかないと私は思う。

間違った発信をしているように見える人にも「正しさ」は存在している。正しさをぶつけ合わせるのではなく、その向こう側を迂回するように遠くへ発信することが、結果的によりよい社会を作ることにつながるのではないだろうか。だいたい、科学的には正しいが、その科学的な正しさ以外は許さないというような権威的な社会より、無関心や無知が存在しながらも、自由を謳歌できる社会のほうが健全だ。当然、差別は悪である。それを大前提としたうえで、多様な選択を受け止めつつ、いかに広く情報を届けるのかを本書でも考えていきたい。

第2章　うみラボの実践

第一章では、いわきの食や文化、復興を巡る問題を少し俯瞰的に考えてきた。第二章では、逆に蟻の目になって、事実、データに迫っていこう。ここで取り上げるのは、有志たちと運営している福島第一原発沖の海洋調査プロジェクト「いわき海洋調べ隊うみラボ」についてである。放射性物質の計測データを用いながら、福島の海の今を見ていきたい。また、手前味噌になるが、データ採取に留まらない、うみラボの社会的意義についても考えてみたい。

ゲリラ的に始まった原発沖の海洋調査

二〇一三年の冬から、有志たちと「いわき海洋調べ隊うみラボ」という民間の海洋調査チームを組んで、福島第一原発沖の魚の放射線量などを測定する活動をしている［写真1］。本書の原稿を書いている二〇一七年一二月時点で合計三〇回の調査を行い、三〇〇近くのサンプルを測ってきた。東電や自治体が行っている調査に比べサンプル数は圧倒的に少ないものの、民間でデータを蓄積しているところはほとんどなく、公的データを検証するための「セカンドオピニオン」として活用するには充分な

写真1　福島第一原発沖1.5キロでの調査

データが集まってきている。福島の海の今を理解するためにお役立て頂きたい。

調査のプロセスについてざっくり説明しよう。うみラボは、春から秋の間の毎月一回、双葉郡の漁師の協力のもと、原発沖一・五キロから沖合一〇キロの海域で海底土や魚などを採取し、その放射線量を測定して公表するプロジェクトである。いわき市在住で釣り愛好者の八木淳一と私の二人が共同代表を務める民間人主体の調査ラボだが、アクアマリンふくしまの獣医である富原聖一や、ホットスポットになってしまった千葉県柏市で食に関わる人たちの合意形成にあたってきた筑波大学の五十嵐泰正准教授、原発事故後、宮城県を中心に線量測定の活動をしてきた仙台市在住の津田和俊、元東電社員で、廃炉に関する情報発信にあたっている一般社団法人AFWの吉川彰浩など複数の専門家に協力頂いている。海外の研究者がうみラボのデータを引用して論文を書いているというケースもあるので、データの信用性にはそれなりの自信を持っている。

なぜこのプロジェクトが始まったのか。一言で言えば「自分自身の目で確認しないと気が済まなかった」からだ。福島の海に関するデータといえば、東電や地元の漁協が発表するものしかない。本当にそうなんだろうかと疑問に思っても、農産物と違って自分で測りに行ったりすることができず、不信感は余計に強まる。さらに、当時私はいわき市内のかまぼこメーカーに勤務していたため、「本当に大丈夫ですか?」という問い合わせに対し「たぶん大丈夫だと思います。科学的根拠はありませんが」なんて返信できるわけがない、という事情があった。一人の市民として、一人の水産加工業者のはしくれとして、やはり自分自身で調べに行き、自分の目で見て、自分たち自身で学んで得られた「手応えのあるデータ」を取りに行きたいと考えたわけだ。

もう一人の共同代表である八木も、釣り人として自分たちが関わってきた海が、今どうなっているのかを率直に知りたいと感じていたそうだ。情報発信をすればかまぼこの売り上げが増えるかもしれない私よりも断然「想い」だけで動いている。二〇一三年当時、八木は「いわきの食を考えるフォーラム」という対話フォーラムを企画していて、私がその企画にかまぼこメーカーの人間として参加したのが縁の始まりである。そのフォーラムには、柏の取り組みで実績のあった筑波大学の五十嵐も偶然参加していた。さらに、さきほど紹介した対話集会「未来会議」で双葉郡の漁業者とつながり、そのうちまた別の専門家とつながり、といった具合で、うみラボの最初のメンバーが固まったのだった。

今思い返すと笑い話にしかならないが、最初の調査では海水しか採取することができなかった。誰も海底土を採った経験もなければ装置もない。ただ「行ってみっぺ!」という思いだけでスタートしてしまったのだ。海底土は、ホームセンターで購入した寸胴鍋に鎖と重りを付けて船からドボンと海に沈め、鎖を動かして削り取ろうと考えた。だが当然採取できるはずがない。その程度のＤＩＹ装置で海底土が採れると思っていた私たちがバカだったのだが、それすらもツイッターでレポートをした。見たまま、ありのままを皆さんにお知らせしたいと考えたからだ。

今思えば、それがよかったのかもしれない。共同代表の八木を通じて私たちの思いを受け取ってくれた水族館アクアマリンふくしまの富原が手を貸してくれることになった。二回目の調査で、富原が持ってきてくれた「エクマンバージ採泥器」の高性能ぶりに驚愕したことを今でも覚えている。それは、寸胴鍋で海底土を採取しようとしていた自分たちのバカさ加減に気がついた瞬間であった。

以降、調査の精度は飛躍的に高まり、富原のアドバイスを受けながら調査を重ねてきた。放射線量の測定も、アクアマリンふくしまの研究ラボの機械を使わせて頂いた。私たちの放射線に対する知識もかなり深くなり、回を重ねるごとに魚の生態に詳しくなった。二〇一五年からは、放射線量の測定と福島県産の魚の試食を楽しむ「調(た)ベラボ」も水族館で開催され、食の楽しみとサイエンスが融合した新しい形の情報発信企画として注目を頂くようになった。しかし、もとを辿れば、すべてはあの採泥器から始まったのだ。自分で振り返っても、それがとても痛快である。

うみラボの観光的側面

調査について紹介する。うみラボの目的は「海洋調査」である。あくまでサンプル採取と線量測定が主な任務だ。しかし、調査と言われると少し物足りない。いわき市の久之浜港を出発して福島第一原発付近に到着するまでに、様々な景色を見ながら海の上を移動していくことになる。その時々に私も口頭で解説を入れることにしている。あの港はどう、あそこはどのくらいの津波の高さだった云々。うみラボは「スタディツアー」でもあるのだ。

うみラボの調査船は、毎回朝九時にいわき市北部の久之浜港を出発する。船の定員は二〇人。うみラボのメンバー、検体を釣るための釣りボランティア、そこに一般の参加者やメディア関係者が加わる。参加する方は県外からもやってくる。誰かに紹介された人、ネットを見てきた人、取材希望者、様々である。面白いのは、原発に対する考え方が正反対の人も乗ってくれることだ。いわば呉越同舟。政治的にはまったく正反対の人が、船長に命を預け、一艘の船に揺られていく。そして、釣りを楽しみ、笑顔になってしまう。政治的友敵を超える観光。そこにこそ、うみラボの本質があるような気がする。

朝九時。久之浜港を出港した我々がまず目にするのが、東京電力広野火力発電所だ。全国の原子力発電所の多くが止まっている今、この火力発電所は首都圏の電気を支える重要なインフラになっている。一号機から四号機が重油、五号機と六号機が石炭を燃やすことによって蒸気を作り、タービンを回して発電する。フル稼働すると最大出力が四四〇万キロワット。日本国内でもかなり大規模な発電所である。

ここで特筆すべきは石炭による発電だろう。燃料となるこの石炭、どこから来るかというと、いわき市の小名浜港である。海外から輸入されたものを小名浜港に備蓄し、日々ピストン輸送しているのだ。現在、小名浜港は、国の指定を受け、石炭の国際バルク戦略港湾（安定的かつ安価に輸入を進めるため、大型船に対応した港湾として国土交通大臣が指定する港）として再整備されている。さらにその小名浜港には「東京電力小名浜コールセンター」という石炭備蓄基地があり、そこに大量の石炭が備蓄されている。小名浜臨海工業地帯をドライブすれば、石炭の黒い山を見ることができるだろう。

小名浜港の歴史を紐解くと、石炭とは無縁ではいられない。そもそもの成り立ちが、常磐炭鉱から出る石炭の積み上げ港として誕生したという経緯があるからだ。かつて京浜工業地帯の発電所で使われる石炭を船に積み込んだ小名浜港は、今度は広野火力発電所で使用される石炭を運び出すための港として再整備されているというわけだ。繰り返される歴史の因縁のようなものを感じずにいられない。また、この広野火力発電所は、「東京電力の電気を福島県が作っている」という率直な事実を私たちに伝えてくれる。良いとか悪いではなく事実として。目の前に広がる海沿いの美しい自然のなかに埋め込まれた巨大な建造物。事実やデータ以上に、その風景が何かを雄弁に語ることがあるということを、ここを通過するたびに感じる。そのスケール感に圧倒される参加者も多いはずだ。私はいつも「家に帰って電気をつけたら、そのスイッチが広野火力発電所とつながっていることをイメージして欲しい」と言うようにしている。皆さんの暮らしと福島は、電線によってつながっている。それを知ってもらいたい一心で。

広野火力の次は、福島第二原発。さらには海から富岡町を観察する。富岡町は、復興が進んでいく様を回を重ねるごとに確認することができる。最初は、瓦礫や伸び放題の草木が目立つような場所だった。しかし、建設機械が入り、駅の再建が進み、復興関係の業者が入るビルが整備され、遠くにはショッピングセンターがオープンし、港の堤防も少しずつ復旧してきた。なんとなく、その復興の槌音が聞こえてくるような感覚になる。

富岡漁港を過ぎると、かつて「日本最小の漁港」と呼ばれた小良ケ浜（おらがはま）漁港跡が見られる。この地は、かつて相馬と岩城の境界であった。港が存在していたとは思えない切り立った崖。そこには、「この場所に港を作らざるを得なかった漁民」の悲しみがあるように思う。このような場所では、多くの水揚げを望むべくもない。リアスのように養殖に適しているわけでもない。南北をふたつの原子力発電所に挟まれた小さな漁港跡は、この地の宿命めいたものを暗示しているようにも見える。そのような妄想をもたらしてくれるのも、うみラボのスタディツアー的側面の効能かもしれない。

久之浜港を出発しておおよそ一時間。ようやく福島第一原子力発電所沖へと到着する。近づけるのは一・五キロメートルまで。それより内側は東電の敷地扱いとなる。まずはそこで海底土を採取する。さらに、さきほど紹介した一般社団法人ＡＦＷの吉川彰浩からレクチャーを受ける。汚染水対策の現状、具体的な設備の解説、廃炉に向けての課題など。かつての原発作業員の解説は非常に詳細で学びが多い。最近では自ら模型を作ってそれを船に持ち込み、それを使って解説してくれている。廃炉に向けての基本的な情報を得るという意味で、ぜひとも参加して欲しい学習プログラムだ。

そのあとは、ひたすら魚釣りをするわけだが、その詳細と計測データについては後ほど説明することにして、今少し、うみラボのツアー的側面を掘り下げていきたい。

三〇回も船で原発沖まで行ってみて感じるのは、やはり、自分の体で、福島の海の真実を体験することの重要性だ［写真2］。百聞は一見に如かずとはよく言ったもので、何冊も本を読む以上の、というかそのような知識や情報では到達し得ない別の領域にある何かが、この海域で体験できる。それは例えば、ヒラメの重さだったり、みんなで釣り糸を垂れることの楽しさであったり、釣りのあと足がふらふらになることだったり、初めて釣り糸を垂れた女性が一メートル近い魚を釣り上げてしまうくらい、めちゃくちゃ魚が釣れるという実感だったりする。そこにはデータはない。それぞれが触れた真実こそが重要なのだ［写真3］。

おそらく、多くの人が原発事故直後は「原発直近の海なんて汚染されているはずだ」という認識を持っていたに違いない。私だってここに来る前はそう思っていた。しかし、一度ここに来ると、その認識がいい意味で裏切られる。想像以上に復旧が進んでいるというのもあるのかもしれない。自分の心のなかにあった原発が、テレビや新聞で聞かされていた原発ではなく、実際に自分の目の前の原発に上書きされるからだろう。そのような体験は、ともすれば「儀式」と言っていい体験かもしれない。ここを詣でることで取り払われる何かがある。

初めてのうみラボで福島第一原発を前にしたとき、私は、この場所がとても神聖なものに感じられ

写真2　原発前では汚染水対策や廃炉の進捗に関するレクチャーも行われる

写真3　ソイを釣り上げて大満足の筆者。ビギナーでも余裕で釣れるほど、資源回復が進んでいる福島沖
撮影＝橋本栄子

た。未来のエネルギーとして日本人の生活を支えてきたのに、あれだけの爆発事故を起こし、今なお甚大な被害をもたらしながら、その現場では、一〇〇年近くかかると言われる廃炉のために多くの人たちが尽力している。なんというか、手を合わせたくなるような気持ちになってしまうのだ。

計測結果を読み解く

ここからは、福島県沖の魚の放射線量について、具体的な数字を出しながら解説していく。解説と言っても、私は科学者でもなければ生物学者でも物理学者でもない。ここに書くことは「うみラボの調査で分かってきたこと」と「専門家から学んだこと」がもとになっている。だから、私がここに書くことで「これが科学的結論だ」と言いたいわけではない。一般市民である私はこのように理解したという、その痕跡だと思ってくれれば幸いだ。

結論を言えば、福島県産の魚は安全である。確かに、未だに出荷規制のかけられた魚種もあるが[★1]、実測データ上では、出荷規制中の魚も含め、国の基準値を超える魚は、県の調査でも、うみラボのデータでも三年近く見つかっていない。それどころか、放射性物質が検出される魚すら少なくなっているくらいなのだ。ほとんど検出下限値以下。これらの状況から、少なくとも、流通している魚から国の基準を超えるような魚は見つからないと判断してよいと思う。

うみラボのデータでも、二〇一五年以降、国の基準値一〇〇ベクレル／キログラムを超える検体はひとつも見つかっていない。二〇一六年からは、検出されるほうがまれで、仮に検出されたとしても一桁ベクレル台で収まることが多い。福島県の調査も同様で、年間数千検体に及ぶモニタリング調査のなかで、国の基準値を超える個体は、この二年あまり一検体すらも見つかっていない。データから示される結論は、福島の海は、「汚染」という言葉が不適当なくらい回復が進んでいるということである。

ではなぜ福島の魚の放射線量は年々下がっているのだろうか。答えは簡単だ。汚染された魚が寿命で死んで代替わりしたか、生き残った魚も、体内から放射性物質の排出が進んだからだ。海水魚には、体内の塩分濃度を一定に保つ働きがある。いわゆる「浸透圧」だ。海水で泳ぐ魚が、もし塩分を一定に保つことができなければ、血液中の塩分濃度が高くなり過ぎて死んでしまう。海水魚は、取り込んだ塩分を排出する機能が備わっているのである。

今回の原発事故でもっとも大量に排出されたのが放射性セシウムである。このセシウムは、カリウムという物質と性質がよく似ているとされる。カリウムは、通常は魚のエラから塩分と一緒に排出されるのだが、カリウムとよく似たセシウムも、一緒にエラから排出される。たしかに、事故直後は海水の放射線量も高く、魚の体のなかにはどんどん放射性物質が溜まってしまった。一キロあたり数千、

★1 ［増補版への注］二〇二〇年二月に全魚種の出荷制限が解除された。本書編集中の二〇二一年二月時点で規制は行われていない。

数万ベクレルという途方もない数値が叩き出された個体もあった。しかし、海水の放射性物質濃度が下がると、今度は、取り込む量よりも、魚の体内から塩分と一緒に排出される量のほうが多くなる。だから一気に排出が進むのだ。

生物学的半減期という言葉がある。生物が体内に取り込んでしまった放射性物質が半分になる期間を表す。生物学的な知見から、海水魚の生物学的半減期は五〇日程度とされている。この計算だと、おおよそ五〇〇日で放射性物質の量は一〇〇〇分の一になる。例えば、ヒラメから五万ベクレル／キログラムのセシウムが検出されたとする。それがもし生きていれば、五〇〇日後には五〇ベクレル／キログラムになるということだ。

海水の放射性物質が希釈されるのにも時間が必要なので、もちろん定説通りに排出が進んだわけではないだろうが、すでに原発事故から七年である。事故当時いかに高線量だったとしても、生きていればそれだけ排出も進むし、ここ数年は海水の線量も不検出で推移している。つまり、取り込む放射性物質が極めて微量なのだから、当然、排出が進むことになるわけだ。

原発事故から年数が経てば排出が進むという傾向は、実際に魚の年齢を調べるとよく分かる。調べラボにおいて、アクアマリンふくしまの富原獣医が、「耳石」という器官を魚から採取する［図1］。

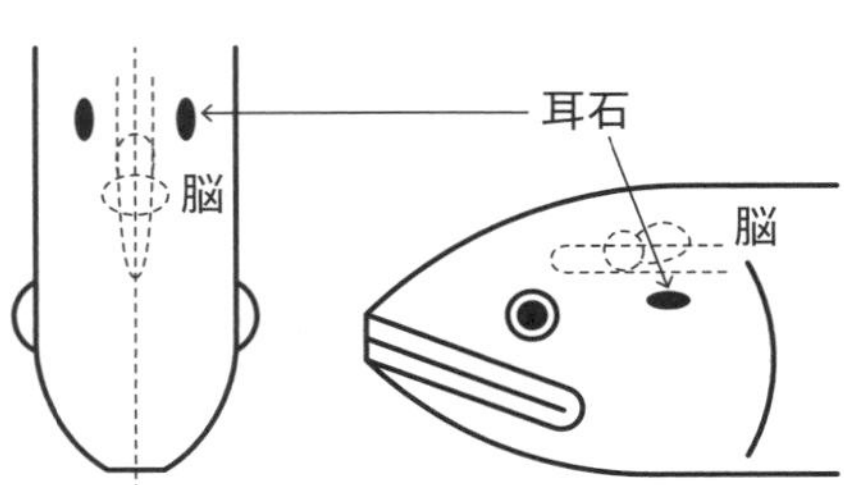

図1　耳石のイメージ図
参考URL=http://ymorita.la.coocan.jp/omnis5.html

これを光にかざすと、年輪のようなものが刻まれていて、それを見ることで年齢が分かるのだ〔写真4〕〔写真5〕。年齢が分かると、その魚を「震災前生まれ」と「震災後生まれ」に分けて考えることができるようになる。

年齢測定で分かってきたことは、おおむね以下のようなことだ。震災前生まれと、震災後生まれでは、汚染の状況が大きく異なる。震災前生まれの魚は、原発事故が起きたとき、すでにその海域にいた魚だ。原発から放出された高濃度の汚染水の影響をまともに受けることになり、現在もその影響が残っていると考えられる。反対に、震災後生まれの魚は、放射性物質がかなり希釈された海で育っているため、計測しても、ほとんどのケースで検出下限値以下となる。被曝する機会自体がないからだ。

事実、二〇一四年頃は、うみラボの調査で、国の基準値一〇〇ベクレル／キログラムを超えたメバルやヒラメなどが見つかったが、

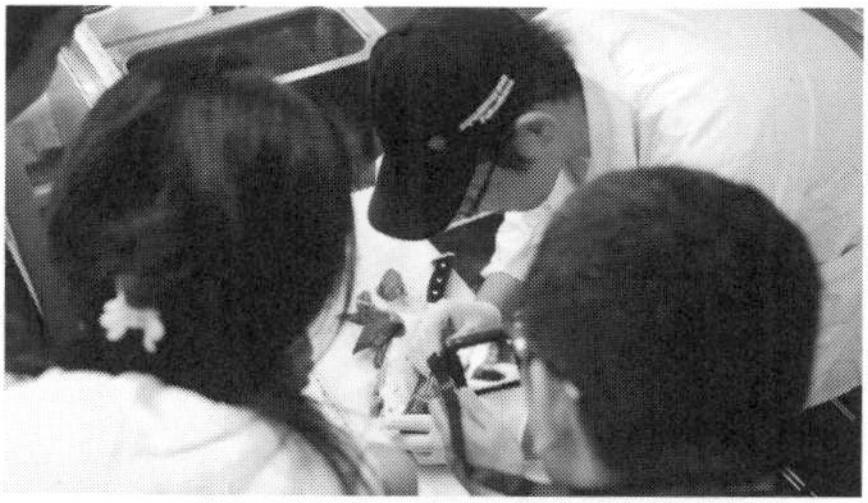

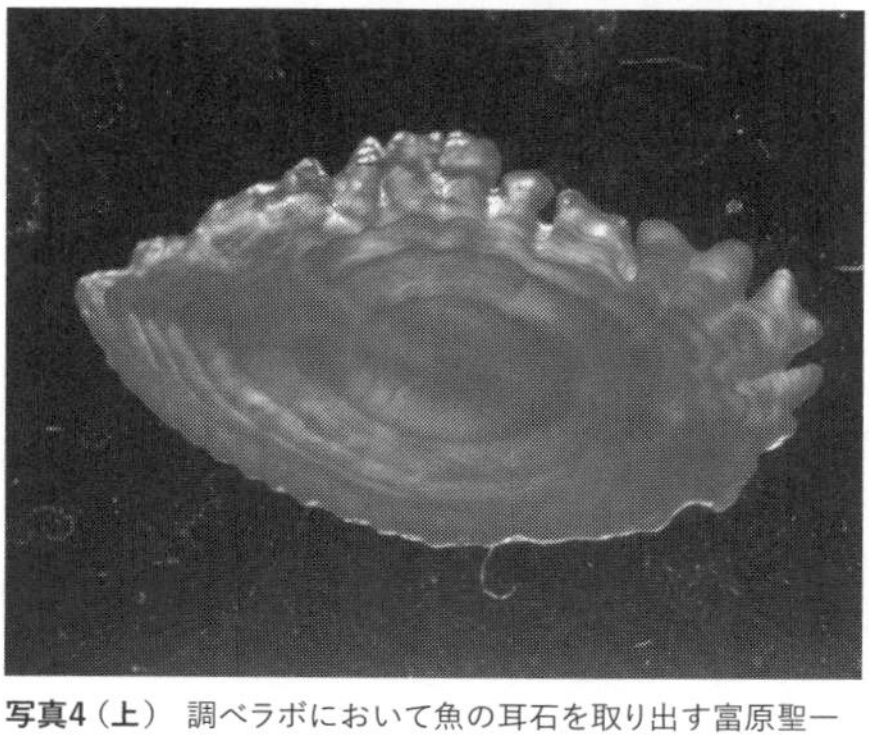

写真4（上） 調べラボにおいて魚の耳石を取り出す富原聖一
写真5（下） シロメバルの耳石。富原獣医はおよそ10歳と鑑定
写真提供＝公益財団法人ふくしま海洋科学館

耳石を鑑定してみると、いずれも震災前生まれの個体であった。二〇一五年以降の調査では、一〇〇ベクレルを超える個体は見つかってはいないが、数十ベクレル程度の汚染はあった。そしてそのいずれもが、震災前生まれだった。二〇一六年以降は、不検出の個体がほとんどになり、検出されても一桁ベクレル程度の数値で収まるようになった。検出されるものの多くは八歳、九歳を超えるような魚に限定されてきている。

しかし、震災後生まれがすべて安心かというと、そういうわけではない。震災後生まれの一歳のサメなどから、微量だが放射性物質が検出されることがある。サメは通常の海水魚よりもセシウムを溜めやすい性質があるためだ。そして年齢が一歳ということは、この放射性物質は、「この一年間に被曝した影響」だと判断できる。ここからひとつの結論が導き出される。汚染水をすべて食い止められているわけではないということだ。魚からは検出される量ではないが、放射性物質を溜めやすいサメなどからわずかに検出される程度の汚染は残っている、と考えるべきだろう。サメなんて食べない、と言われればそれまでだが。いずれにしても、国の基準を超えるような汚染が見つかることは考えにくい。

もし万がいち、一、二歳のヒラメやメバルから放射性物質が検出されたとしたら。それはこの一、二年で被曝したものだと分かる。つまり、今まさにかなりの量の汚染水が海洋に流出しているということを示すデータになるというわけだ。東電のちょろまかしを見逃さないためにも、震災前生まれの個体だけでなく、一、二歳くらいの魚の放射性物質も測り続けることが必要だろう。また、レアケースとして、福島第一原発の湾内に侵入したと思われる魚から、比較的濃度の高い放射性物質が計測されることがある。東電の湾内と湾外は、魚が逃げ出さないよう「シルトフェンス（網）」で仕切られているものの、そこから抜け出してしまう個体もあるようだ。こうした魚を見逃さないためにも、やはり魚のモニタリングは必要だろう。

いずれにしても、今後、超高濃度の汚染水が海洋投棄されるようなことがなければ、福島の魚は安全だと言える。現在わずかな汚染が残っているものも、時間が経てば寿命で死ぬ。だから福島の海の回復は時間の問題とも言える。流通されている魚に関しては、しっかりと基準をクリアしたものばかりだ。どうか安心して食べて欲しい。もちろん、まだ不安で食べたくないという人もいるだろう。そんな方は、気兼ねなく他県の水産品を食べて頂ければいい［表1］。

ゲリラから始まる新しい公共性

ここまで長々と生物の授業のような話を書いてしまった。ちょっと飽き飽きしている人もいるかもしれない。何を隠そう私もそうだ。誰もこんな放射性物質の話なんて好きこのんで聞きたくはないだろう。重要なのは、私はそもそも素人だったということだ。今でこそ本章で書いた程度のことは理解できるようになったが、もともと海について詳しいわけでも、そもそも釣り愛好者でもない。続けているうちに、いつの間にか身に付いたことなのである。

2017年

採取日	全長 (cm)	セシウム量 (Bq/kg)
9/10	79.8	6.30
	73.8	ND
	72.0	ND
	42.2	ND
	68.2	ND
	60.4	ND
8/6	77.5	ND
	60.5	ND
	63.2	5.60
	68.0	ND
	70.3	ND
	75.6	ND
	78.5	7.13
7/9	N.D	ND
	55.0	ND
6/24	61.0	ND
	58.5	ND
	46.1	ND
5/7	54.6	ND
	47.8	ND

計測回数　5回
20検体
検出率　15.0%
最高値　7.13
平均値　6.34

2016年

採取日	全長 (cm)	セシウム量 (Bq/kg)
11/13	88.2	14.6
	55.4	ND
	59.3	11.7
	48.5	ND
10/16	62.0	ND
	40.2	ND
	44.0	ND
	46.8	ND
	67.4	ND
	65.6	ND
	65.8	ND
	71.4	9.43
	73.2	ND
9/18	39.5	ND
	54.9	ND
	70.6	ND
	74.5	3.58
	67.5	ND
	45.8	ND
	58.0	ND
	54.9	ND
	61.5	ND
	59.1	ND
	69.9	8.15
	54.4	ND
	65.5	ND
	67.1	ND
	61.0	ND
7/17	54.0	ND
	58.2	ND
	53.8	9.18
6/5	56.5	ND
	50.0	ND

計測回数　5回
33検体
検出率　15.1%
最高値　14.6
平均値　8.98

2015年

採取日	全長 (cm)	セシウム量 (Bq/kg)
11/29	53.9	ND
	52.5	ND
	32.1	ND
10/7	55.0	ND
	56.5	ND
	64.7	14.8
	61.8	ND
	65.5	9.1
9/6	56.3	ND
	60.5	4.3
	55.5	ND
	51.7	ND
	53.0	ND
	55.0	ND
	55.3	6.6
	54.0	ND
	58.0	5.5
	53.0	ND
	39.7	ND
8/9	66.2	ND
	67.3	20.6
	65.3	ND
	56.8	ND
7/4	60.6	6.4
	61.0	28.6

計測回数　5回
25検体
検出率　32.0%
最高値　28.6
平均値　11.9

2014年

採取日	全長 (cm)	セシウム量 (Bq/kg)
11/9	53.5	ND
	56.8	40
	55.5	8.5
	51.2	ND
	50.5	ND
	53.7	ND
	54.3	7.4
	51.1	5.4
	52.2	ND
	56.3	8.9
10/5	50.1	ND
8/17	62.9	34.4
7/19	65	16.3
	56	138
	58	23.8

計測回数　4回
15検体
検出率　60%
最高値　138
平均値　31.4

表1　この表は、2014年から2017年までの4年間のヒラメの測定値を一覧にしたものだ。いずれも、原発沖10キロの圏内で、うみラボの調査によって採取・測定されたものである。ヒラメの大きさ、測定値、採取日が記入してある。これを見れば一目瞭然だが、2014年には、国の基準値である100ベクレル／キログラムを超える138ベクレル／キログラムというヒラメがあったのに対し、2017年では、もっとも高いもので7.13ベクレル／キログラムである。ND（検出下限値以下）になる確率もかなり上がっている。ヒラメから、放射性物質が相当に排出されてきていることが伺い知れる。
もうひとつ、ヒラメのサイズにも着目して欲しい。2014年時点は、釣れるヒラメのほとんどが50センチメートルほどだったのに対し、2017年では70センチをゆうに超えるヒラメがたくさん釣れている［**写真6**］。原発沖10キロ圏内は、現在も漁が自粛されているエリアである。禁漁によってヒラメが大きく育ち、放射性物質の排出が進んできたわけだ。漁業資源の回復は、福島の海に奇跡的に残された宝物である。昨今話題になっている漁業資源保護、持続可能な漁業構築のため、大きく育った魚たちを有効活用して欲しいと思っている。うみラボでも、資源の保護や有効活用について、今後も積極的に発信していくつもりである。

うみラボを通じて気づかされたことのうち、もっとも強く実感として残っているのが、自分がいかに地元の海について無知だったか、ということだ。福島の魚の汚染状況を知るには、魚の寿命や生態、食性などを詳しく知る必要がある。放射性物質云々という知識よりも、魚に関する基本的情報を理解しないと、汚染の状況も正しく理解できないのだ。ところが、私は、福島県沖に生息する魚にどのような種類があったのか、それらの魚は通常どのように漁獲され、どう流通されるのか、そういった知識がまったくなかったのである。そのくせかまぼこメーカー時代は「食の当事者」ぶっていた。うみラボに参加するようになって、自分の無知を恥じることが本当に増えた。

魚について詳しく調べていくと、浜通りの地理や物産、食文化について学ぶことにつながる。どこにどんな漁港があるのか。そこではどんな被害があったのか。どんな魚が釣れていたのか。どんな料理があったのか。どんな船があり、どんな漁師がいたのか。その漁師にはどんな人生があったのか。地域の歴史や文化、産業への関心が高まっていくのだ。あれ、おかしいぞ、福島の海の汚染を調べに行っていたのに、いつの間にか、福島の海そのものを知ろうという活動になっているではないか。

うみラボの活動が始まってから、鮮魚店に行くことが増えた。

写真6　初めて釣り竿を握ったという女性でも、高確率で大型のヒラメが釣れる

鮮魚店に行くようになって、鮮魚店の店員と話すことが増えた。旬の魚を覚えたり、魚のさばき方を教えてもらったり。そのうち常連になって、買い物をするとなにかおまけがもらえるようになった。日常の食卓が少しずつ楽しくなり、日々の生活が、よりよいものになった。そういう実感が強い。今では、仲良くなった魚屋の若女将や料理人と、その魚屋で酒と料理を楽しむ「さかなのば」というイベントを企画している［写真7］。

思い出して欲しい。うみラボは、最初はまともに採泥すらできない、どうしようもない団体だったことを。それが、三〇回の調査を続けるうちに、発信主体としての信頼性が少しずつ増し、いつの間にか公共性が付与されてしまった。二〇一五年に受賞した、国連の「生物多様性アクション大賞2015」の特別賞などは、その最たるものかもしれない。最初はゲリラ的に、DIYの企画として始まったものなのに、いつの間にか関わってくれる人が増え、持続性が生まれ、結果的に公共的な存在になってしまう。そんな「あとづけの公共性」が、うみラボという活動には存在している。

うみラボのブログの最初のエントリの冒頭に、このような記載が残っている。

> うみラボは、いわきで暮らす私たちが、もっといわきの海のことや、自然のこと、街のことを知るための集まり。いろいろな人の力や知恵を借りながら、でも参加者たちがじぶんの手と目と足とアタマを目いっぱい使って調べます！
> 大きなできごとがあって、いわきのおいしいものや美しい自然が傷ついてしまいました。でもみ

写真7　筆者が月に1回主催している食の企画「さかなのば」。小名浜町内の鮮魚店で開催されている

んなで頑張って、おいしさも楽しさもずいぶん戻ってきました。

最後に残ったのが「海」です。

めちゃくちゃおいしいカツオを、サンマを、メヒカリを、ヤナギガレイを、アンコウを、ドンコを思い切り胸をはって日本中に見せびらかすためには、私たちはもうちょっとだけいわきの海のことをきちんと知らないといけません。

だから、まずは「そこ」に行ってみよう、自分の目で見てみようと思うのです。

国や県を信じるとか信じないとか、そういう話じゃありません。普通の人間が、工夫して測ったものを、何も足さず何も引かずに、ただみなさんにお見せします。しかめっ面してやりたくはありません。だからみんなで楽しみながら、ＤＩＹします！［★2］

みんなで楽しみながら、自分たちでＤＩＹ。ここに、うみラボのすべてが詰め込まれている。楽しくなければ活動は長続きしない。復興のため、福島の漁業のためなどと大義を掲げていたら、いつかその活動はつまらなくなり、やらされるものになってしまう。福島県は、震災後、急速に「まじめなこと」をしなければいけなくなった。学生たちは復興に動員され、いつの間にかふるさとへの思いを搾取されながら、「復興」というよく分からないものに向き合わされている。

うみラボはそうではない。私たちはただ、自分の生活を楽しいものにしたいからこそ、福島の海を調べた。楽しくなければ誰も関わってくれない。おいしくなければ口にしてもらえない。面白くなければ興味すら持ってもらえない。そのようなポジティブな動員でなければ、廃炉を見届けるだけの持続性も生まれない。原発事故を背負った私たちは、廃炉という結末を、自分の子や孫の代に押し付けることになる。自分以外の外部に、もしかしたら会ったことのない未来の子孫にまで、廃炉を託さずにいられないのだ。

今この狭いフクシマに閉じ込められていたのでは、時間的にも、空間的にも外部に声を伝えることはできない。ふまじめな動機こそ、今このフクシマを突破できる力になるはずだと、二〇一三年の私たちは心のどこかで直感していたのではないか。ブログの初エントリの文面をもう一度見返して、今さらながらそんなことを感じている。うみラボとは、「まじめ」な福島で「ふまじめ」を起動する装置だったのかもしれない。これからも、そうありたいと思う。

★2 「うみラボはじめました」URL=http://umilabo.hatenablog.com/archive/2013/12/08

第3章　バックヤードとしてのいわき

1　かまぼこと原発

ここからは、データを離れて、もう少し浜通り、いわきという地域について掘り進めていく。キーワードは「バックヤード」だ。第一章でもわずかに触れたが、いわきで生産されるものの多くが、首都圏を支えるという大役を課せられている。コメ、野菜、果樹、様々な加工品、工業生産品、エネルギーや観光までもが、大量生産大量消費に即したものである。ブランド品ではない。寡黙に粛々と首都圏を支えているのだ。

どんな美しい水族館にも、コンクリートと配電盤とダクトに囲まれたバックヤードがある。表向きのきらびやかさを支えるのは、いつだって裏方の地味な存在だ。忸怩たる思いを抱えながら、しかしそこにわずかの矜持を持ちながら、美しさを支えている人たちがいる。本章は、まさにそのバックヤードに光を当てながら、食にまつわる問題を遠回りに考えていく。

本章も1から3に項目を分けている。まず1では、いわきの特産品「かまぼこ」から論を構成した。

単なる水産加工品ではない、いわきの宿命を背負わされたかまぼこを通じて、この地のバックヤード性や震災復興の負の部分を見ていく。

次の2で扱うのは福島の宝、「地酒」である。日本一とも称される福島の地酒のマーケティングから、寡黙なバックヤードではなく「もの言うバックヤード」になるための方策を考えた。また、2では風評被害について考える短い論考も収録している。ここでは、現場で広報／営業として働いてきた私の実感を込め、現在、自治体などが進めている風評被害対策への批判的な応答を展開している。

そして最後の3では、「バックヤードからの発信」という文脈に沿った「ツアー」の提案を行った。表向きの観光ツアーでは訪れることのないいわき名所を、写真とともに書き綴った。いわきの各地には、過酷な運命を今に伝える場所がいくつも残されている一方で、それに抗おうとする人たちの場も生まれている。バックヤードそのものの痕跡と抵抗の場所。引き裂かれたその両者を巡ることで、地域に富も災難ももたらしてきた原子力発電所の存在に、遠くから光を当ててみたい。

本章で書かれることは、一言で言ってしまえば「地方の絶望」と呼ぶべきものだ。しかし本当に絶望と受け止めては、ここで生きる価値がなくなってしまう。絶望の土地に生まれ育ち、しかし私はその地元を愛してもいる。その愛と憎の両方を抱えつつ、そのいずれからも少しずつ距離を置き、それ自体を楽しんでしまう。そんな「観光客」の視線こそ、複雑な土地に生きるうえでの希望だと思う。本章が「ツアー」の論考で締めくくられているのも、同じ理由である。

いわきという「バックヤード」

二〇一三年秋。本書の刊行もとであるゲンロンから「25年後の福島を考える私たちの『福島の食』セット」という詰め合わせセットが販売された。第一章でも触れたが、当時私が勤めていた、いわき市永崎のかまぼこメーカー「貴千」のかまぼこと、いわき市小川町にある菌床きのこメーカー「小川きのこ園」のエリンギ、さらに、ゲンロン代表の東浩紀のメッセージを収録した小冊子を詰め合わせた産直セットだ［写真1］。

エリンギとかまぼこがセットになったのは、悪質なデマと食の安全を切り離すために分かり易い食材だった、という理由からだ。二〇一三年頃、キノコと水産加工品は、被曝を危険視する人々の間で「危険な食材」として認知され、忌避される食材だった。確かに、露地のキノコや一部の魚介類からは、国の基準値を超える放射性物質が検出され、テレビや新聞などで報じられることもあり、危ない、食べたくないと思ってしまう人がいても致し方ない時期ではあった。

しかし、エリンギとかまぼこは、製造工程上、放射性物質の混入が考えられない商品だ。だからこそ、このふたつのアイテムは放射能と食の安全を切り離すために有効な食材になり得た。汚染を不安

写真1　ゲンロンが発売した「福島の食」セット。おかげさまで新規の顧客と数多く出会うことができた

視する皆さんに「福島の食でも安全なものはある」ということを感じてもらえるのではないかと期待したのだ。ゲンロンの読者のなかにも、福島県産品を危険視する人がいたはずだ。何も山菜を食えとは言わない。せめて、放射性物質がどう考えても入り込まないエリンギとかまぼこは食べてもらいたい、そしてそれが福島県産品を食べてみる一歩になるのではないか。そういう狙いがあった。

エリンギというキノコは、山に自生しているわけではない。通常、オガ粉などの菌床に菌を植え付け、室内で培養して育てられるキノコである。小川きのこ園の場合、培地には新潟県産のスギの木のオガ粉を使っていて、菌を植え付ける前にオガ粉単体で線量検査を行っている。それを通過した安全なオガ粉培地を使い、外気に触れない室内でエリンギを生育し、出荷する。工程上、放射性物質が入り込む余地はない。さらに出荷前にも自主検査し、五ベクレル／キログラムを超えた場合は出荷を取りやめるという念の入れようであった。

一方、いわきで生産されるかまぼこの多くは海外産のすり身を使っている。主原料となるスケソウダラは北米沖で漁獲され、大型船のなかですり身に加工され、冷凍されて日本向けに出荷される。かまぼこメーカーは、その凍ったままのすり身を仕入れ、解凍してかまぼこを作り、出荷する。こちらも製造工程上、放射性物質が入り込む隙はない。商品の定期的な検査も行っており、いずれも不検出であることが確認されている。エリンギもかまぼこも、工程からも検査結果からも安全性が確認されている商品なのだ。

セットを販売してみると反応は上々だった。当時は福島の食を忌避していたという方からも「福島産でもかまぼこなら安全だと分かり、おいしく頂いた」というリアクションがあったことは大きな収穫だった。一方で、案の定「福島のキノコは危険」、「福島のかまぼこは不安」という声もかなりあった。政治的立場上そう言わずにはいられない方もいたことだろう。しかし、そうではない声も反映されていたとも思う。「エリンギ＝露地に生えてるキノコ」、「かまぼこ＝福島産の魚が原料」という単純な誤解や無知があったのではないかと感じたのだ。

ならば、必要なのは放射線の知識ではない。食についての基本的な情報を粘り強く熱心に伝えていくことである。あくまで食の魅力や基本的な情報を伝えるなかで、補足的に、そこはかとなく放射能の情報を付け加えていく。そうすれば、フラットな状態で福島の食に興味を持ってもらえ、結果的に放射能に対するぼんやりとした不安も取り除かれるのではないだろうか。この詰め合わせセットの販売で、私は膨大な無関心層への発信をより強く意識するようになった。

消費地に暮らす方の多くは、エリンギやかまぼこがどうやって製造されるかなんて知らなくてもいいし、それでも生活は成り立つ。そんな状態で放射線知識など発信しても余計な不安を招くだけだ。だから、まずは食の根っこのところから広く発信していく。どのように生産され、どのような工程を経てあなたに辿り着くのかを、信頼関係を築きながら伝えていく。そして、それそのものを面白い企画として発信することはできないだろうかと考えた。

普段口にしているものが、どのような工程であなたの目の前まで届けられているのか。そんな大事なことも分からない社会が「安心安全」であるはずがない。私は、そのような日常が抜けた社会の先に原発があると考えている。そして、自分が食べているものがどこからやってくるか知らなくてもいい社会は、あの原発事故で吹っ飛んだとも考えている。だから、生産者として、その日常の根底そのものを伝える責任がある。そんなことを考えるようになった。

生産者の象徴としての福島

いわきを代表する産品である「板かまぼこ」は、そのほとんどがスーパー向けに出荷される。いわゆる大量生産品、コモディティ商品だ。神奈川県小田原の某有名かまぼこ店のようなブランド品ではない。首都圏の胃袋を支えるための、極めて地味な商品である。大量に生産される商品なので、メーカー側が直接消費者に販売するわけではない。市場、問屋、バイヤーなどの業者に出荷し、最終的に量販店の店頭に並ぶ。生産メーカーは、流通や営業をほとんど気にすることなく生産に特化できるわけだ。

このような生産に特化したシステムに支えられているのが福島のものづくりだ。コメ、野菜、果物、魚介類、様々な加工品。首都圏にほど近く、広大な土地からもたらされる山海の恵みは、ブランド化や地産地消されるよりも、圧倒的な物量と出荷安定性で首都圏の胃袋を満たしてきた。商品の多くは量販店向けに最適化され、大量生産・大量消費の精度を高めている。都市部の便利や快適を、人知れず福島の産品が支えてきたわけだ。

福島県産品のブランド認知度がイマイチだったのは、その多くがコモディティ商品だからだろう。いわば「良質の無印」として流通関係者から高い評価を受けてきたため、消費者に直売したり、こまめに情報発信したり、デザインに気をつかったりする必要がなかった。スーパーで売られている小田原のかまぼこの一部が、実はいわきのメーカーがOEMで生産したかまぼこだったりすることを皆さんはご存知ないだろう。そのような商品には「製造元」は表記されない。表示されるのはあくまで「販売元」である。いわゆるPB商品。その巨大な生産力で人知れず首都圏を支える。それが福島のものづくりの強さだ。

食品だけではない。意外に思われるかもしれないが、いわき市の工業製品の生産高は、東北の市町村別で見ると仙台市と同規模で、震災前までは長く「東北一」の座を守り続けてきた。工業もまたコモディティなのだ。首都圏に本社を持つ企業の生産拠点がいわきには数多い。東京や大阪の下町、あるいは高い技術力で世界的メーカーの商品を支える工場が持つような匠の技ではなく、労働集約型の工場で作られるコモディティ商品を、時に中国やベトナムの工場に比較されながら、地道に作る。それが福島に課された役割だ。電気もそうだろう。福島第一、福島第二、広野火力で作られた福島県産電気は、長く首都圏の便利や快適を下支えしてきた。

しかし、多くの人たちはその事実を知らない。福島は確実にあなたの日常を支えているはずなのにだ。福島が首都圏のバックヤードだからだろう。表からは見えない。しかし、あの原発事故でバックヤードは剥き出しになった。剥き出しになったものを無視して、かつてのように存在しないものとして扱うことは私にはできない。復興が進み、以前のように便利や快適の陰に隠れていくことになるのかもしれない。しかし、私は見てしまった。感じてしまったのだ。バックヤードに暮らす者として、その姿を内に外に突きつけ続けなければならない。

バックヤードからの「着地型」発信

かまぼこメーカー時代、広報という業務を行うにあたってもっとも腐心したことが、生産者と消費者の距離を縮めるような情報発信だった。さきほども紹介したように、そもそも多くの消費者は、かまぼこがどのように作られ、どのように流通しているかを知らない。生産者の側から見ても、自社の商品のほとんどがスーパーに並んでいるので、消費者と直に話す機会がない。お互いにチャンネルがないのだ。それでは、こだわりも安全性も伝えられない。だから、ブログをこまめに更新したり、SNSで直接お客様と交流したり、物産展ではできるだけ多くの人と話すように心がけた。それが風評被害を打破することにもなるし、結果的に会社の売り上げにもつながると考えたからだ。

もう一つ意識したのが「バックヤードからの発信」である。生産の現場そのものを見せ、おいしいものを提供し、楽しい思い出を残してもらうだけではなく、バックヤードの厳しい現実や、都市と地方の関係、東京が私たちに押し付けてきたものをも伝えることはできないか。そしてそれを「観光資源」として育てていくことはできないだろうかと。

写真2　ファーム白石でのスタディツアーには、遠方からたくさんの人が訪れる　写真提供=ファーム白石

すでに前例はあった。いわき市小川町にある「ファーム白石」では、震災後、首都圏からの農業体験ツアーを積極的に呼び込んだ。農業体験と被災地ツアーがセットになったような中身で、白石のファンを中心に、多くの方が農場を訪れていた[写真2]。こうしたスタディツアーは、商品へのこだわりや安全性を直接消費者に伝えられるだけでなく、消費者自らが農業体験をする「学びの機会」を創出することができるのが特徴だ。消費者の食に対する理解が深まれば、生産者のこだわりが評価されるだけでなく、帰り際に野菜を買っていってくれるなど、消費行動にも結びついていく。

もちろん、このような農村ツアーは全国各地で開催されており、いわき発のトレンドではない。しかし、ブランド化から縁遠かった「良質の無印」のいわきから、このような「直売」に近いツアーが自発的に始まったという変化は大きい。私が勤めていたかまぼこメーカーでも二〇一四年から工場見学の受け入れを始めた。私が退社したことで見学ツアーは終わってしまったが、一流メーカーでもない地方の労働集約型の水産工場が、そのリアルをさらけ出した意義はあったと考えている。

ここで重要なのは、これらが東京の旅行会社が企画する〝出発地からのツアー〟ではなく、地元発の〝到着地からのツアー〟であることだ。首都圏の人たちが消費する「田舎イメージ」をなぞるようなツアーではなく、当事者が自らツアーコンダクターやガイドとなり、自身が発信したいことを、自身のライフヒストリーも交えながら直接伝える。こうした小さな着地型観光を通じて商品の魅力を磨き、バックヤードの現実を発信していくのだ。単純な物見遊山で訪れた人たちが、そのバックヤード性や、原発事故の痕跡に触れることに価値がある。数値やエビデンスを追いかけるだけでは見えない真実が、福島というバックヤードにはあるはずだ。

首都圏から友人が来ると、決まって案内する場所がある。小名浜の広大な工場地帯、寂れたソープ街や歓楽街、常磐炭鉱の遺構、人で溢れるロードサイドのショッピングセンター、地元のハローワークや役場の前を通ったりもする。有名な観光名所もそれなりに回るが、案内する場所の多くは私にとっての日常である。それらを巡る旅は「リアル」ツーリズムと言ってもいい。

いわきには、もちろん青い海、静かで神々しい山々、花鳥風月、美しい自然に息づいた人々の暮らしがある。いや、あることはある。でもそれだけではない。都市部の人たちにとっての非日常の美しさではなく、むしろ、都市部の暮らしと地続きのバックヤードのほうにこそ、観光客と福島をつなぐ糸口が見つかるはずだ。福島だからこそできるバックヤード〝リアル〟ツーリズム。それはそのまま日本の現在位置を考えることになりはしないだろうか。高校生が京都や広島を訪れるように、成人になったら福島を旅して自らの「日常」を問い直す。そんな時代が来たら、私もツアーガイドとして一稼ぎできそうな気もするのだが、どうだろう。

かまぼこエアコンと「復興〝中退〟論」

かまぼこの話をもうひとつ紹介する。二〇一四年、私がかまぼこメーカー時代に会社のメンバーと企画した「かまぼこエアコン」の話だ。といっても、何のことかさっぱり分からないという方が多いはず。まずは写真を見て欲しい［写真3］。カラーではないので分かりにくいかもしれないが、実はこのエアコン、かまぼこのピンクのカラーリングが施されている。土台部分には、板かまぼこよろしく木目のシールが貼ってあり、あたかも、かまぼこが壁にへばりついているように見える、というものだ。会社の直売所に設置されていたエアコンである。

このエアコンをあるお客さんがスマホで撮影し、画像をツイッターに投稿したところ、数日で三万回を超えてリツイートされ大きな反響を呼んだ。ＳＮＳである程度拡散すると、今度は地上波の全国放送で紹介されたり、全国紙の朝刊に掲載されるなど、マスメディアでも取り上げられることになっ

写真3　一世を風靡した「かまぼこエアコン」。まとめサイトなどでも大反響だった

た。それに伴い、かまぼこメーカーのオンラインショップのアクセス数も爆発的に伸び、うれしいことにいくつかかまぼこの注文も頂いた。当時、会社の広報担当をしていた私としては大勝利と言っていい企画となった。

何がうれしかったかといえば、マスメディアで紹介される際に「風評被害に苦しむ福島の食品メーカー」といった、震災特有の枕詞が使われなかったことだ。こうした枕詞は、福島県の食品メーカーや生産者に限らず、福島の出来事を報じるあらゆるメディアで常套句となっているが、かまぼこエアコンは復興と絡めるにはふざけすぎていたのか、単に「面白いアイデア」として紹介された。そのことに、なんとも言えないうれしさを感じたことを今でも覚えている。

さすがにここ数年は少なくなったが、福島に関わる出来事をメディアでチェックしていると、「風評被害に苦しむ生産者」や「震災復興に取り組む団体」が数多く登場する。中学生が合唱コンクールで金賞を獲れば「復興の歌声」になり、高校野球で福島代表が勝利すれば「復興への力」になり、生まれたばかりの子どもは皆「復興への希望」といった具合に。そうやって、被災地はメディアによって外側から復興に向けて頑張る被災地像を押し付けられる。

反対に、いわき市民や福島県民自身が復興の文脈を内側から求める場合もある。これは助成金や復興予算に絡む取り組みに往々にして見られるものだ。例えば、まちづくり系では「コミュニティの再生」が、地域物産系では「風評被害払拭のため」が大義名分となり、それらが予算化されて復興事業に収斂されていく。復興を絡めると自治体を動かしやすくなり、予算がおりてしまう。本来は個別の課題を解決するための予算であり取り組みのはずだが、このように市民自らが復興という言葉（というか予算）を求めてしまう。

私は、復興するというのは「被災者でなくなる」ことでもあると考えている。だが、実際には、外側からも内側からも被災者でいることを求められ、求めてしまう。復興を叫ぶほどに被災者という立場を固定してしまうわけだ。さらに、復興は誰もその中身を問わない。復興というと何かいいことをしているかのように感じてしまう。復興を叫ぶほど個別の課題の存在が見えにくくなり、解決をかえって遅らせてしまうことにもなる。それは果たして復興なのか。

たかだかカッティングシートで仕上げただけの「かまぼこエアコン」だったが、厄介な「復興」の壁を突き破った。福島の枕詞が使われることもなく、ただ単に面白いという理由で爆発的に拡散された。それはとても痛快だった。そのほとんどは、ネタとしてタイムラインに流れて終わっただけだろうが、そのなかから「いわき　かまぼこ」と検索した人がいただろうし、かまぼこメーカーの名前である「貴千」を調べた人もいたことだろう（だから売り上げも増えた）。かまぼこエアコンの画像を通じて何らかの検索ワードに辿り着いた人たちが、回り回って最後に結果的に「福島」や「原発事故」に触れる。それでいいのだ。

「風評被害に苦しむかまぼこメーカー」というイメージを利用しているうちは、こういう下らないネタに手を出すことは難しい。何よりまじめさが求められるし、他社と足並みも揃えなければならない。自治体の予算を使ってＰＲするにしても、こんな企画が通る可能性は低い。自分たちで徹底して「面白いもの」「突き抜けたもの」「冗談みたいなネタ」をやったからこそ、復興という文脈を突き抜け、多くの共感を得ることができたのだと思う。それでも最後には、我々が福島の業者であることに気づいてくれる誰かがきっといる。

問題を真剣に考える人だけが福島と関われるわけではなく、むしろ不純な動機や物見遊山やネタみたいなところから、じわじわとしたつながりが染み出てくるものなのではないだろうか。初めから「復興」に寄りかかるのではなく、「突き抜けたもの」を創造し、それを続けることで、あとづけで社会性や公共性が生まれていくということを、滑稽なようだが、この「かまぼこエアコン」が示してくれたように思う。

かまぼこエアコンのモデルは、震災前までいわき市が日本一の生産量を誇っていた「リテーナー成形かまぼこ」。大量生産・大量消費のシンボルのようなかまぼこだが、私たちはこのかまぼこで、地域に雇用を作り、首都圏の胃袋を満たしてきた。ある意味で、福島の「バックヤードらしさ」を形にしたようなエアコンでもある。

バックヤードの象徴という意味で言えば、かまぼこは福島第一原発にも通ずる。しかも、二〇一七年になって福島第一原発三号機には、かまぼこの形をした建屋カバーが取り付けられた。名実共に、かまぼこは第一原発と合体したのだ。皆さんあの画像を「かわいい!」と大喜びでリツイートしてくれたが、皆さんがシェアしたものは、実は、食と電力のバックヤードを担わされた福島の姿であり、ひいては原発そのものだったのかもしれない。

故郷の復興を願わない人はいない。しかし、そうであるがゆえに、復興を「卒業」しなければならないのではないだろうか。いや、復興政策は個人の意志とは関係なく続いていくだろうから、卒業することは難しい。だったら復興をドロップアウトしてしまおう。復興に寄りかかって、いつまでも「被災者」でいるわけにはいかないし、復興なんていうなんとでも取れる言葉に寄りかかるわけにもいかない。クソ真面目なことしかできない復興なんて中退してしまえばいい！　もとの連載が書かれた二〇一四年から、今も変わらずそう思っている。

2　ブランドとコモディティ

日本一の福島の酒

ここまで、福島県や、福島県浜通りのバックヤード性について話をしてきた。私はそのバックヤード性そのものを、文化や芸術、観光の力で可視化して伝えるべきだという考えを持っている。しかしながら、日常に埋没しやすいバックヤード性は、伝えるべき文脈が入り組んでいるため簡単には伝わらない。入り口になるのは、やはり突き抜けたおいしさや、分かりやすい面白さ、ポジティブな要素ではないか。突き抜けた商品で消費者の欲望を喚起し、動員に結びつけ、しかる後に、じわじわとこの土地のバックヤード性が結果的に伝わっていく、そんなプロセス。

コモディティ性を伝えたいからこそ、ブランド力をつける。ブランドで切り開いて、最後に難しい文脈であるコモディティを持ち帰ってもらう。やはり、入り口は分かりやすいブランドだ。

考えるための鍵になりそうなのが日本酒である。メディアでは未だに「風評被害」という言葉が踊るが、福島の酒だけは、国内だけでなく海外にまで販路を広げ、風評被害の影響など微塵も感じさせない躍進を続けている。ブランド力のある福島の酒を入り口にして、福島の食の魅力やバックヤード性を深く伝えることができるのではないだろうか。

福島の酒が注目を浴びているのは、国内最大規模の新酒鑑評会である「全国新酒鑑評会」で金賞を受賞した蔵元数が、六年連続で全国一位を取り続けているからだ。六年連続のインパクトは大きく、「福島の酒は日本一」という文言は、当たり前のものになってきた。私も福島の酒を愛飲するが確かにうまい。日本一は決して大げさではないと自信を持って言える。

新酒鑑評会だけでなく、世界最大級のワイン品評会、インターナショナル・ワイン・チャレンジの日本酒部門でも、ほまれ酒造（喜多方市）の「会津ほまれ　播州産山田錦仕込　純米大吟醸酒」が最優秀賞「チャンピオン・サケ」に選ばれているほか、世界最多の出品数を誇る日本酒試飲コンペ「SAKE　COMPETITION」においても、複数の銘柄が上位入賞を果たしている。福島の酒、本当にヤバいのだ。

日本酒の歴史をおさらい

日本酒全体を見回すと、ここ一〇年は芳醇でフレッシュな味や香りを楽しむ「モダン系」の盛りである。新潟の酒が「淡麗辛口」と評されて人気を博し「越乃寒梅」「雪中梅」「峰乃白梅」の三銘柄が「越乃三梅」などと呼ばれたのが八〇年代。その後、九〇年代になって吟醸酒ブームが訪れると、若手を中心に「蔵元杜氏」(経営者兼製造責任者)が登場し、全国に様々な個性派蔵元が生まれた。色、香り、味わいのインパクトが強く、フルーティーな酒が好まれるようになったのもこの頃だ。そして、ここ一〇年は海外の日本酒人気も後押しする形で様々な人気銘柄が誕生している。

ここ数年、人気銘柄として名前をよく聞くようになった愛知県の「醸し人九平次」、佐賀県の「鍋島」、三重県の「而今(じこん)」などもモダンである。フルーティーでフレッシュ。香りも立つため冷酒向き。味の濃い料理などには合わず、反対に白身魚のさっぱりとした料理やしっかりとダシをとった前菜など、あっさりとした料理に合わせることが多い。香りを楽しむためワイングラスで飲んでみようなどと雑誌で紹介されることもある。モダンな楽しみ方ができる酒なのだ。

モダンブームを牽引しているのが山口県の旭酒造が醸す「獺祭(だっさい)」だ。「獺祭」は蔵で生産される全量が、精米歩合(精米前と後での重量の比較)五〇%以下まで米を磨きアルコール添加をしない「純米大吟醸」である。さらに「獺祭」は、「磨き三割九分」や「磨き二割三分」など限界まで米を磨いた超高級な純米大吟醸を造っていることで知られる。「磨き二割三分」というのは、精米歩合二三%、つまり残りの七七％は使われないということだ。

「獺祭」がフランスなどで人気を博し、それが起爆剤となって日本酒全体のブランド化が進んだことに難癖を付けるつもりはないが、「獺祭」ブームの影響で、純米大吟醸に偏った消費行動が発生し、全国の酒造メーカーも追随する状況になっている。「磨き」への傾倒は顕著となり、酒造好適米である「山田錦」の枯渇まで引き起こすようになっているという。日本最高の産地とされる兵庫県産の山田錦は全国の酒造メーカーの取り合いだ。

実は、日本酒全体の消費量はここ数年ほとんど伸びていない。しかし、純米大吟醸や大吟醸の売れ行きは伸びているのだという。つまり「高級な酒ばかり売れている」のだ。大吟醸クラスになればなるほど捨てる米の量が増えるので、多くの米が必要になる。それで山田錦の枯渇が起きているわけだ。「獺祭」人気にあやかろうという蔵元も多く、似たような味の酒が増えている。

一方福島県には「大七（だいしち）」をはじめ、生酛（きもと）づくりや山廃（やまはい）づくりといった伝統製法［★1］を守り続ける蔵元の酒や、落ちついた香りの純米酒など、「クラシック」とカテゴライズされる酒も多い。昨今のモダンブームには乗らない、精米歩合七〇％程度の純米酒や、派手さはないものの食中酒として申し分ない酒、あるいは燗開きする酒などを手堅く造り続けている蔵元が多く、実にバラエティ豊かなのだ。

会津モダンの源流をつくった「飛露喜」

とはいえ、福島の蔵元がモダン系を苦手としているというわけではない。モダン人気の初期に登場し、全国の愛飲家の視線を福島に向けさせたのが、廣木酒造（会津坂下町）の「飛露喜」である［写真4］。福島の酒でもっともプレミア化している銘柄のひとつだ。もともと廣木酒造は、地元向けに普通酒を製造するような、悪く言えばどこにでもあるような酒造会社だった。九代目の廣木健司が会社を継いだ頃は廃業寸前。どうせ潰れるなら自分の飲みたい酒を造ろうと開き直って、一九九九年に製造したのが「飛露喜」だと言われる。

その際、酒造りに迷う廣木を励まし、アドバイスを送ったのが東京都にある地酒専門店の社長だったそうだ。厳しくアドバイスしつつも、完成した「無濾過生原酒　飛露喜」を一〇〇本単位で購入して蔵元を買い支えたという。これにより「飛露喜」の名前は東京で広まり、またその数量が限られたことから「幻の酒」となってブランド化された。地元の人間はというと、廣木酒造が昔から造っていた普通酒の「泉川（いずみかわ）」を知るのみ。つまり「飛露喜」は県外専用の銘柄だった。

九〇年代後半というと、いちはやく蔵元杜氏を取り入れた山形の「十四代」が、それまで人気だっ

写真4　都内の高級飲食店等でも振る舞われる「飛露喜」。福島でもっともプレミアムな地酒だ

た新潟の淡麗辛口とはまったく別次元のフレッシュでフルーティーな酒を造り始めた時期と重なる。「十四代」に続く「飛露喜」の登場は、日本酒ブームに新しい潮流をもたらすとともに、酒どころとしての「東北」のイメージアップにも大きく寄与した。そして、「飛露喜」の人気は、県内、特に会津地方の蔵元にも大きな影響を及ぼすことになる。

うまい酒を造れば東京でも勝負できる。「飛露喜」に続けと、若い世代の造り手たちが、流行を取り入れたモダンな酒を醸し始めた。ポスト「飛露喜」の筆頭と言われる宮泉銘醸（会津若松市）の「寫樂」、過去にSAKE COMPETITION純米大吟醸部門で一位を獲得したこともある鶴乃江酒造（会津若松市）の「会津中将」、夢心酒造（喜多方市）の「奈良萬」、曙酒造（会津坂下町）の「天明」、会津酒造（南会津町）の「山の井」、花泉酒造（南会津町）の「ロ万」など、若い蔵元杜氏が活躍する銘柄が、会津から多数出ている。フレッシュでフルーティー。南国のフルーツや柑橘系のニュアンスが感じられる、今の時代に相応しい芳醇な酒が会津の特徴だ。

★1　生酛づくりは、自然の乳酸菌の力で雑菌をのぞくため、手作業で米をすり潰す「山卸」作業などを行い、酵母が活動しやすい状態をつくってアルコール発酵を促進する製法。自然の力を活用した製法であり大変手間がかかるが、乳酸菌特有のコクが生まれるため、味わいは濃醇。特に熱燗にすると本来のポテンシャルが膨らむ。

山廃づくりは生酛づくりとほとんど変わらないが、「山卸」の工程を行わない、つまり山卸を廃しているので「山廃」である。製法はほとんど生酛づくりと共通しているので、自然製法ならではの複雑な風味を楽しむことができる。こちらも、熱燗にすると乳酸菌特有の風味が楽しめる。

品質が高く、消費者や愛好者のニーズを捉えた商品は売れる。風評被害と一口に語られるけれども、福島の日本酒には関係がないようだ。しかし一方で、スーパーや市場のバイヤーに大量の商品を卸売りしなければならないコモディティ商品や、他県産の流通量や気候変動によって価格が決まる農産物などは、未だに価格が戻らない商品も多い。一口に「風評被害」と語るのではなく、商品や業態、販売経路などを勘案したうえで、個別の対策やマーケティングを練らなければならないということだろう。

「風評被害」とは結局なんだったのか

風評被害について、私が過去に関わっていた「かまぼこ」を例に取って考えてみたい。いわきのかまぼこメーカーの主力商品である「リテーナー成形かまぼこ」は、主に首都圏の市場やスーパーに向けて出荷される。スーパーで一本一五〇円くらいで販売されているあれだ。リテーナー成形かまぼこは、スーパーマーケットの発達とともに生まれた商品であり、製造方法からして「大量生産・大量消費」に最適化されたものだ。メーカー側はスケールメリットで勝負する商品である。

震災後、リテーナー成形かまぼこの出荷量が減ったのは、震災によって工場が損壊し、水道も止まったため製造できなかったことがそもそもの原因だ。この時点では原発事故は関係がない。スーパーや市場としては、多くの消費者のためになんとかしてリテーナー成形かまぼこの在庫を確保しなければならない。いわきのメーカーが製造できない状況で他県の商品に切り替えるのは当たり前の行動だ。

問題は、いわきのメーカーが操業を再開しても注文が戻らなかったということにある。

リテーナー成形かまぼこを最初に買うのは市場やスーパーのバイヤーなどの流通業者。彼らが「福島産は心配だし売れないかもしれない」と消費者を過剰に忖度してしまうと、いくら福島の商品を買いたいと思う消費者がいたとしても、店頭には並ばなくなってしまう。また、福島県産が入らないときに、無理をいって他県産を手配してもらった「恩義」もあるため、「福島が復活したので要らない」というわけにもいかなくなってしまった。ましてや、コモディティ商品ともなれば商品の性質や特性は何県産でも変わらない。他県産が入り込んだスーパーの棚に再び福島県産を置くには、何か特別な理由がなくてはならなくなってしまった。

極端な喩えだが、仮に一〇〇〇本のかまぼこを販売するとして、「直売」ならば一〇〇〇人のお客のうち何人かが福島県産を忌避したとしても売り上げがゼロになるわけではない。しかし「卸売り」は、たった一人のバイヤーが一〇〇〇人分のかまぼこを買うというような形態である。その一人が「消費者が避けるかも」と思えば一〇〇〇人分のかまぼこの注文が一気に吹き飛ぶことになる。

風評被害の研究で知られる東京大学総合防災情報研究センターの関谷直也准教授は、『「風評被害」の社会心理』という論文のなかで風評被害の発生状況を分析している［★2］。簡単にまとめると、そこには以下のような三つのプロセスがある。

①「消費者が不安に思い商品を買わないだろう」と、市場・流通業者が想定した時点で取引、価

格下落という経済的な被害が成立する。

②それらの経済的被害や悪評などがメディアで報道されると、社会的に認知された「風評被害」となり、報道量の増大に伴って多くの人々が危険視し、忌避する消費行動を取る。

③「人々は不安に思い買わないだろう」という、流通業者の「想像上」の消費行動が実態に近づき、風評被害が実体化する。

これに照らせば、風評被害の第一歩は「流通関係者の過度な忖度」から始まるということだ。興味深いデータがある。二〇一三年の年末に、福島県商工会連合会が首都圏の消費者向けに行ったアンケート調査で、「福島県産を買う機会がない」と答えた人は二割ほどいたのだが、前年の二〇一二年からほとんど変動していなかった。つまり、首都圏の身近なスーパーや販売店に福島県の産品が届いていなかったのだ。福島県産品を買いたい人がいるかもしれないのに、スーパーやバイヤーが福島県産を売り場に戻すことができなかったということである。

原発事故から、もう七年になる。二〇一七年五月の新聞報道によると、福島県産品に対するアンケート調査を行ったところ、不安はない、あるいは不安が軽減されたと答えた人は全体の九割にもなったという［★3］。ではなぜ売り上げが伸びないのか。それは、要するに消費者ではなく流通業者に選ばれていない、もしくは流通構造上、価格が据え置かれてしまっている、ということだろう。「福島のメーカーは売り上げが落ちても賠償されるんだから安く売ってくれる」という暗黙の了解もあるという。そうなると、それはもはや風評被害ではなく、賠償のありかたの問題とも言える。

いずれにしても、「風評被害」というのは市場・流通関係者がカギを握っている。そのような状況下で、いかに福島県産品を店頭に並べてもらい、いかに価格を上げていくのか。これまで通りに大量生産・大量消費の商品を作り続けていても変化は起きない。奪われた棚を取り返すための何らかの優位性や特異性を自分たちで作っていかなければいけないのではないか。

ブランドとコモディティの二刀流

ここで興味深いのは、やはり「飛露喜」のブランディング、マーケティングである。「飛露喜」は数量限定のプレミア商品であるがゆえに流通を増やすことができない。そこで、地元用の銘柄「泉川」の別撰バージョンを作り、「飛露喜」と同スペックで醸された酒を詰め、似たような筆字のラベルを用いたうえで、普通酒としての既存イメージの刷新を図ったのだ。すると、プレミア酒「飛露喜」を求めて会津に旅行に行った人たちが地元用の「泉川」を買い求め、その味に唸り、「飛露喜」を手に

★2 関谷直也「『風評被害』の社会心理」、『災害情報』No.1、日本災情報学会、二〇〇三年、七八 - 八九頁。URL=http://www.fukushihoken.metro.tokyo.jp/shokuhin/hyouka/files/03106cec2_7.pdf

★3 「県産品『不安ない』『不安薄らぐ』9割」、福島民報、二〇一七年五月二七日朝刊。

入れられない地元民も、それに替わる「泉川」をギフトとして送るようになる。「飛露喜」の製造で培われたノウハウが普通酒のスペックを押し上げ、これまで地元銘柄だった「泉川」のブランドイメージまでもが向上したのだ［写真5］。

ブランド商品ができれば会社のイメージがアップする。イメージがアップし、会社の知名度が増すと、それまで販売されていた商品の価値も高まる。品質が上がったことで、会社全体のものづくりのレベルが上がり、それを地域に共有できれば、ひとつの企業だけでなく「産地」への注目が増す。「飛露喜」に続けと、会津地区では蔵元全体が活性化していった。名醸地会津としてのブランド力が増すと、点ではなく面で、観光客を受け入れることができるようになる。県も「福島県清酒アカデミー職業能力開発校」での人材育成に力を入れるようになり、清酒アカデミーで学んだ若手杜氏が、その才能を次々と花開かせている。

福島県産品は、コメにせよ野菜にせよ、大量生産・安定供給を得意とするものが多い。それ自体、まったく卑下する必要はない。コモディティ商品を製造して首都圏の胃袋を支えてきたことは、私たちの誇りとすべきことである。しかし、問屋やバイヤーからの評価を取り戻すためには、例えば、一般消費者向けの高付加価値商品、「飛露喜」的な商品も必要ではないだろうか。

写真5　飛露喜とスペックの変わらない地元銘柄の「泉川」。複数の銘柄で攻める日本酒の販売戦略は学ぶべきものが多い

ブランドとは信頼の証である。必ずしも「高級品」である必要はない。例えば、安価でも品質が高いものとして替えの利かない商品を目指すのでもいいし、徹底して安い商品でもいいかもしれない。市場のニーズを捉えるためのマーケティングをしたうえで、顧客から必要とされる「替えの利かない商品」を作るということだ。福島の地酒のように、コモディティ商品と、替えが利かないブランド商品との二刀流が展開できれば、お客は戻ってきてくれるはずだ。実際に、食品メーカーの取材などをしていると、地元向けのコモディティ銘柄と、首都圏向けのブランド銘柄の両立を目指すメーカーが多い。コモディティだけではやっていけないということを現場の皆さんはよく分かっている。粘り強く価値を高めていって欲しい。

福島県はいつまで風評被害対策を続けるのか

この期に及んで福島の食品を食べないと言う人を翻意させるのは難しいし、食べたくない人に無理矢理食べさせるのは暴力になってしまう。ならば、忌避する人たちに向けた風評被害対策をやるのではなく、大多数の人たち、さきほどの調査結果に照らせば九割の人たちに対する純粋なマーケティングを徹底すべきだ。私たちはこれまで「買わない人たちの動向」を気にしすぎた。だから、データを出して説得しようとしてきてしまった。それでは商品力なんて磨かれるはずがない。

風評被害という言葉は、政府や東電から予算を取るのに必要かもしれない。しかし、「食べて応援」

というコピーで消費者に購買を押し付ける風評被害対策は、逆にイメージの低下を招く。特に風評被害という言葉は、消費者や流通関係者がいつまでも警戒するから売れないんだ、というメッセージを暗に発してしまうことになる。

福島県はいまだに風評被害払拭を掲げている。個人的には正直モヤっとすることも多い。風評被害という言葉自体が本来の課題を曖昧にしてしまうからだ。もちろん適切な支援は必要だが、それと並行して、様々な問題を、できるだけ風評被害というマジックワードを使わずに個別に分解し、対策を練っていく必要があると感じる。一方で、虎視眈眈とブランドを作り上げようという会社もある。勝手にやっている企業だから、公的な媒体などにはあまり出てこない。それぞれ勝手にうまいものを楽しむ場が、あなたの知らないところで生まれているかもしれない。言うなれば復興の文脈で登場しないところ。復興を「中退」したメーカーにこそ、これからの福島のブランドがあるはずだ。

3 復興と破壊

この章のテーマは「いわきのバックヤード性」である。ここまで見てきたように、いわき、そして浜通りは、寡黙な供給地として首都圏の発展を下支えしてきた。本来は豊かさを持ち合わせた土地でもあったが、石炭や原発、つまりエネルギー産業が、そのバックヤード性を補強してきてしまった。電気だけではない。農産物、水産品、工業生産品にいたるまで、この土地で作られるものは、いつも首都圏の発展を支えるコモディティであった。

その役割は歴史を遡っても共通していた。第一部の冒頭で見たように、いわき市は東北から見ても東京から見ても「周縁」にあたり、関ヶ原と戊辰、二度の内戦で二度敗北してもいる。敗戦のたびに中央の論理で地域を分断されてきた。そのような土地だからこそ、地域の文化の自己決定能力を育むことができず、中央から押し付けられた役割を黙々とこなすしかなかった。その歴史は、震災と原発事故後も継続しているかのように見える。しかし、福島にしか、浜通りにしかできない唯一の発信がある。原子力災害の被災地としての立場から、そしてマイノリティの立場から、自ら方法的差別の道を選び、震災や原子力災害の悲惨さを後世に伝え、文化的なアプローチによって対話や創造力を育む土地にしていくことだ。

では、いわきの強みとは何だろう。一周回って、それは「バックヤードであること」だ。ここまでバックヤード性の高い土地は、国内ではほとんど見つからない。関東でも東北でもなく、ヤマトでもアイヌでもなかったいわき、そして浜通り。そのバックヤードをどこまでも開き直って見せてしまえばいい。その過酷な歴史や、復興の負の部分もまるごとひっくるめてツアー化して、あなたの日常が、このようなバックヤードによって成り立っているのだということを知らしめる。そして学んでもらう。そこに価値を見出す。そんなことができないかと考えている。

そこで第一部の最後に、浜通りのバックヤード性を体感できるツアーを紹介しよう。バックヤードで見えるもの。それを一言で言うならば、繰り返される「復興と破壊」の歴史だ。第一部の冒頭で、復興とは地域づくりだと書いた。いわき市において、地域づくりは常に中央の論理と無関係ではいられなかった。何かの役割が終われば、別の役割が上から押し付けられてくる。そこには連続性がない。歴史が断ち切られ、断絶が生まれるのだ。このツアーでは、復興（地域開発）がもたらす負の面を、あちこちで体感できるだろう。

といっても、もちろんこのツアーが旅行代理店で提供されているわけではない。私が勝手に旅程を作っただけだ。ただ、実際にこの旅程で何人もの来訪者を案内していて、一定の評価は得ているつもりである。そこで、なかなか浜通りに来ることができないであろう皆さんに、紙面上ではあるが、私が考える「いわき裏観光ツアー」を提供していこうと思う。しばらくお付き合い頂きたい。

ちなみにこのコース、東京からの「日帰り」を想定している。JR上野駅を午前八時に出る常磐線特急「ひたち号」に乗ると、私の根拠地にもっとも近いJR泉駅に一〇時一一分に到着する（二〇一八年七月現在）。その時間に泉駅に到着したあなたを、私がピックアップして自家用車で巡っていくという設定だ。

泉駅〜小名浜地区

泉駅から小名浜港へ向かう途中、小名浜臨海工業地帯を通過する［写真6］。このあたりは工場夜景でも有名で、私も震災前に工場夜景の撮影バスツアーを企画したことがある。工業団地の規模でいえば、例えば三重県の四日市や、神奈川県川崎あたりの工場地帯と比べて小さいが、小名浜も見どころは多い。なかでも見ておきたいのが小名浜石油ターミナルだ。ここは国家備蓄用の原油や電力会社向けの重油などが貯蔵されている。

工業地帯に備蓄されているのは石油だけではない。工業地帯には、東京電力の石炭荷役施設があり、日本国外から大型船で運んできた石炭を荷役、貯蔵し、専用の内航船に積み替え、広野火力発電所までピストン輸送している。全国の原子力発電所の多くが止まっており、火力発電所をフル稼働させて電気を作っている日本。広野火力発電所は、東京電力管内でも発電量の多い発電所のひとつだ。常磐炭鉱の歴史が終わってもエネルギーとは無関係ではいられない小名浜の宿命を、このエリアで感じることができるだろう。

もともと小名浜の工業地帯は一九五〇年代から六〇年代に国策のもとで開発された。どんな工場が多いかというと、工業製品の基礎的な原料や化学薬品などを製造する工場である。工場はいずれも大規模であり、全面的な海外移転や改築が難しいことから、当時のままの姿を残すところが多い。同じ製造業でも、紡績や電子部品などの工場はグローバル化に伴い中国や東南アジアへ移転することも多

写真6　小名浜南部の高台から望む、小名浜臨海工業地帯

いが、小名浜の工場は当時のままだ。工場があるから、町の風景も、そこで働く人たちのライフスタイルも大きくは変わらない。産業も人のあり方も固定化する。

私と同年代、一九八〇年前後生まれの男子は工業高校へ行って工場に勤め、女子は商業高校に行って経理を学んで事務員になるのが、ある種の「安定のレール」だった。多分この構造は、私の親世代も、現在の世代も、さほど変わっていないと思う。工場地帯があること。製造業が主たる産業であること。それらは、いわき市が国策によって工業化されてから変わらない構造だ。

だから、私のように小名浜から進学するような人間は、よほどのことがない限り地元には戻って来ない。二九歳で地元に戻ってきた私には、地元に残っている同級生との接点がほとんどなかった。だいたい話も合わない。みんなハタチそこそこで結婚し、子どもが生まれ、家庭を作っていくからだ。「ダイソツ」は、結局は地元ではアウトサイダー。工場地帯を走ると、慣れ親しんだ風景の中に、どことなく複雑な感情が混じり合う。

工場地帯を過ぎると、小名浜港エリアに入る。水族館「アクアマリンふくしま」や、物産館「いわき・ら・ら・ミュウ」などがあるエリアで、二〇一八年六月には「イオンモールいわき小名浜」がオープンした。それ以外にも、小名浜東港の建設、小名浜東港に至る「小名浜マリンブリッジ」、赤レンガづくりの新しい小名浜漁港もすでにオープンしており、いわき市の復興の中心地として再開発されている。

イオンモールを巡っては、ほとんどの市民が知らないうちに、いわき市とのパートナーシップ協定が結ばれ、大きな反対意見が寄せられる間もなく話が進められてしまったという経緯がある。イオンの集客が商店街にも波及することを期待してか、地元の商店街は歓迎ムード。地元が歓迎ムードなので反対意見が見えにくかったのだろう。

ただ、すべて順風満帆というわけではない。慢性的な労働力不足に陥ったいわき市で数千人の雇用が生まれるイオン。もしイオンが人材確保のために給料や時給を吊り上げたら、地元の会社にとってはたまったものではない。高い給料を求めて、みんなイオンに転職してしまう。そこで「イオンが高い給料を出すならウチも給料を上げるしかない」とならないのがいわき。地元の商店会や地域づくり団体が協力して、イオンが新規従業員を募集する際の給料を地元の企業並みに抑えることを要望する要望書が手渡されてもいる。いわきとは、そのような町なのだ。この問題については第二部で改めて取り上げる。

暗い話はそのくらいにして、港エリアを軽やかにドライブしながら、小名浜町民の憩いの場、三崎公園を目指す。この公園からの景色は最高である。この町が、漁業と工業の町であることが一目で分かる風景。なんとも自分の故郷が愛おしく感じられてしまう。ここから小名浜の町を見下ろすのが私のお気に入りだ。高いところから見下ろせば、どんな風景でも美しく見えるというもの。そこで実際に何が起きているかは、蟻の目にならないと見えてこないわけだが。

三崎公園の坂を永崎海岸方面に下りていくと、小名浜の神白地区にある復興公営住宅の団地が視界に入ってくる［写真7］。このあたりに高い建物はほとんどないので、遠くから見ると異様な光景に見えることだろう。ここは、市営住宅（津波被災者向け）と県営住宅（双葉郡からの避難者向け）の二種類の団地が暴力的に混在している。

何が暴力的なのか。この団地は、複数の自治体の人たちが混在する団地なのだ。通常は、広野町は広野町、双葉町は双葉町、というように、もともとのコミュニティが維持されるよう公営住宅は割り振られる。しかしここは、複数の自治体からの避難者が隣同士に暮らす団地なのだ。聞けば、集会所で対話イベントをやっても、出身の町別にテーブルが分かれてしまい、なかなか交流が生まれずギクシャクしてしまうことも多いようだ。出身だけでなく、賠償金の有無や額、家族構成、支援の充実度、帰還への展望など何もかも違う。そうした考えの違いが、小さな軋轢を生み出してしまうようだ。

こうした復興住宅を巡っては、住民同士の軋轢を解消したり、コミュニティを再建するためのコミュニティアート事業が展開されてきた。こうした場で活躍する団体も数多い。自治体の予算を使ったアート事業を批判したいわけではない。自治体が発注元と

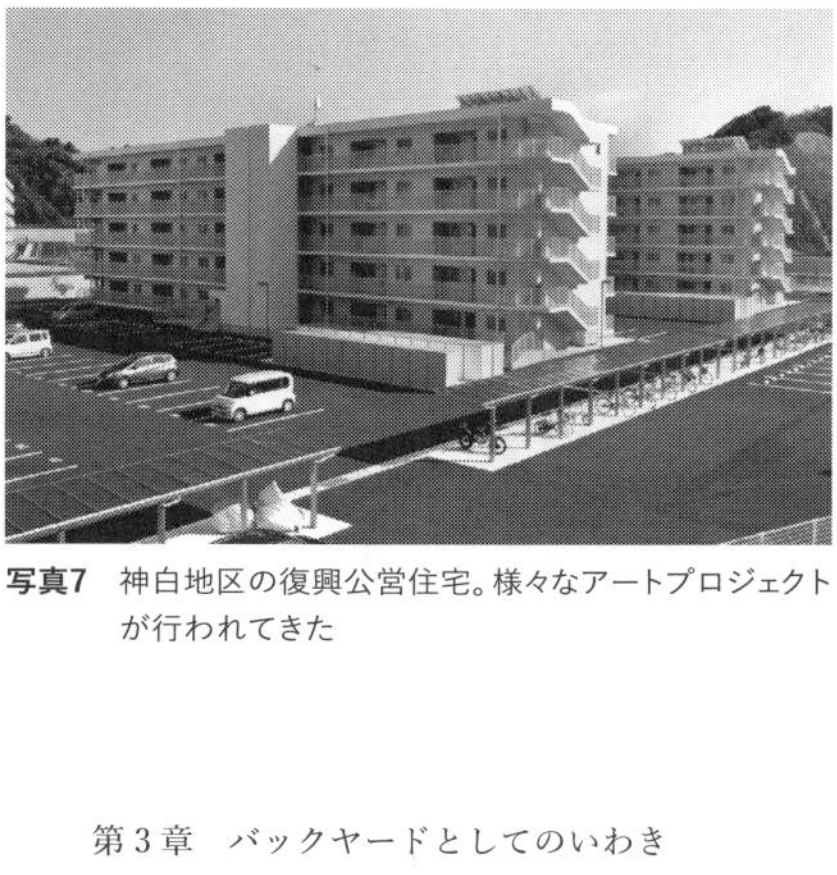
写真7　神白地区の復興公営住宅。様々なアートプロジェクトが行われてきた

なったアート事業は、まちおこし的な文脈でも広く行われているものではある。しかし、福島では、アートが結果的に生み出す何かではなく、何か特定の目的のためにアートが利用されるという性格がかなり強いのだ。課題先進地区でのアートについては、第三部で詳しく書いている。

それはつまり、復興という力の強い言葉に押され、まじめな活動を求められ、地元の住民のコミュニティを再生するという目標のためにアーティストが利用されてしまうということだ。自分の活動に対する自己批評性を持てなければ、活動はあっという間に陳腐な「官製アート」になってしまう。だったら、アートである必要はない。コミュニティ支援員や、高齢者福祉の会社に発注した方が、よほど本来の目的を達成できるだろう。

そしておそらく、住民の帰還が進む双葉郡内でも数年後には「官製アートプロジェクト」が盛んに行われることになるのだろう。双葉郡への帰還が進めば、新潟県で開催されている「大地の芸術祭」のような複数地域にまたがる大規模アート事業が浜通りで展開される可能性もあるだろう。多分、やるような気がする。

中之作〜豊間薄磯地区

小名浜神白地区の復興住宅団地を過ぎると、いわき市小名浜地区から永崎地区を通過し、中之作地区に入る。昭和の時代は東北有数のカツオの水揚げ地として確固たる地位を築いた港町だ。現在はカ

写真8　壁の左側、黒い壁が震災前の防潮堤。白く大きな壁が震災後の防潮堤。かなり高さが増した

ツオの水揚げも減っているが、古き良き日本の港町の風景を残す町である。

そこに、巨大な防潮堤が完成した［**写真8**］。昭和の時代に造成された波返しと見比べると、新しい防潮堤がどれほど巨大かは一目瞭然である。こんな防潮堤が、福島県南部から岩手県北部までずっと続いている。それは確かに防災ではある。しかし、紛れもない「景観の破壊」である。もう少し自然に寄り添った防災というものはなかったのだろうかと思わずにいられない。

防潮堤が途切れると、漁港エリアに入っていく。このエリアの一角に、古民家の保存活動をしている「中之作プロジェクト」がある。地元の建築家、豊田善幸が発起人を務めるプロジェクトだ。築二〇〇年の古民家を自ら買い取り、様々なイベントを行う集いの場「清航館（せいこうかん）」としてオープンさせた。自らはその古民家の脇に事務所を作り、建築家として幅広

写真9　中之作地区のコミュニティスペースとして定着した清航館

い活動を行っている［**写真9**］。

豊田を突き動かしたのが、震災直後、半壊した建物を解体するための資金を援助する「解体助成金」の存在だ。歴史ある古民家はもともと維持管理に金がかかる。さらに、そうした古民家には高齢者が一人二人で暮らしていることが多く、一度被災して子どもたちの暮らす都市部へ避難してしまうと、建物には人が戻らず不良債権化してしまう。だから、解体のための助成金が出ることが公表された途端、解体を希望する持ち主が増えてしまったわけだ。豊田によれば、壊さなくていい古民家までもが解体されてしまったという。これもまた、復興という名の風景の破壊であるだろう。

歴史ある民家の保存活動に手を挙げた豊田は評価されるべきだろう。しかし震災後、地元では「外の人間が余計なことをするな」「食い物にするな」という声も少なからず上がったという。豊田はいわき市出身の建築家だが、同じ地元の人間なのにちょっと地区が違うだけでそうした声が上がる。それもまたいわきの現実である。清航館は、ここ数年の地道な活動が地元からも評価され、中之作地区の交流拠点ともいうべき場所になった。この場所がもしなかったら、私と中之作の接点も生まれなかっただろう。

中之作からは、そのまま県道を北上して豊間・薄磯地区を目指す。観光名所である塩屋崎灯台の南側が豊間地区、北側が薄磯地区だ。いわき市でもっとも津波被害の甚大だった地区である。二〇一七年、豊間地区の造成工事はほとんど完成形に近づいてきた。かさ上げ工事も終わり、防潮堤の上を走るオーシャンビューの道路も完成した。素晴らしい眺望だ。しかし、かつての町は、かさ上げされた土の下にある。震災前の面影もなくなってしまった。ここに暮らす人たちの「二度目の喪失」は第一章でも紹介した。現在進行形の問題である。

ここでも「復興と破壊」のジレンマを強く感じる。震災遺構の話だ。震災遺構として保存すべきだとの声もあった豊間中学校の校舎。賛否あったが、校舎を見るのは辛いという声も多く、解体が決まった。作業が始まると、あっという間だった。今はもうそこに中学校があったということすら、よく分からない土地になってしまっている。三〇年後、四〇年後を見据え、宮城県のように結論を先送りするということもできたのではないか。慰霊の石碑で風化に抗うことは十分なのだろうか。ソトモノの私は、身勝手にそんなことを感じてしまう。

視線を山側に移すと、新しい住宅地が完成していた。そこにあった里山は削られ、かつての風景は大きく様変わりしている。もちろん、住民が暮らす住宅地を造成することは急務だった。しかし、慣れ親しんだ風景の一部だったはずの山を重機で切り崩すことも、ある意味では破壊である。里山にあったおかげで難を逃れた神社も再開発のために壊された。神社は「ここに来れば助かる」ということを示す命綱のような存在だった。しかし、復興はそれすらも壊していった。以前の風景がなくなってしまった町で暮らしを再建した人たちは、懐かしさや居心地のよさを感じることはできるのだろうか。復興事業がもたらす「二度目の喪失」について考えずにはいられないのである。

中央台地区～いわき回廊美術館

薄磯地区を出た私たちは、一旦北上していた県道一五号線を左折し、いわき市中央台へと向かう。中央台には、市内最大規模の仮設住宅集積地がある。それを見に行くのが目的だ。中央台は、別名を「いわきニュータウン」という。昭和に造成された新興住宅地で、市内の上場企業の社員や自治体職員、公務員などが暮らす。小名浜生まれの私にすれば、立派な高級住宅地である。住宅は比較的新しいものも多く、高級車が停まっているのを当たり前に見つけることができる。

そんな高級住宅地に、何の前触れもなく何百棟も仮設住宅が立てられ、着の身着のまま逃げてきた人が移り住んだ［写真10］。スーパーに買い物に行っても、病院に行っても、見知らぬ人を見かける。そんな状況下では、違和感や軋轢が生まれないほうが不思議だ。ゴミの出し方、立ち居振る舞い、買い物の仕方や犬の散歩まで、住民が意識しないレベルで「中央台らしさ」が形成されていた場所に、異なる暮らしが無理矢理に挿入されてしまうという暴力。なんとか少しでも早く、避難者の安住の地が見つかって欲しいと思う。

中央台の仮設住宅のケースは、規模的には「避難」というより「移民」に近い。おそらく、ここまで大勢の人たちをひとつの地区で抱えるというのは、国内でも初めてのケースではないだろうか。仮設住宅の支援に震災直後から国際協力NGOが入っていたのも、その規模感ゆえのことだろう。

中央台の坂を下りて「下界」へ戻ると、次の目的地はいわき回廊美術館だ［写真11］。いわき回廊美術館は、いわき市神谷地区の里山に九万九〇〇〇本の桜を植えるという「いわき万本桜プロジェクト」が管理する美術館で、いわきとも縁の深い現代美術家、蔡國強(ツァイグオチャン)がコンセプトデザインを手がけていることでも知られる。この野外美術館と、プロジェクト内容については第三部で詳しく紹介していく。ここで触れておきたいのは、いわき万本桜プロジェクトを取り仕切る、代表の志賀忠重の突き抜けた面白さである［★4］。

★4　志賀の自叙伝的ウェブサイトがあるので、ぜひ見て頂きたい。URL=http://www.siga.co.jp/

写真10　いわき市中央台。仮設住宅から高級住宅地の式場を望む

写真11　冬のいわき回廊美術館。斜面に長く回廊が続き、写真などが展示されている

蔡國強との関わりが取り上げられることの多い志賀だが、ほかの強烈なエピソードとして「北極行き」の逸話がある。たまたま見たＮＨＫの『にんげんマップ』という番組に出演していた冒険家の大場満郎に興味を持った志賀は、彼と意気投合して、「世界初北極海単独徒歩横断」をサポートするため一緒に北極まで行ってしまったのだ。なんとも磊落な人である。ぜひ皆さんも、万本桜プロジェクトの植林に参加し、志賀と直接交流して欲しい。

もともとはただの山林だったいわき回廊美術館だが、現在では「再生の塔」や「ツリーハウス」などの建造物が建設されている。個人の敷地の中なので、公的機関にとやかく言われる筋合いもない。だからみんな好き勝手に自分たちで建ててしまおうという感じで、色々なものが作られているのだ。プロジェクトの運営も、善意の寄付金などで成り立っていることが素晴らしい。自治体の助成金などに頼らないからこそ好き勝手できるのだろう。そして、このプロジェクト自体が、あたかもアートプロジェクトのような形になっているのも面白い。助成金ありきの地域アート業界に強烈なカウンターパンチをお見舞いしているような気がしてしまうのだ。現代アートと復興の関係については、この後、第三部で論じたい。

常磐炭鉱のお膝元、内郷～湯本地区

いわき回廊美術館を後にした私たちは、国道六号線を経由して、東京方面へと車を二〇分ほど走ら

せる。すると内郷地区に入る。未だに町のなかに常磐炭鉱の遺構が残るこの地区は、都市部で生まれ育った人たちにとっては非日常の光景に感じられるだろう。石炭の町としての歴史だけでなく、東京といわきの関係などが垣間見られるゾーンだ。私の考えるいわき観光裏ルートには、この内郷地区が欠かすことができない。

内郷宮町には、常磐炭鉱の選炭場が残る［写真12］。この選炭場は、商品価値の高い石炭を確保するために建造された国内初の「水中貯炭施設」である。石炭の塊は、地表面に放置しておくとすぐに剥がれ落ち、商品としての価値が下がってしまう。それを防ぐため、機械化された選炭を経て水中貯炭施設へと連結し、商品価値を守ろうとしたわけだ。ここには鉄道も連結され、常磐線綴（つづら）駅（現在の内郷駅）に石炭貨車を集結させ、関東へと送られたという。

この選炭場、かつては日本最先端の施設だった。当時の人たちは、この場所で「これからここで私たちの輝かしい未来が始まるのだ」と思ったのかもしれない。しかし、常磐炭鉱はその後、閉山することになる。だから私はこの選炭場を過去の遺物ではなく、エネルギー生産地の未来として見てしまう。近代以降、日本はエネルギーの生産を特定の地方に押し付けた。押し付けた結果、どうなったか。石炭産業がこの地を支えたのはせいぜい一〇〇年に過ぎない。原子力産業はどうだろう。原子力の「次」が見つかった時、原発を受け入れた土地もまた、目の前の選炭場のように打ち捨てられてしまうのではないか。だからこの選炭場は、原子力発電所を抱える地域の未来かもしれない。

国策としてエネルギー産業を受け入れた地域が、その後、どのような未来を迎えたのか。それを語

写真12 いわき市内郷地区にある常磐炭鉱遺構。当時最先端だった選炭場跡

ることができるのは、日本では、北海道、常磐、筑豊くらいのものだ。しかも常磐の場合は、原子力産業の結末も見ている。つまり、国策による石炭産業、原子力産業、ふたつのエネルギー産業を受け入れた結果、地域がどうなったかを語ることができるのは、常磐しか存在しない。しかし、その常磐の地では、かつてここに暮らしてきた人が「最先端の選炭場で地域が賑わう」「これからは原子力で地域が豊かになる」と胸を高鳴らせたのと同じように、廃炉産業や蓄電、自然エネルギーの未来が雄弁に語られている。「国家を支えもするが、いずれ用なしになって捨てられてしまうかもしれないもの」を自らの誇りとしてしまう歴史は、これからも繰り返されるのかもしれない。

ここで見てもらいたいのは炭鉱遺構だけではない。炭鉱の時代から今なお人が暮らす、いわゆる炭住、長屋の住宅を見てもらいたいのだ。現在も人が暮らしているため、物見遊山的に撮影したり、観光名所として扱うことはできないが、昭和の光景をそのまま真空パックしたような内郷宮町の町並みは、常に最新のものにアップデートされる都市部の町並みに慣れた人たちに鮮烈な記憶を刻みつけてくれるはずだ。山間部にあるような、農家の居宅と田畑が織りなす古き良き日本の風景とは真逆の、殺伐とした、しかしながら確かな体温を持っている町並み。これは内郷ならではのものだし、これこそいわきのリアルな光景だと言っていい。これからも、観光地化されることもなく、跡地にマンションが建てられるでもなく、誰に語られるでもなく静かに朽ち果てていくのだろう。

現代の日本の地方と言うと、いわゆる「ロードサイド」を想起する人も多いことだろう。しかし、このいわきにあるのは、ロードサイド以前の、昭和の高度経済成長を支えた地方の姿。よその地方と比べて、ひとつもふたつも時代が前なのだ。

国内初の「水中貯炭施設」は、完成した当時には日本でも最高峰の技術が注ぎ込まれたはずだ。その名残は、内郷地区の奇祭「回転櫓盆踊り大会」にも残る。盆踊りといえば、櫓の周りを踊り手たちが回るものだが、内郷の場合は櫓のほうが回ってしまうのだ。炭鉱栄えし頃、常磐炭鉱といえば日本で最先端の技術を擁する企業体であった。その技術を見せつけようと、櫓に発動機を入れて回したことが、この回転櫓盆踊りのはじまりだそうだ。時代は変わり、炭鉱はなくなってしまったが、回転櫓は今も回り続ける。エネルギー供給地としてのいわきの役割も、何も変わっていない。

ここまでがざっくりとした旅程である。あとは湯本温泉に入って宿泊するなり、湯本駅から帰路につくなり、自由に行動して頂ければいい。ハワイ一辺倒の湯本温泉だが、源泉掛け流しの温泉は非常に贅沢で、泉質も素晴らしい。その価値が地元で認められていないのはいかにもいわきらしいが、この温泉が素晴らしいことを、外からやってくる皆さんならすぐに感じて頂けるはずだ。

二〇一五年の三月、ゲンロンの皆さんがいわきにいらっしゃったときも、同じようなコースを辿っている。スパリゾートハワイアンズやアクアマリンふくしまなどの観光施設を巡るのが表ルートだとすれば、こちらは完全に裏ルート。いわき市の復興の表と裏、エネルギー産業の歴史、復興の破壊的側面などを含め、いわきの「リアル」を感じて頂けるのではないだろうか。

いわきを訪れたとしても、これらのコースを自力で、しかも公共交通だけで回るのは至難の業だ。ぜひ、駅周辺でレンタカーを借りて、一カ所一カ所時間をかけて巡ってもらいたい。今まで字面としてしか見えていなかった「いわき」という町が、いくぶん立体感を持って感じられるようになるはずだ。ガイドが必要な場合は、ぜひ私に一報を。

小名浜の「一湯一家」

潮目の地、いわきから始まった第一部の観光は、私のふるさと小名浜で終着を迎える。第一部では、ここまで食と復興をテーマに様々な論を展開してきたが、最後に、やはり小名浜の話をしておきたい。なぜなら、私にとって小名浜こそ、「地域と食」の実践の地であるとともに、いわきのバックヤード性を色濃く残す土地だからだ。

小名浜の主要産業は工業である。しかしその工業化の歴史は、さきほどから、そして後でも詳しく述べるように、国策そのものであった。小名浜港は、そもそもの成り立ちが、常磐炭鉱の石炭を積み下ろしするために整備された港である。小名浜の発展もまた、エネルギーとともにあった。だから、小名浜を語ることは、浜通りを語ることに直接リンクする。私の故郷とバックヤードを強固に接続するという試みを、第一部の最後に完成させたい。

それからもうひとつ。私は、小名浜を語ることで私自身を語りたいと思った。私がどのような町で生まれ育ち、どのような風景を見て育ってきたのか。小名浜生まれ小名浜育ちというひねくれた生い立ち。そこから生まれた地域へのねじれたまなざし。それらを知って頂くことは、本書に収録されたほかのエッセイ以上に、本書の意味を感じてもらうための伏線になると思う。

私の地元、いわき市小名浜は、いわき市の東部に位置する港町。いわき市の人口三四万人のうち、およそ八万三〇〇〇人が小名浜地区に暮らす。JRいわき駅やいわき市役所のある平(たいら)地区と二大経済圏を形成しており、平地区を行政、商業の町とするならば、小名浜地区は工業、漁業、そして観光業の町と区分すれば分かりやすいかもしれない。

現在の「いわき市」は、一九六六年に一四もの市町村が広域合併して誕生した市である。合併当時、市としての面積は日本一。北の久之浜から、南端の勿来までは四〇キロもある。海沿いには港町があり、山間地域にもそれぞれの地区がある。あまりに地域性が多様すぎるため、合併から五〇年以上が経過した今も、合併前の区割りの影響が強く、小名浜は小名浜、平は平、そう考える人が多い。いわき市もなんとか「オールいわき」なんて言ってみたりするのだが、どうにもこうにも連帯は生まれず、地域はバラバラのままだ。

初めて来る方は、「いわき」や「小名浜」、「平」がどこまでの範囲なのかがよく分からないことだろう。正しくは、小名浜も平もいわき市の地区名である。いわき駅周辺（平地区）で宿をとった方が小名浜に来ると「今日はいわきのほうにホテルをとりました！」なんて言ってしまうのだが、小名浜もいわき市なので本来なら「いわき駅のほうに宿をとりました」とか、「平に泊まります」と言うのが正しい。細かいようだが、地元民は、そうした地名の呼び方からソトモノを判断する場合も多い。

震災直後は地名を巡るトラブルがよくあった。原発のある双葉郡にある町村を「とみおかちょう」とか「ふたばちょう」と呼んだ方が多かった。正しくは「とみおかまち」や「ふたばまち」。地方に暮らす人は、地名に深い愛着やプライドを持って暮らしているので、呼び方を間違えると、たったそれだけのことで微妙な空気が流れたり炎上したりしてしまう。宮城県の「女川原発」と勘違いして「小名浜原発」と言ってしまう人を、震災直後のSNSでよく見た。女川にも「高政（たかまさ）」というかまぼこメーカーがあるし、女川第二中学校（現在は閉校）も、小名浜第二中学校もニックネームは同じ「オナニ中」だ。だからよく似てはいる。しかし、小名浜には原発はない。あるのは、ソープランド街だ。

小名浜では、現在も一五軒近くのソープランドが営業をしている。なぜ小名浜がソープ街になったのか、その由来は町の長老に聞いてもはっきりしないが、北洋漁業が盛んだった頃、陸に上がって大

写真13　小名浜のソープランド街。看板には堂々と「ソープランド」と書かれている

金を手にした漁師たちにつかの間の癒しを提供しようとポツポツと開店してきたようだ。どこの港町にも似たような話があることだろう。ただ、今もなおこうしてそれなりの規模感を維持しているのは、東北では小名浜くらいのものだという。

実は、小名浜には「いわき特殊浴場協会」という組織があり、そこが統一的な料金体系などルールづくりを進めた。その結果、安値競争になることもなく、あるいは高騰することもなく、比較的安定した、且つ明朗な会計を保証している。過度な客引きもないし、ボッタくられるわけでなく、安心して入浴できるというわけだ。興味がある人はぜひお試しを。

小名浜のソープランドは、どこも古びた外観をしている[**写真13**]。風営法の関係で「建て替え」が難しいのだ。新たに営業許可が下りない。だからソープランドは昭和の趣を今なお残したまま、小名浜の奇景を形づくっている。ソープ街と住宅街が渾然一体となっているのも面白い。ソープランドの隣には普通に民家があり、ソープランドの駐車場で子どもたちがサッカーをしていたり、ソープランドの入り口のすぐ隣に学校の体操服が干されたりしている。隔離されることなく、ここまで日常と溶け合うように風俗街が共存している土地を、私は今のところ小名浜以外に知らない。

日常と溶け合う風俗街。その媒介は「お湯」である。ソープランドで使われるお湯は、震災前まで、小名浜臨海工業団地にある「日本化成小名浜工場」（二〇一八年に三菱ケミカルに統合された）の廃熱を利用して作られていた。お湯は、この日本化成の関連会社である「小名浜配湯」という会社が配管を運営し、小名浜地区の各世帯に供給していた。私の家も、このお湯を使っていた。ガスや電気の湯沸かし器を使うのではなく、蛇口をひねると普通にお湯が出てくる。そして使った分だけ、毎月「配湯料金」を支払うのだ。小学校低学年の頃だったか、泊まりにいった友人の家で、初めて「ガス湯沸かし器」を見たときの「うわあ燃えてる！」という衝撃。今も忘れることができない。

この配湯事業が始まったのは一九七〇年とされる。地元の商店街や旅館など（おそらくソープランドも）が地域経済への貢献のため日本化成に要望を出したことがきっかけだそうだ。工場排熱と工業用水を熱交換してお湯を作り町中にお湯を届けるという、当時日本初の「地域熱供給事業」だったとも言われている。

しかし、平成になってからは、設備の老朽化などで経営が悪化。さらにそれに追い討ちをかけるように震災が起き、それが致命傷となって配湯事業は終わりを告げることになる。しかし、今思えばこの配湯というシステム、原発よりも現代的で最新のエコシステムだったのではないかという気さえする。そのような配湯事業がこの小名浜にあったということ、なんとも気持ちがいい。

かつて首都圏に石炭を供給した常磐炭鉱には、社員や家族の結束を表す「一山一家」という言葉がある。ならば、小名浜には「一湯一家」とも呼ぶべき、工場が中心となった「お湯のコミュニティ」が存在していたと言ってしまおう。小名浜の人たちも、泡姫も、湯房の殿方も、そして寡黙な労働者も、工場が作るお湯で、日々癒される。そう考えると、工場が乱立し、パチンコの灯りが煌々と国道を照らすこの街に、どことなく人肌の温もりが感じられるではないか。

日本水素がもたらしたバックヤード化

ところで、この配湯事業を管理していた「日本化成」という会社［写真14］。地域史の本などを見てみると、小名浜になくてはならない存在だったことが分かる。小名浜に進出したのが戦前の一九三九年。進出当時の社名は「日本水素工業」だった。工場の建設用地の確保にあたって、それまで海岸だったところを埋め立てており、それが端緒となって小名浜の工業化が進んだと言われている。小名浜にももともとあった鉄道の経営を任され、工場から泉駅を経由して常磐線へとつながる「福島臨海鉄道」の鉄道網を整備したのも、この日本水素だ。

日本水素が工業化の先導役を担っていたことが功を奏し、一九六二年に制定された「新産業都市建設促進法」では、福島県内の「常磐・郡山地区」がその指定を受け、小名浜に新しい工業地帯が整備

写真14　日本化成小名浜工場正門。筆者の自宅から徒歩1分（現在は三菱ケミカルに統合されている）

されることになった。小名浜製錬株式会社、東邦亜鉛小名浜製錬所など、大工場が相次いで操業を開始、小名浜の工業化が一気に加速することになる。

この新産業都市建設促進法は、昭和三〇年代にすでに衰退しつつあった「鉱業」の生産地に新たな産業基盤をもたらそうと制定された法律である。全国で一五の地区が指定を受け、常磐地区以外も、道央や東予、大牟田など炭鉱のお膝元が多い。国策によって衰退した鉱業の町を再生しようというわけだ。つまり、小名浜の工業化は国策だったということになる。その先鞭をつけたのが、日本水素であった。この会社が、小名浜の歴史を語る上で欠かすことができない存在だというのは、まさにその理由からだ。

私の家も、この日本水素（現在の三菱ケミカル）のそばにある。小松家の墓誌を見ると、私の四代前の小松為吉というご先祖が明治時代後期に七六歳で亡くなっていることが記されていた。日本化成が操業する前から、この地に居を構えていたことになる。小松家のある場所の地名を「松之中」という。海岸沿いに自生する黒松の美しいところだったそうで、江戸時代の俳人・内藤露沾（ろせん）も、小名浜の美しい景色を『小名浜八景』として詠った際、八景の中に「松之中夜雨」を選んでいる。松之中に暮らす小松家。きっと、どこぞの農民がこの地に辿り着き、松之中だからという理由で「小松」と名乗り始めたのだろう。

江戸の俳人が詠むくらいだから、松之中という地名は意外と歴史ある地名なのかもしれない。しかし、私の思い出のなかには、松之中という地名はあまり存在しない。母がラーメンの出前を取るときにも、タクシーに乗って家に帰るときも、松之中ではなく「水素前」という地名で呼んでいたからだ。私はとても不思議に思ったものだ。ボクのうちはなんで松之中じゃなくて「スイソマエ」なんだろうと。企業名が地名になる。地方ならよくある話なのかもしれない。確か、私が生まれた頃は、すでに日本水素は「日本化成」と社名を変えていたはずだが、多くの地元民が「水素前」と呼んでいた。そんなところに、日本水素の強い影響力を感じずにはいられない。

海から風が吹く夜などは、その風に乗って、日本化成から色々な音が聞こえてきた。発動機のような音や、荷物を運ぶフォークリフトがバックするときのアラーム音、作業員の交代を告げるサイレン。夜眠る前は、いつもスイソを意識したものだ。だから、私にとって小名浜の原風景とは、まさにこの工場のある景色。陰鬱な灰色の煙を吐き出す煙突、無機質な工場の建屋、赤く錆び哀愁を漂わせる配管や、その周囲に立ち並ぶ平屋の住宅。風が吹くとバタバタと音を立てるトタンの屋根。そんな風景を、私は美しいと思ってしまう。

本来そこにあったであろう歴史や誇りは、大企業の進出によって、いつの間にかすり替えられてしまう。そして、知らず知らずのうちに、工場が地域の誇りになっていく。小名浜の工場が原発だったとしても同じだったことだろう。ここに原発があったら、きっと私も「原発のある小名浜が原風景だ」なんて言っていたに違いない。そこに暮らす人たちにとっては、工場も原発も「地域のプライド」に関わる存在に上書きされてしまうのだ。

必要悪があくまで美徳

原発事故の後、福島県浜通りを「首都圏の植民地」と語る人をよく見かけた。確かに、そういう面はあっただろう。それを否定はしない。小名浜だって国の都合で工業化されたのだ。しかし、工場で働いている人、今もエネルギーを作り続けている人は奴隷だろうか。そこには当然暮らしがある。我々は奴隷ではなく供給者だ。今、福島を語り直そうという時、この浜通りを、植民地ではなく供給地として捉え直したうえでバックヤードのリアルを突きつけていく。そんな回路が必要だ。

原発も、工場も(もしかしたらソープランドも)、要するに鼻つまみものだ。生活の場になんてないほうがいい。小名浜の中学を卒業し、平にある進学校に進んだとき、自分が小名浜出身であることを告げると、「ああ、怖いとこだよね小名浜って」なんて反応が返ってきて驚いたことがある。小名浜はそのような土地なのだと思い知った。つまり、小名浜という町自体が、「ＮＩＭＢＹ(ノット・イン・マイ・

バックヤード）」的な要素で塗り固められているのだ。

小名浜は、実際、治安も決してよくなかった。ほんの三〇年くらい前までは、主婦が覚せい剤の密売人をやり、毎年一人二人と暴力団員が銃で撃たれ、港町は豊漁を祝いながらも、それと引き換えに魚の死体と血にまみれ、港町の悪臭は、工場群から吐き出される煙とともに公害とされた。かつては町中に連れ込み宿があった。正直、公立の小中学校の学力も高くない。母子家庭も多いし、クラスに三、四人は暴力団の構成員候補がいた。実際、抗争に巻き込まれて死んでしまうやつもいた。小名浜とは、いわきを代表するゲトーである。

だからこそ、ゲトーだからこそ、周縁だからこそ、バックヤードだからこそ、カウンターパンチはより強烈になる。小名浜出身のラッパーである鬼は、自らの代表作『小名浜』で「必要悪があくまで美徳」という強烈なパンチラインを残している。自覚的に悪ぶりながら、露悪的に批評の目を突きつけていく。それこそ「バックヤードの流儀」なのだ。本書もまた、そのような思いによって書かれている。私は批評家でも復興の担い手でも研究者でもない。寂れたバックヤードのソープ街で生まれ育った「馬の骨」に過ぎない。そのアンダーグラウンドな立場から、ひねくれた愛情を地元に向けて本書を書き上げたつもりだ。

続く第二部でもカウンターの目線は貫かれる。第二部のテーマは原発と復興だ。地域づくりという軸は持ちつつ、原子力被災地に暮らす一人の個人としての怒りや、生活者としての困惑を率直に書き連ねた。また、復興政策の負の部分についても、生活者目線で掘り下げていく。原発が、原発事故が、そして復興政策が、地域に何を与えたのかではなく、地域から何を奪っていったのか。連載当時の私が何を考えていたのかを振り返りながら、原発事故がもたらした喪失について、改めて考えてみたい。

第2部

原発と復興

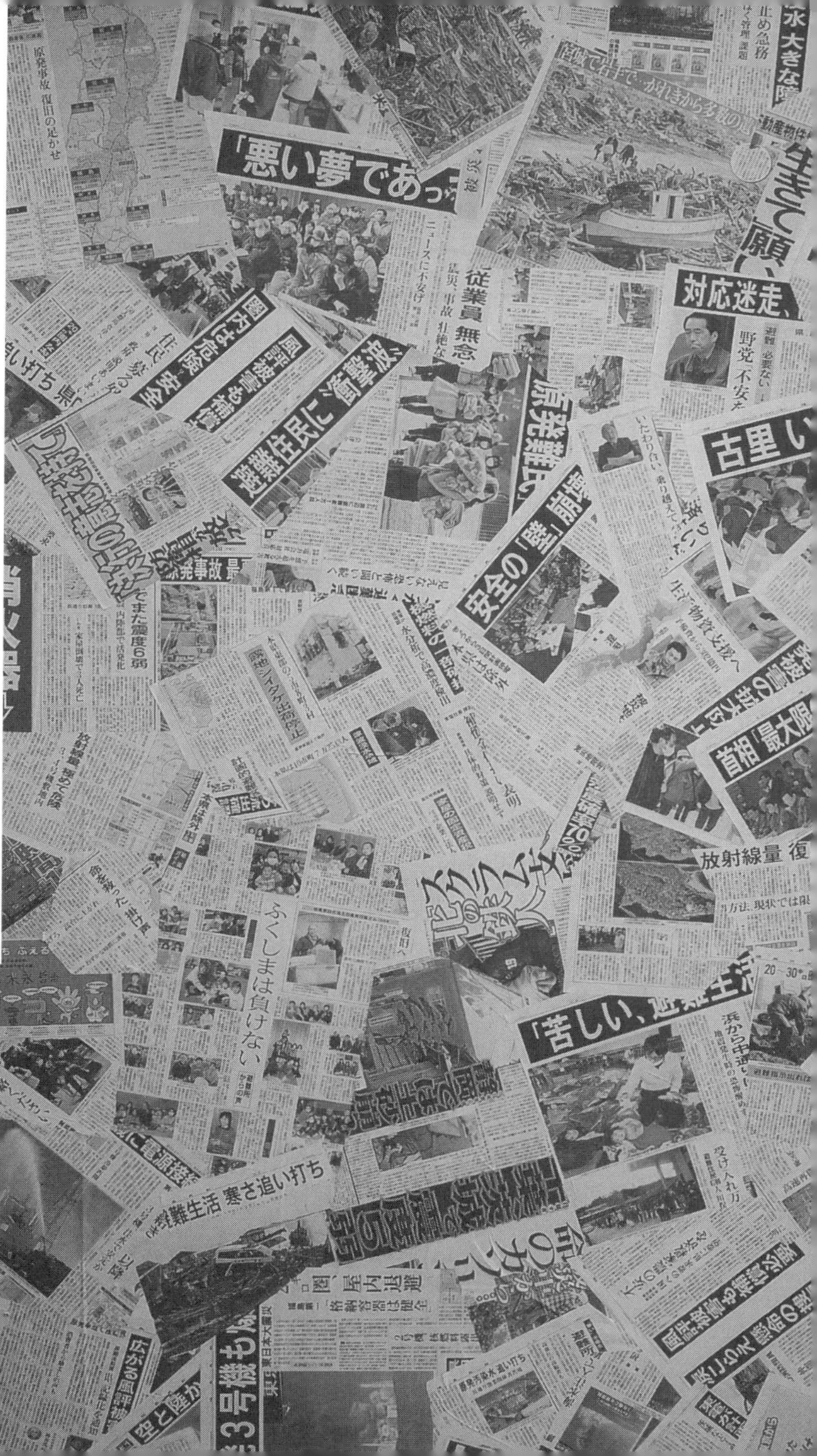
「悪い夢であっ
対応迷走、
古里い
首相「最大限
放射線量 復
ふくしまは負けない
「苦しい、
避難生活 寒さ追い打ち
がができない

国道6号線(ロッコク)
「ロッコクツアー」
桃内駅
東北電力浪江
・小高原子力発電所予定地
浪江駅
請戸漁港
浪江町
常磐自動車道
双葉駅
通過することのみ
許されている区間
双葉町
東京電力
福島第一原子力発電所
大野駅
大熊町
田村市
夜ノ森駅
富岡町
さくらモールとみおか
富岡駅
川内村
東京電力
福島第二原子力発電所
楢葉町
竜田駅
木戸川
天神岬スポーツ公園
木戸の交民家
木戸駅
Jヴィレッジ
東京電力広野火力発電所
防潮堤沿いの新しい道路
広野町
広野駅
双葉郡
いわき市
末続駅
久之浜バイパス
久ノ浜駅
いわき市
波立海岸
四ツ倉駅
道の駅よつくら港
草野駅
磐越自動車道
いわき駅
内郷駅
陸前浜
街道
湯本駅
常磐バイパス
常磐自動車道
泉駅
N
植田駅
小名浜臨海工業地帯
常磐共同火力勿来発電所
10km
勿来駅

2018年現在

第4章　復興とバブル

人は忘れる。怖くなるくらいに、色々なことを忘れていくものだ。あの福島第一原発事故から七年になった。町の復興は進み、多くの人たちが震災前の生活を取り戻し、当時の混乱をまざまざと思い出すことは減った。写真を見なければ当時の風景を思い出すことができない場所も増えてきた。あのときどんな思いをしたのか、日記やブログを見返して、はっと思い出すことも多い。震災後の二〇一四年に生まれ、今三歳になり、だいぶおしゃべりが上手になった娘にも、震災のこと、原発事故のことはまだ伝えられていない。自分が生まれ育った場所であんな災害があったことを、彼女はどのように知るのだろうか。

第二部では、原発事故とは何だったのか、原発事故は私たちの何を傷つけていったのかを正面から取り上げていく。正面といっても、東電に取材するわけでも、帰還困難区域の復興を詳細にレポートするわけでもない。観光客のように、ふまじめに、そして軽薄に、私の暮らしのなかで得られた経験や思いを書き連ねるまでだ。私は経営者ではない。農家でも漁師でもない。原発作業員でも政治家でもない。いわき市小名浜というところに暮らす一人の生活者に過ぎない。しかしだからこそ、原発事故が私たちの暮らしの何を傷つけたのか、何を奪っていったのかについてなら、実感を持って語ることができると思った。それを包み隠さず書いたつもりだ。

本書は、「復興」という言葉に対してかなり批判的な目線を向けている。なぜなら、復興は誰もその成果目標を掲げるわけでもなく、しかしなんとなく何かに取り組んでいる感に浸ることができるマジックワードだからだ。誰もが復興を叫ぶ。けれども、誰もその意味を問うことはない。そのゴリ押しに巻き込まれてワリを食うのは、いつも生活者である。一見、復興で何かが活性化されたように見えることもあるけれども、あれから七年経って検証してみると、地域の衰退を助けただけではないかということも見えてきた。だから、私は復興に対してずっと疑いの目を持ってきた。福島第一原発から五〇キロほどのところにあるいわき市。その日々の暮らしのなかに、原発事故は何を奪い、私たちの何を傷つけたのかが見えてくる。震災や原発事故そのものではなく、その後の復興の暴力性、負の部分を第二部で取り上げた。

まず第四章で取り上げるのがカネにまつわる話だ。原発事故の賠償と復興バブル、このふたつを鍵に、原発事故がもたらした暮らしの分断を考えていく。友人、家族、仕事、そんな身近な領域にこそ、カネにまつわる分断は顔を出す。それらに翻弄される私たちの姿から、原発とは社会的にどのような存在なのかという問いに光を当ててみたい。

そして第五章では、私たちの生活動線、国道六号線の風景から、原発事故が奪ったもの、復興とは何だったのかを考えていく。友人や客人を連れて、仕事で、あるいは家族旅行で、何度私はこの国道六号線を使っただろう。北に向かえば、いわき市から双葉郡へと入り、そして原子力発電所へと到達するこの六号線。いわき市から南に向かえば、やがて東京へと接続され、全国へとつながる。原発事故がもたらした理不尽は、あなたと遮断されているように見えて、この国道六号線を通じて確かに接続されている。福島第一原子力発電所で起きたことは、あなたの身に起きたことでもあるのだ。

さらに第六章では、原発事故の最大の遺物である放射性物質について考える。放射性物質は、原発事故を経験した人たちの心を引き裂いた。放射線被曝は、なんら健康被害がなかったとしても、人々の心を、そしてコミュニティの連帯を傷つけた。私はそれこそ、原発事故の被害のもっとも大きなひとつだと考えている。そこで第六章では、心の分断について取り上げ、どうすればその分断を超えられるのか、現場からの提案を示していくとともに、このやっかいな遺物と向き合わざるを得ない私たちの煩悶をそのまま書き綴った。適正に処理するためには、数万年、数十万年という途方もない時間のかかる高濃度の放射性廃棄物。いかにそれと向き合うのか。考えても考えても、答えは見つからない。

冒頭で、人は忘れると書いた。もちろん、次の一歩を踏み出すために忘れるべきことはあるだろう。しかし、本書は敢えて忘れてはいけないことに目を向けていく。震災と原発事故は、福島だけのものでは当然ない。全国に原子力発電所を抱える日本で再び大規模な災害が起きれば、第二、第三の福島が生まれかねない。二度とあのようなことを繰り返さないために、福島の記憶を、私たちの体験を伝えなければならないと思う。天災が起きるのを防ぐことはできなくても人災なら防ぐことができる。悲劇や辛苦を、もう二度と繰り返さないためにこそ、第二部では、復興がもたらした影の部分に注目していきたい。

イオンモールの時給問題

震災と原発事故、そしてその後の復興は、私たちの暮らしの一体何を壊していったのか。まずは私が住む小名浜の身近な例で考えてみたい。二〇一八年六月、小名浜の沿岸部にイオンモールが開業した［写真1］。立地は、水族館アクアマリンふくしまのある観光地エリア、いわゆる「アクアマリンパーク」の背後地である。地上五階建て。延床面積は九万平方メートルあまりで、専門店の数は一三〇店ほどである。他県のイオンモールと比べると少しコンパクトだが、それでも小名浜にとっては史上空前の一大ショッピングモールとなる。市民の多くが開業を心待ちにしており、モールの開業を機に、路線バスや高速バスの乗り入れも始まった。従業員の採用などもかなり大規模になっている。買い物環境が改善さ

写真1　2018年6月にオープンしたイオンモールいわき小名浜（2018年撮影）

れるだけでなく、地域の交通インフラや労働環境にまで大きく波及する、極めて重要な事業だ。

イオンモールの受け入れに関して、地元を騒がせたちょっとした事件があった。小名浜の経営者や一般市民で作られる「小名浜まちづくり市民会議」という団体が、イオンモール側に、従業員の給与をいわきの平均水準に抑えるよう時給協定の要望を提出したというものだ。

震災後から慢性的な人材不足に陥っているいわき市でイオンモールが新たにスタッフを雇うには、当然、周りの会社よりも時給を上げなければならない。場合によっては東京、関東地方からも人を呼び寄せる必要が出てくる。しかし、それにともなってイオンの雇用条件がよくなると、いわきの一般企業の条件との格差が拡大し、地元企業で働いている人たちがイオンモールへ流出してしまう。経営者にとっては確かに死活問題だ。だからそれを事前に抑制しておこうというわけだ。

結局、合意には至らなかったと聞いているが、イオンが来るという商機を活かして経済を活性化させ、自分たちも儲けよう、そして儲けた金で給料を上げ、優秀な人材を雇い、会社を発展させようというアプローチではないというのが絶望的であるように感じる。要望書を出すにせよ、忸怩たる思いを持って黙って要望するなら分かる。ところが、「時給が上がると混乱するから基準に合わせるよう要望した」などとしたり顔でSNSに書き込んでしまう経営者や地方議員が散見されるのには心底参った。こんな投稿を見たら、若い人はどう思うだろう。絶望して県外に流出するはずだ。そういう経営者が多いということを知れたという意味では、若者にとってはプラスだったかもしれないが。

とはいえ、経営者の不安も多少は理解できる。二〇一八年四月時点の福島県の最低賃金は時給七四八円。コンビニのバイトで八〇〇円から八五〇円が相場だ。専門店の販売員だと八五〇円から九〇〇円ほど。そんないわきで、仮にイオンのオープニングスタッフの時給が一二〇〇円レベルにでもなれば、従業員がそちらに流れてしまい会社が破綻しかねない。しかも、一部上場企業らしい、充実した福利厚生などもある。今まで普通だと考えられていた自社の劣悪さがバレてしまうことにもなりかねない。それは不安になるだろう。

いわきの「下請け」気質

いわき市は、同じ県内の福島市、郡山市に比べて労働集約形の製造メーカーが多く、二市に比べて所得が低いというのが定説だ。給与が額面で二〇万円を超える仕事は多くない。生活者としてのイメージだが、だいたい平均して額面で一四万円から一八万円くらい。かつて私が勤めた職場も、最初の給料は試用期間ということもあり手取りで一二万円だった。正社員になったあとは営業担当ということで給料を上げて頂いたが、それでも手取り二〇万円には届かない。当時の年収は二五〇万円ほど。日本では年収三〇〇万円以下が「低所得者」と呼ばれるらしい。それが日本の地方都市の現実である。

なぜ所得が低いかというと、いわき市の主要産業が労働集約型の製造業だというのが理由のひとつだと考えている。一九六二年に制定された「新産業都市建設促進法」という法律によって、市内のあちこちに工業団地が整備され、首都圏や関西に本社を持つ企業の製造拠点がいくつも作られたことは、すでに第一部でも取り上げた。本社が指定する商品を、ただ黙々と作り続けるという労働集約型の生産プラントがほとんど。自社の独立性や発展を考えるより、下請け的に、指示に従って黙々とものを作る、そのような土地柄なのである。第一部ではそれを「バックヤード」という言葉で紹介してきた。

　下請けに徹する企業だと、経営にもアイデアが生まれにくい。何も考えなくてもモノが売れた時代に、下請けの発注を取るために起業された会社が多いからだ。売れている時代はいい。地域の雇用を支える場として充分な社会的役割を果たしたことだろう。しかし、その体質のまま経済が不透明になれば、利益を出すにはコストを削るしかなくなる。一番簡単なのは、ギリギリまで社員の給与を下げることだ。もちろん、働く人たちが納得していれば構わないし、与えられるべき権利が与えられているならばよい。ところが、中小企業では当たり前の権利すら保障されていない職場も多く、就業規則すらまともに存在しないというケースも少なくない。そんな企業が今でも生き延びているからこそ「時給協定」というアイデアしか出てこないのだろう。イオンモールの時給協定問題は、いわきという地域の下請け気質、つまりバックヤードの問題と地続きなのだ。

　かまぼこメーカーに勤めていた頃、たまたま話す機会のあった食品メーカーの経営者に、こんなことを言われた。「小松君、我々にとって〝優秀な社員〟というのはどういう人か分かるか？　とにかく体が丈夫で会社を休まず、朝から晩まで黙って働いてくれる人だ。余計なことを考える必要はない。体が丈夫ならバカなほどいいんだ」と。

　考えが異なる経営者もいる。いわき市の西にある小野町の、「タムラ電子」という会社の経営者に話を聞いたときのことだ。この会社は、以前はいわき市に本社のある大手メーカーの下請け製造を請け負っていた。時流に乗って小さな工場を経営し始めたはいいが、下請けの業務は卸価格が初めから決まっており、歯車のなかに組み込まれているだけだということに気づいたという。次第に、下請けだけでは企業は長続きしないと考えるようになり、技術力を活かすために食品部門を立ち上げ、燻製事業をスタートさせた。コツコツと商品を磨いた結果、同社の主力商品である「くんせいたまご」は、今や小野町を代表する物産に成長している。「電子」と名のつく会社が、今ではくんせいたまごのメーカーになっている。このようなアクロバチックな逆転を作り出す経営者もいるのだ。

いわきには魅力的な産品がないとよく言われる。福島県で有名な産品と言えば、福島市など山間部で作られるモモやブドウ、リンゴといった果物、郡山市の「ままどおる」と「薄皮饅頭」、会津地方の地酒や伝統工芸品などだろうか。いわきには、よその地区に比べて有名な産品が圧倒的に少ない。食品メーカーの下請け気質が強すぎ、自立的なアイデアが生まれにくいからだろう。極端な言い方になるが、アイデアがないと、自社の商品が売れない理由を風評被害に求めてしまったり、売り上げ減を賠償によって補填するようになってしまう。賠償金が打ち切られるのを防ぐために、震災前の売り上げを超えないように数字を操作するような会社も少なくないという。具体的な事件となって表沙汰になったわけではない。ただ、そのような話を裏で言われるような状況では、魅力的な産品など生まれるはずがない。

仕方ない面もある。時代の要請で下請けを受け入れざるを得なかった企業が、震災でいきなり取引を止められるようなことがあれば、経営者の混乱も当然だ。しかももともと下請け気質の強い地域に、あれだけ一律で多額の賠償金である。それでは自立や発展、新しいチャレンジのための原資にはならず、会社存続のための麻薬になってしまう。役人たちが頭のなかだけで作り上げた賠償制度は、地域の課題を解決するのではなく、さらに補強してしまったようにも見える。それに翻弄されるのは、いつも労働者、生活者たちだ。この賠償を、原発事故とは関係なく全国で活用されている補助金や助成金に置き換えて考えてみると、盛んに叫ばれている「地方創生」の見え方も変わってくるのではないだろうか。もともとそのような土地だったと言われればそれまでだが、賠償がもたらした第二第三の被災という問題は、これから検証されなければならないと感じている。

双葉郡との軋轢

ここからは、原発事故がもたらした社会的分断のなかでも、もっともドメスティックだった問題を考えてみたい。いわき市民と双葉郡からの避難者の軋轢の問題だ。さきほど紹介したイオンモール。当初の予定では二〇一六年の春にオープンするはずだった。全国的な建設需要の高まりを受け、施工業者の作業員確保や資材調達が難航。計画を見直さざるを得なくなったのだ。ここ一、二年は落ち着いたとはいえ、二〇一六年くらいまで、いわき市内の建設業界は慢性的な人手不足に陥っていた。すでに引退した職人を呼び戻したり、外国人の技能実修生をかき集めて現場に送り込んだ企業も少なくなかったという。東京オリンピックに向けての工事も影響していたようだ。

建設作業員不足の影響を受けたのは、もちろんイオンモールだけではない。海岸の防潮堤の工事や、新しい住宅地造成のための大規模な工事も遅れるし、最終的には一般住宅のリフォームや新築にもその影響は及ぶ。工期が遅れるだけならまだしも、人件費が上がったことから建設費用そのものが上昇し、多くの市民が、家を持つ、家を借りるということすらも困難な時期があった。結婚を考えていた友人が、「新居が見つからないので実家暮らしを続けるしかない」と嘆いていたのを思い出す。

建設費用が上がった理由は人件費の急騰だけではない。二万人規模と言われる双葉郡からの避難者の多くが賠償金を手にしていたことも関係している。避難者のなかには安住の地を求めて土地を買う人もいる。不動産業界や建設業界は、買い手が賠償金を手にしているのを知っている。当然、ビジネスは強気になる。土地の値段が急激に上昇し、いわき市では、毎年のように地価上昇率のニュースが話題になった。かつて坪八万円くらいだったはずの土地が、二〇一四年頃には坪二〇万円台というところも少なくなかった。

しかし、そのバブルがいわき市民に広く行き渡るわけではない。食品関連の中小企業などは風評被害の影響もあり売り上げが激減。そこで働く人たちの賃金はほとんど上がっていない。バブルの恩恵にあずかった企業も、やがてバブルが終わるのを知っているから、容易に従業員の賃金を上げるわけにはいかない。そんな状況で住まいに関するものが値上がりするわけだから、生活実感は、むしろより厳しいものになっていくだろう。私も「復興バブル」なんてほとんど感じたことはない。

一方、ゼネコン企業に勤める知人の顔はホクホクだった。理由を聞くと「業績賞与が出た」という。定期賞与のほかに出ているわけだから、よほど儲かっているのだろう。株価が過去最高値を記録したとか、戦後最高の売り上げだとか、そんな声もしばしば耳に入ってきた。しかしそれとて、もともと低い基本給が上がったわけではない。会社の内部留保だけは増えたが、「残業代が出ないと生活は厳しい」という土木関係者も多い印象だ。そんな状態は二〇一五年くらいまで続いただろうか。カネによる分断は本当にタチが悪い。市民は互いに疑心暗鬼になり、じわじわとコミュニティを傷つけていく。心の奥底のところを毛羽立て、深いささくれを作っていくのだ。

二〇一四、一五年頃の具体的なエピソードをひとつ紹介する。私の母がちょくちょく通っている地元の健康センターがある。母は、その健康センターの年会員のパスポートを持っていて、会社帰りの父を連れて風呂に入りに行くのが日課になっていた。健康センターは、地元の人たちのコミュニティとしても機能していて、そこで知り合った友人と連絡を取り合って現地で落ち合い、風呂やサウナでいろいろな話をしては、ビールを飲んで帰ってくる。それが日々の楽しみのようだ。風呂でできた知り合いが自宅に遊びに来たり、意気投合して旅行に出かけてしまったこともある。その健康センターは、母にとって、もはやなくてはならないもののように感じられる。

ところが、母が気になることを言っていた。「お風呂の友達が『サウナに知らない顔が最近増えたから入りづらい』って言ってんのよ。あたしは気にしないんだけど、確かにここ最近、知らない人がよくサウナに来てるし、昼間から家族連れで来て、ビール飲んで帰る客がけっこういて。それよりもあんた作業員よ。夜になると作業服着た人がいっぱいだから。確かに風呂だから汚れた体洗いに来るところだけどさ、ゆったり風呂に入りに来るのを楽しみにしてる客もいるわけじゃない？　湯本の温泉だってずっとそうでしょう。観光に来た人が、ご飯のときにも風呂のときにも作業員の男の人がガヤガヤしてたんじゃ旅情も何もないじゃない」。

この手の話を興味深く聞いてしまう自分がいる。母の言葉も感情も、地元の日常の生の声だからだ。新聞にもテレビにも出てこない。ツイッターやフェイスブックでも目にしないようなホンネがそこにはある。そして何より、母が日々の暮らしのなかで見聞きし、体験したことから発せられる言葉はとてもリアルなのだ。母の話はいつも日常と結びついていた。私たちが追いかける情報とはまた別の、確かな信憑性と地元民のホンネがあったのだった。

原発事故によってふるさとを追われた双葉郡からの避難者と、いわきの地元の人たちの軋轢。最近ではニュースにもならなくなってしまった。二〇一二、一三年頃に消費し尽くされた感がある。あれはまさに「消費」というに相応しく、新聞が、テレビや週刊誌が面白おかしく書き立てていた。しかし、報じられなくなったからといって、問題が沈静化したというわけではない。むしろより深部へと潜り込み、日常化しているように思う。決して深刻になったわけでもないが慢性化している、といったイメージだろうか。ここ数年でタブー化が起きていると感じている人も少なくない。みんな抑えているのだ。余計なトラブルにしたくないと、自分が双葉郡からの避難者であることを隠す人も多いと聞く。その見えない不満は、にごり酒の澱のように瓶の底に沈殿しているだけ。誰もかき混ぜようとしないけれど、ひとたびかき混ぜれば、透明な酒はあっという間に白く濁ってしまう。

二〇一三年から一六年頃、ちょうど復興バブルなんて言われていた頃を思い出すと、残念ながら、避難者へのイメージは良好とは言えなかった。もちろん人それぞれではある。しかし、タブー化しただけイメージが固定化してしまったという面もあるだろう。「カネばっかもらって仕事をしていない」というような、分かりやすいヤッカミが固定化した。そのせいで「昼間から酒盛りしている＝双葉の人間」というような安易な偏見が生まれてしまった。数年前、フェイスブックで見かけた投稿を思い出す。新築住宅の塀に「賠償金御殿」とスプレーで落書きされたのを撮影した画像だった。

スプレーでの落書きなど、人として最悪の行為だが、同じ被災地の住民であるのに、有形無形の負担や配慮を強いられてきたいわき市民が賠償金のあり方に対して疑問を感じることを理解はできる。自分の暮らしを維持するのが精一杯、もともと所得の低いいわき市で、双葉からやって来る、さらなるマイノリティを受け入れるだけの余裕は大きくない。友人や知人たちから、そのような厳しい現実の話を聞かされると、ただでさえ収入の少ない土地で、わずかな喜びであった「健康センターでの楽しみ」を毀損された人たちの気持ちも分かる。

国や東電の担当者が机の上で書いた賠償システムが、生活者目線からかけ離れたものであったということだろう。震災から七年が経った今もなお、ストレスを感じている人たちも少なくない。賠償や補償による軋轢と対峙するのは私たち庶民だが、こうした精神的負担は賠償されることもない。当然、こうした心理的負担もまた、原子力災害がもたらした被害の一部と言えるはずだ。このような軋轢を生むに至った「賠償や補償のあり方」は、今後どこかで起きるかもしれない災害で役に立つとは思えない。

多額の賠償金を受け取ったことで家庭内が混乱し、離婚やＤＶなどに関する訴訟が増えているという話もよく耳にする。賠償金が世帯主に振り込まれるため、その世帯主が賠償金の使途を握ってしまうようなのだ。そのような賠償のあり方がもたらした「ひずみ」のようなものを紹介する記事も見つかるが[★1]、まだまだ賠償金について語ることはタブー視されている。タブー視されるから、誰も語ることができなくなり、根も葉もない噂が出てくる。そして軋轢は深まってしまう。賠償についてよかったこと、悪かったこと、忌憚なく意見を交わせる場ができてこなければ、何らかの困難を抱える人を癒すことも、どこかで起きるかもしれない次の災害に役立てることもできないだろう。

しかし、考えてもみて欲しい。双葉郡から避難を余儀なくされた人も、いわきで被災した人たちも同じ被害者なのだ。それなのに、被害者同士がなぜ反目し合わなければならないのだろう。分断の中心には賠償がある。原発を誘致した時と同じように、権力はカネで分断を図るのだ。そして、被害者同士が反目し合ううちに、いわば漁夫の利のように、政府や東電への責任追及は曖昧なものとなり、原因企業である東電を生き延びさせようとする動きが進む。そもそも原子力発電所の爆発事故の責任は東電と国にある。加害者である東電と国が被害者の賠償を決めてしまうなんて話、そもそもがおかしいではないか。

復興がもたらす地域のゆがみ

前段で紹介したエピソードはいずれも二〇一二年から一五年頃にかけてのもので、いわきと双葉の軋轢は、年を追うごとに目立たなくなってきている。復興も進み、双葉郡への帰還は少しずつ進んできた。政府の思惑などどうでもいい。帰りたいという人が納得して自宅に戻る。それは純粋に喜ぶべきことだろう。そして、戻らないという選択もまた最大限尊重されるべきである。私がとやかく言うことでもない。戻りたい人は戻り、いわきにいたい人はいわきにいればいい。多様な選択が尊重されるべきだ。

しかし、モヤモヤは地域のなかに残る。双葉郡の町村には、国や東電の支援で、新しい診療所や学校や保育園などが整備されることになるだろう。もう少し復興需要は続き、いわき市よりも条件のいい仕事が溢れることにもなるはずだ。原子力災害の被害者を受け入れ、精神的にも疲弊したいわき市民は、新しく完成する「新生」双葉郡と、そこに戻り、東電と手を取り合って生活を送る人たちを、どのような思いで見つめることになるのだろう。

ひとつエピソードを紹介したい。震災後、双葉郡の人たちと地域課題を考えるシンポジウムに出た

★1 「【福島から問う】賠償 綻びと再生5年③」、産経新聞、二〇一六年三月二日朝刊（東京版）。

時、双葉郡内の企業の経営者の多くが、当時の東電福島復興本社の石崎芳行代表と握手を交わしていたのだ。そのシーンを強烈に覚えている。私は、経営者たちは石崎代表を罵倒すると思っていた。しかし、表情は硬いながらも、交わされたのは握手であった。もうひとつ印象的なシーンがある。東電の社員が会議の冒頭で「このたびは私どもが起こした事故により……」と謝罪を始めた時に、会場から「そんな話はもういいべ！」と誰かが叫ぶのが聞こえたことだ。双葉郡と東電の関係をまざまざと見せつけられた気がした。

もちろん、いつまでも東電を責めていても仕方がない。双葉郡の経営者たちは「恨み」を超えた次の地平を見ているのだろうと思う。私たちの想像のつかない厳しいところで、双葉郡の人たちは東電と向き合ってきたはずだ。私には何も言う権利はない。ただ、そんな関係があるのかと驚かされただけだ。あまりにも大きな衝撃として、私はあのシーンを記憶している。

いわきではみんなが「浜通りの同志」だった。しかし、復興が進めばそれぞれの地元に帰っていく。一緒になって闘ってきたはずの人たちが、現実の世界に戻り、「じゃあおれたちは国や東電と一緒にやるんで、いわきの皆さんお世話になりました」と自分たちの根拠地に帰っていくのだ。彼らの帰還と復興が進んだ時、私はどのような目で双葉郡を見ることになるのだろうか。私も東電の代表者と握手できるようになるだろうか。いや、私たちと双葉郡の認識の溝はこれからもっと大きくなるのだろうか。いや、それ以上に、復興は本当に進むのだろうか。もう少し、お互いの置かれた状況を知る必要がある。

復興予算は地域を再生させたか

双葉郡の話題が続いた。ここからは復興予算の問題へと話題を移そう。いわゆる復興バブルは、被災地復興を後押しもしたが、様々な領域にゆがみをもたらした。復興予算は、助成金・補助金というかたちで、非営利団体、地域中小企業、個人事業主などに充分な活動資金を与えてきた。地域づくり、地域産品の魅力づくり、防災事業、情報発信、ゆるキャラ振興、用途は様々。それによって多少は儲かった企業や団体もあったのかもしれない。だが、それらは果たして本当に地域に資するものであったただろうか。今のところ、検証はほとんど行われていない。

例えば情報発信。風評被害払拭のために、福島県内では多くのウェブサイトや情報発信媒体が作成された。今も残っているのはどのくらいだろう。福島県が出資し、県内の多くの生産者が参加した「キビタン市場」というウェブサイトは、助成金が切れたのだろうか、オープンして三年ほどで消えた。売り上げ額はどの程度あったのだろう。情報サイトの多くは、助成金を消化するための事業でしかなかったのだろうか。例えば「ふくしま新発売。」[★2]のように、有効に機能したものがないわけではない。しかし、それ以上に、機能しなかったもののほうが多い。中身のない記事、目も当てられない

★2　二〇一八年七月現在はサイトがリニューアルされサイト名から「ふくしま新発売。」の文字は消えている。URL=http://www.new-fukushima.jp/

デザイン、読者を軽視した更新頻度。情報サイトどころか、むしろこちらのほうが風評を作るのではと心配してしまうような情報サイトの屍たちを、当時はいくつも見つけることができた。

例えば商品開発。かまぼこメーカー時代、福島県トップの水産品を作ろうという県のプロジェクトに参加したことがあった。首都圏からコンサルタントやバイヤーがやってきて、味をこうしろ、パッケージをこうしろと指図してくる。県の助成事業なので、会社側の負担はほとんどない。最初こそ盛り上がるのだが、開発過程で、自社が出したい味と、コンサルが求める味に違いが出てくる。現場は疑問を感じているのに、担当部長がやれというので仕方なく作る。担当部長も、県がやれというので仕方なく作る。県は県で予算を消化しなければいけないし、コンサルがやれというので仕方なく事業を進める。しかしそんな商品がそもそも売れるはずがない。完成した福島県トップの水産加工品は、その次の年の正月には直売所で叩き売りされていた。復興なんてうそっぱちだなと痛感したものだ。

そしてここで感じた欺瞞は、のちにいくつかの事件として表面化することになる。

二〇一七年七月、福島県が交付する企業立地補助金約二億五〇〇〇万円をだまし取ったとして、大阪府岸和田市の太陽光発電関連会社「ＣＫＵ」の代表取締役の男ら二人が逮捕された。報道によれば、福島県白河市に建設した工場の設備購入に関し、うその記載をした請求書や、偽造した取引先の発注書を県に提出し、「ふくしま産業復興企業立地補助金」を詐取したという。男二人は、その後の裁判で詐欺の罪に問われ、起訴事実を認めている［★3］。

二〇一七年九月には、企業立地補助金約一〇億円をだまし取ったとして、印刷関連会社の経営者の男ら数人が逮捕された。報道によると、この会社は南相馬市に工場を建設し、二〇一四年三月に操業を開始。同年五月に補助金一〇億円あまりを交付されたものの、一部が不正受給と判明していた。同社は二〇一七年に破産している［★4］。

二〇一七年一二月には、東日本大震災の被災企業の再建を後押しする国のグループ化補助金を不正受給したとして、郡山市の食品会社の元社長の男らが詐欺容疑で逮捕された。報道によると、男らは実際には修理を実施していないのに、工場の修理費や水増しした設備費を盛り込んだ報告書を提出し、県を通じて補助金約四六〇〇万円をだまし取ったという［★5］。

もちろん、助成金があったことで一歩踏み込んだチャレンジが軌道に乗った事業もあるだろう。だから、一概に復興予算や助成金を悪だと言うつもりはない。それは必要なものだ。ただ、私は、助成金が活躍するのをあまり見ることができなかった。身銭を切らないので本気度が高まらず、事業自体がおざなりになってしまう。そして「助成金を取るための事業」を作り出してしまい、結果的に助成金への依存度を上げてしまう。私が個人的に体験してきたのは、むしろそのような場面だった。復興

★3 「太陽光発電役員ら逮捕　福島の復興補助金2.5億円詐取疑い」、日本経済新聞、二〇一七年七月二〇日朝刊。
★4 「補助金10億円詐取　震災後復興支援　3容疑者逮捕」、毎日新聞、二〇一七年九月二八日朝刊。
★5 「食品会社元社長ら逮捕　福島グループに補助金詐取容疑」河北新報、二〇一七年一二月五日朝刊。

予算や助成金に甘えているうちに、失われたものがかなりあったと私は感じている。

もともと下請け気質が強い土地に湧いてきた助成金や復興予算。それは、福島の発展を進めたのだろうか。それとも衰退のスピードを速めただけだったのだろうか。もう少し時が経たないと分からないかもしれない。だから検証が必要だ。悪を懲らしめろというのではない。「震災後だったしょうがないじゃん」と言ってしまっては、これから再び起こるかもしれない災害の教訓にできない。助成金や補助金の問題は、全国の地方に共通する話題でもある。折に触れて検証し、その結果を共有しながら、地域づくりに役立てて欲しいと思う［写真2］。

最後に予算の執行の問題も付け加えておきたい。莫大な復興予算は、国からそれぞれの自治体に振り分けられるが、当然、執行の時期が決まっ

写真2　水揚げ量に不釣り合いな新小名浜魚市場。すでに「オーバースペック」が囁かれている

ている。被災地の自治体職員に話を聞くと、予算の用途が限られていたり、執行の期限が短すぎたりすることが、住民との対話の時間を短くし、コミュニケーションの機会を奪ってきたと振り返る人がいた。現場の課題をよく知る市や町のアイデアがなかなか通らず、使途や期限を国の都合で決められてしまうのであれば、それは震災復興にかこつけた中央集権化である。災害時の復興予算の用途や期間にもっと余裕を持たせ、地方自治体や現場が自分たちで決められるような予算の執行システムを考えないと、このような復興がもたらす地域衰退を繰り返すことになってしまう。何十年かかる地域づくりの原資を、たった数年で使い切らなければならないというシステム。それもまた、復興という「二度目の災害」を引き起こした元凶のひとつであるだろう。

賠償金というジレンマ

賠償金のジレンマを、より根深い形で体現してしまっているのが福島の漁業である。現在、福島県は試験操業という、本来の操業よりもかなり規模を縮小した漁業を行っている。多くの人は、試験操業と聞いて「安全性が確認されていないから試験的に獲っている」と勘違いしているかもしれないが、この「試験」というのは、流通量と価格の見極めのためのものだと考えたほうがよい。魚介類も、当然ながら需要と供給のバランスで価格が決まる。市場からの評価はどのようなものか、風評被害の影響はあるのか、そのあたりの流通の状況を見極めるための試験的な操業なのだ。当然、安全性は確保されているので、そこは強調しておきたい。

試験操業が行われるのは、例えばいわきの底引き網漁では、二〇一七年の時点で週に二回ほど。雨天などで操業できない場合もあるため、そこに一日の予備日が設けられている。週に二回の水揚げでは、漁業者は売り上げが立たず生活が成り立たない。このため、東電から休業補償を受け取り、それを生活の糧にしているという現状だ。震災前の数年に遡って売り上げの平均額を算定し、その平均額の何割かが支払われる形となっている。漁業者にとっては生きていくために必要なものだ。当然受け取る権利はある。

いずれ通常操業に戻ったとしても、その売り上げ額が現在の補償金を上回る保証はない。ならば、今のまま補償金を受け取っていたほうが生活が安定するだろうと考える漁師も多い。補償金の存在が、漁業者のやる気をかえって削いでしまっているのではないか。だから、試験操業から通常操業へ切り替えるのが難しくなる。通常操業になれば、ほぼ毎日のように漁を行うことになり、需要と供給のバランスが崩れ、供給過多になって魚価が下がってしまう。魚価が下がれば、今度は量を確保しなければならなくなり、資源はどんどん獲り尽くされていく。それでは震災前の漁業に戻ってしまうだけだ。それが目に見えているから通常操業に移行できないのだ。

高齢化の問題もある。四〇代、五〇代の漁師が主軸であれば、操業の回数を増やしても問題はないだろう。ところが、いわき市の場合は、六〇代、七〇代の漁師がほとんど。この七年、まともに漁を続けていないため体力も落ちている。以前のような操業が難しいので、ますます通常操業に戻す理由がなくなってしまう。ならば今のように安定して補償金で暮らすことを選ぶほうがいい。孫を大学に通わせることもできるかもしれない。そう考える漁師がいても、私は責められない。

いわき市の漁業は、実は震災前からジリ貧だったと言われる。魚価が上がらず、それを量でカバーしようとするから資源が枯渇し、魚はますます小さくなる。小さいから値段も上がらない。そうやって資源を買い叩かれ、さらに量を獲るようになってしまう。そんな負のスパイラル。廃業を余儀なくされたり、子どもには継がせないと決心していた漁師も少なくない。そこにきての、あの原発事故である。

問題は、賠償が事業の自立支援ではなく生活補償になっていることだろう。今後廃業を予定している人と、事業を継続・拡大したい人が、同じシステムで補償されていることに大きな問題があると思う。もうひとつは、漁業振興の道筋がまったく見えないことである。どのように通常操業に移行するか、そのビジョンを描けていないのだ。理想的なのは、東電の賠償金を設備投資などに有効活用しながら、需要と供給のバランスを見極めていくこと。魚の水揚げ量は震災前より減らしつつ、震災前の売り上げを超えることができれば、それだけ魚一匹の単価が上がったことになる。魚本来の価値を高めながら、鮮度を保つ流通技術を確立できれば、首都圏などにも積極的に流通させていくことができるだろう。そうなれば、補償金を必要としない漁業に移行するきっかけを作れる。今なら失敗しても東電が補填してくれるのだから、それを利用して、早急にビジネスプランを見つけなければいけない。

ようやくここにきて、福島県が、サステナブルな漁業によって漁獲された魚を認証する「ＭＳＣ」

という国際認証の獲得を目指すことになったそうだ［★6］。まずはヒラメやヤナギガレイなど主力魚種に絞って獲得するという。これが認証されれば、その魚は、安全性はもとより、資源管理されているということが国際的に認められることになる。東京オリンピックでの提供も可能になるかもしれない。世界に、その回復ぶりをアピールするには、最高の材料になるだろう。

日本で最悪の状況に置かれている福島の漁業だが、試験操業によって魚の個体数が大幅に回復しているという事実を見れば、日本で唯一資源回復に成功している海域とも言える。もしここで本当に国際認証を取ることができれば、福島の漁業を「資源管理漁業の先進地区」として生まれ変わらせることができる。安全で、おいしく、しかも持続的。それは、新しい「福島ブランド」として機能していくだろう。

地域の自立を目指す思想

そろそろ結論に入ろう。漁業がそうであるように、賠償のシステムを見直し、より自立に向けたプランを業界全体で考えていかなければならないと思う。そこでもっとも重要なのが、地域づくりのビジョンだ。「思想」と言い換えてもいい。第一部で取り上げた「文化の自己決定能力」にも共通する話だろう。地域の力は何なのかを、限られた業界だけでなく、外部の目線も入れながら考え、それをもとにビジネスプランを策定していく。そろそろ動いていかなければ、私たちの地域はまた原発や廃炉といった国策に依存していくことになってしまい、バックヤード性や下請け気質を補強することになってしまう。

漁業や水産業に関わる現場の人たちからも、「今後、地域の漁業水産業をどうしていくのか、ビジョンを誰も決められない。だから一体になって動けないんだ」という言葉をよく聞く。賠償金をどう取るか、制度をどう変えるかという話ばかりでは何も変わらない。動ける人たちだけで新しい組織を立ち上げてもいいだろうし、政治主導で改革を進めてもいい。現場をいったん離れ、「私たちはどのような地域にしたいのか」というビジョンを、今一度描き直さなければならないように感じている。

自立のビジョンが立てられないと、いずれは賠償に依存するしかなくなり、コストを落とすため、材料費や人件費を削るしかなくなる。現場と経営者の軋轢も高まってしまうだろう。それはつまり、イオンに時給協定を突きつけるような地域から抜け出せないということだ。「賠償」という言葉を「原発」に置き換えてもいい。はじめはどの地域だって発展のためにと思って敢えて受け入れるのだ。原発によってまずは安定した基盤を作り、いずれは自立しようと。しかし、代を重ねるうちに、その自

★6 MSC認証は、自然環境や水産資源を守って獲られた水産物に与えられるエコラベル。Marine Stewardship Council（海洋管理協議会）が認証する。二〇一八年一月現在で、国内でこの認証を取っているのは、京都府機船底曳網漁業連合会のアカガレイ漁業、北海道漁業協同組合連合会のホタテガイ漁業、宮城県塩竈市の明豊漁業株式会社のカツオ・ビンナガ一本釣り漁業の三漁業四魚種のみである。大変厳しく審査されるエコラベルである。

立の理念は忘れ去られ、依存構造が当たり前になってしまう。

だからこそ、原発事故を経験した私たちは、未来の子孫が依存に戻らないよう、大きな思想を持って地域や企業のビジョンを策定していく必要がある。例えば漁業なら「資源管理」や「持続可能な漁業」を掲げるのは素晴らしいと思う。原発事故を克服し、日本でトップの漁業先進地区になる。そのくらいの覚悟がなければ、震災前のジリ貧の漁業に戻るだけだ。将来の子どもたちが、資源管理された魚を食べ、その由来を調べていたら、どうも私たちの祖先は原発事故からこの漁業を見つけたようだ、と気づいてくれる。そのような思想の種子を、ビジネスのなかに蒔いていく。

そしてもうひとつ。思想を取り戻す前に、私たちは「外部」を取り戻す必要がある。漁業の話を、漁業当事者だけでしてはいけない。流通や加工業、観光業や旅館業、物産店や鮮魚店、料理人や飲食店なども一緒に考えなければならないということだ。なぜなら、旅館の人たちが「いわきの魚をうちで出すからもっと水揚げしてくれ」と突き上げるくらいでなければ、仲買人は安心して魚を買えないし、船主も水揚げすることができないからだ。地域の産業全体で水揚げを支える。それが漁業である。異なる業界も巻き込んで、漁業をどうするかのビジョンを描き直さなければならない。地域の魚を健康食として福祉施設などで提供してもいいだろう。そうなれば、医療や福祉の関係者とも話をしなければならない。食育を進めたいのであれば、学校給食や現場の教員、教育機関との連携も必要になるだろう。求められているのは、地域の自立を促すビジョンや思想、外部に開いたうえで、自分たちのことを自分たちで決めるという意志である。どのような地域にしていくのか、その理念をもとに復興を考えていく。そもそも防潮堤の是非や賠償のあり方も、そのビジョンによって取捨選択されるべきだったはずだ。地域や企業のビジョンを取り戻すこと。それはこの国において立派な防災になり得る。それが、現場からの強い実感である［写真3］。

写真3　地元の水産資源をいかに地域で活用するか。漁業当事者だけでは議論は進まない

第5章　ロッコクと原発

思い立った時、気ままにふらっと双葉郡に行くことができる。そんな土地に住んでいるというのは意外と恵まれていることなのかもしれない。車を走らせて一時間もすれば、日々復興していく街の景色があり、世界に数少ない「壊れた原発」がある。地域の人々の、日々の営みの強さに力をもらうこともできるし、人間の愚かさに思いを馳せることもできる。忘れてはいけないものを思い出したり、見慣れてしまってはいけない景色を眺めたり、そこでしか思い描くことができないようなことを自由に想像することもできる。ただ国道をドライブしているだけなのに、何冊もの哲学書を読むような、濃密な時間を過ごすことができるのだ。

国道六号線、通称ロッコク。東京と仙台をつなぐ、およそ四〇〇キロメートルあまりの道路。私たちにとってそれは単に幹線道路であるだけでなく、日々の暮らしに欠かせない生活の道路であったり、昔懐かしい思い出の場所であったり、愛する地元の象徴であったりする。地方は車社会。地元の商店街ではなく、駅前の百貨店でもなく、国道沿いの大型店によって私たちの生活は支えられ、私たちは、国道沿いのあちこちに青春の思い出を残してきた。地元を活動拠点にするシンガーやラッパーたちの楽曲にたびたび「国道六号線」や「ロッコク」が登場するのも、私たちの心のなかに、昔懐かしいもの、生活に密着しているものの象徴として記憶されているからだ。

ロッコクを走る

毎年三月が近くなると、どことなく身辺が慌ただしくなり、気持ちがそわそわとし始める。「また一年経ったか」と感慨深い気持ちが生まれる一方で、震災の犠牲となった人や被災した地域を思うと、しっかりせねばと、どこか背筋が伸びるような気持ちにもなる。なんだろう、終戦記念日のような感覚と、正月が来たときのような浮き足立ってしまう気持ちが入り交じり、妙にそわそわしてしまうのだ。

そんなときに、決まって私は車でロッコクを走る。ロッコクを走ると、自分の思い出や家族との記憶、そして原発事故の記憶と今がシンクロして、自分の現在位置のようなものを再確認できるからかもしれない。震災と原発事故から七年が経過した今、テレビや新聞を注視していなければ、日常生活のなかに原発事故を感じることも少なくなった。けれど、ロッコクを走ることで、まさにあの原発と私たちの暮らしが地続きであるということを思い出すことができる。

ロッコクは、二〇一一年四月から二〇一四年九月まで、区間にして双葉郡富岡町夜ノ森から双葉郡浪江町高瀬まで、三年半もの長きにわたって通行することができなかった。道路の空間線量が高く、ホットスポットが点在していたからだ。道路が通行できるようになった今も、帰還困難区域内にある家々には、まだ人が住むことができていない。はぎ取った土を入れた黒いフレコンバッグが大量に積まれている。フレコンバッグとは、除染して出た土を一時的に入れておく大きな袋。その黒い袋が汚染の象徴としてマスコミなどで紹介されている。そして、家の門には、そこに住んでいた人すら拒むような金属製のゲートが取り付けられている。草木が縦横無尽に茎や葉を伸ばす光景もまた、ロッコク沿いには広がっている。

私たちの日常であるがゆえに、ロッコクには隠しきれないリアルが漏出する。しかしその日常のなかに、日常ならざる景色もある。日常と非日常の引き裂かれた風景。それがあるからロッコクを走る。私たちの希望も、絶望も、復興もその裏側も、過去も未来も、ロッコクから少しずつ見えてくるのだ。引き裂かれた景色は、あなたにとってどこか遠くの国の出来事に感じるだろうか。それとも、自分の土地と地続きだと感じるだろうか。みちのくの南端、いわき市勿来（なこそ）から、ロッコクのドライブを始めることにしよう。

陸奥国への入り口、勿来

福島県の国道六号線は、いわき市勿来町から始まる。日本近代美術の祖、岡倉天心で有名な北茨城市五浦を抜けたさきに、関東と東北の境界「勿来」がある。すなわち来ル勿（なか）レ。ここからは陸奥の国だ。かつてこの土地は日本ではなかった。だから用心頂きたい。東京や関西で通じることも、ここでは通じないかもしれないし、そちらでは威光のある何かも、ここまでは届かないかもしれない。

ロッコクを北上していくと、すぐ右手に海が見えてくる。勿来海水浴場だ。いわき市の海水浴場のなかではもっとも福島第一原発から遠く、震災前から抜群の集客力があった海水浴場である。このため震災後は、少し北の四倉とともに、もっとも早期に海開きされた。しかし、海開き以後の観光客の動員数は伸び悩んでいる。福島県沿岸では、復旧工事などもあり、夏になっても海で遊べない時期が続いた。この間、沿岸に暮らす人たちのライフスタイルから「海で遊ぶ」という選択肢が失われたのだ。海との物理的な距離は変わらないのに、心の距離はかなり大きく離れてしまった。海と親しむ浜通りの暮らし。そんなライフスタイルの毀損もまた、震災と原発事故によってもたらされた被害のひとつだろう。

勿来の海を見ながらさらに北上すると、左手に、福島県最南端の発電所、常磐共同火力勿来発電所が視界に入る。ここから福島の発電所銀座が始まる。国道から近距離で、ここまでハッキリと発電所を見ることのできるエリアも少ない。ロッコクのバイパスから下道に下りればもっと近づくこともできるので、ぜひ近くでその大きさ、スケール感を味わってもらいたい。地域が発電所を受け入れるということがどういうことなのか、視覚的にもよく分かるはずだ［写真1］［写真2］。

この勿来発電所の最大の特徴は、一〇号機に「ＩＧＣＣ」という世界最先端の火力発電技術が用いられていることである。ＩＧＣＣは、固体である石炭を燃やしてガス化させ、そのガスをガスタービンに導いて燃焼させることでガスタービンを回し、さらに高温の排ガスをボイラに導いて蒸気を発生

写真1（上） ロッコクから見える常磐共同火力勿来発電所。そのスケールの大きさに驚くだろう
写真2（下） 勿来共同火力発電所10号機。これだけ近距離で火発を拝めるところは少ない

させ、蒸気タービンを回すという構造になっている。従来の石炭火力発電よりも発電効率に優れ、石油火力とほぼ同等のCO_2排出量で済むことから、資源の豊富な石炭を火力発電に利用することができるという。

さらに、常磐共同火力勿来発電所のすぐ隣に、東電や三菱重工業などが出資した新会社が運営する新しいＩＧＣＣの発電所の建設が始まった。さきほど紹介した一〇号機よりもさらに発電効率がよく、世界でもトップクラスのハイテク石炭火力発電所になるそうだ。すでに工事が着工し、二〇二〇年には運用が始まるという。新しい発電所が建設される岩間地区の沿岸部に目を移す。震災前、ここにはたくさんの家が並んでいた。震災時に就いていた仕事の取引先の工場もあった。何度この道を通っただろう。今でもハッキリとその風景を思い出すことができる。しかし、かつての住まいはなくなり、当時の面影を残すものがほとんどなくなってしまった。そして、岩間の暮らしや歴史のうえに新しい火力発電所ができる。それは暴力そのものでもある。ここに流れていた時間、ここで紡がれた暮らしがあったはずなのに、それがまったく感じられないのだ。初めてここを通る人たちにとっては、岩間の暮らしは存在しないのと同じではないか。それは、ここに生きてきた人の否定、土の否定でもあるだろう。エネルギー産業を受け入れることは、新しい産業と雇用を生み出す一方で、歴史と土を破壊していくものでもあるのだ。建設中だからこそ、余計そのジレンマを感じ取ってしまう。

この火力発電所の前を通ると、もうひとつ思い出すことがある。震災前に発行された『福島美少女図鑑』（株式会社ワークスタイル）というフリーペーパーだ［写真3］。ひょんなことから、私はその雑誌の編集に関わることになり、発電所の近所に住む高校生の撮影に立ち会った。彼女にどこで撮影したいか、地元らしい風景が広がるところはどこかを聞くと、彼女は「カハツ（火力発電所）の前がいい」と言った。私たちはその指示通りに、火力発電所が見える鮫川沿いの河川敷に向かい、小一時間ほど撮影しただろうか。清楚なイメージを出したくて、肌寒いのに半袖のブラウスを着てもらったのを今でも覚えている。夕日が川を赤く照らす、とても天気のいい日だった。

　地元らしい景色が見えるお気に入りの場所。それが「発電所が見える場所」だった。風景の無骨さと、彼女のかわいらしいほほえみに私はギャップを感じたが、すぐに「いわきらしいな」と思い直した。二四時間稼働をやめず、常に視界の奥に煙突が見え、地元の多くの人たちが働く場所。いわきには、あちこちにそのような場所がある。工

写真3　筆者が編集に関わった福島美少女図鑑。表紙の写真は常磐共同火力勿来発電所で撮影された

場地帯の外れで生まれ育った私にとって、彼女の意見はよく理解できることだった。彼女にとって火力発電所は、慣れ親しんだ日常風景のなかにある。もしこれが火力発電所ではなくて原子力発電所だったとしても、彼女はおそらく「ゲンパツの前がいい」と言ったはずだ。原発も火発も、そこに暮らす人たちにとっては誇りと結びつくものなのだ。

しかし、その誇りは、何かを忘れ去ることと引き換えに与えられるものでもあるだろう。たとえそれが国の都合で、企業の都合で、ふるさとの土地を奪って建設されたものでも、発電所が完成した後に生まれた世代にとっては、それは日常の風景になり、なくてはならないものになり、いつの間にか誇りとして上書きされてしまうからだ。美少女の微笑みは、人間がいつか忘れてしまうものであること、そして、それができる強さを持っているということの両方を、私たちに伝えてくれているような気がする。

火力発電所を過ぎると、勿来地区から小名浜地区へと入る。錆びついた煙突と、工場の煙の似合う町だ。すでに本書の第一部で、小名浜について取り上げた。そこで私は、小名浜を「バックヤードの象徴」として紹介した。ロッコクからも、そんなバックヤードの風景がよく見える。初めて訪れる人たちも、この地が工場によって成り立っていることをすぐに察知できるはずだ［写真4］。

やがて国道は、バイパスと下道の国道六号（陸前浜街道）に分かれる。そのままバイパスを走れば、二〇分くらいでいわきの北の港町、四倉まで一気に到達する。バイパスを通らず下道に下り、本来の国道六号を通れば、かつての炭鉱町である湯本・内郷地区、いわき駅のある平地区を抜け、四倉へと辿り着く。この湯本・内郷地区については、第一部で詳しく取り上げているので、ここでは触れず、バイパスを通って一気に四倉まで行ってしまおう。

石城（いわき）と双葉の境界線、久之浜

バイパスを抜け、四倉町に入ってくると、すでにいわきの北部である。道路標識にも「南相馬」や「双葉」が目立つようになる。四倉町は、かつては八茎（やぐき）鉱山で賑わった町だ。その歴史は古く、一六世紀頃から鉱石が採掘されていたそうだ。石灰石もよく採られ、明治後期からはセメント工場も稼働。いわき北部の中心地として栄えた。しかし、かつての賑わいは徐々になくなり、商店街にもその面影はない。国道からの視線は、むしろ海側、海沿いを南北に伸びる防潮堤からわずかに見

写真4　ロッコク沿いから望む小名浜臨海工業地帯。古ぼけた工場群。私はこの町で生まれ育った

える海のほうに注がれるかもしれない。

車はさらに北に走る。すると、久之浜町へと入ってくる。久之浜は、一九六六年にいわき市が誕生したときに編入されるまでは双葉郡の自治体だった。これに対し、さきほど紹介した四倉は福島県石城郡の町であった。現在は両町ともいわき市の町だが、合併してまだ五〇年である。年配の方には、まだ「石城郡／双葉郡」という意識が残っている人も多い。その意識が急激に息を吹き返したのが原発事故後だった。久之浜は、いわき市では唯一「福島第一原発から三〇キロメートル圏内」に入った地区である。そのあたりにも双葉の地縁を感じずにいられない。

原発事故直後、地元の物産ショップに四倉の産品と久之浜の産品が置かれた。すると四倉の人たちから「久之浜は（三〇キロ圏内で）賠償金をもらってんだからわざわざ販売しなくてもいいべ」というような声が上がったそうだ。山ひとつ越えただけの隣町なのに、合併前の意識が飛び出したり、賠償金の有無によって分断されてしまう。地域づくりや賑わいで競い合い、いいライバルとして刺激し合ってもらえればいいのだが、それぞれに複雑な事情を抱え、足を引っ張り合ってしまうのが地方らしいといえば地方らしい。

震災後、ロッコクには新しい道路「久之浜バイパス」ができた。山手側に新設された道路で、四倉の北から一気に市境まで到達できる。旧道は海岸沿いを通るため、海にかなり近い。防災上問題があり、しかも道幅が狭く、いわきから双葉郡へと向かうトラックなどの交通量が激増したこともあり、震災後は危険な道路としてたびたび話題になっていた。現在では、北へ向かう人のほとんどは新しいバイパスを使う。旧道はすっかり生活道路になってしまった。

ここは敢えて旧道を進もう。まず紹介したいのが名勝、波立(はったち)海岸だ［写真5］。実は、私の父は、震災当時、まさにこの海岸の砂浜にいた。父は市内の港湾建築の会社に勤めていて、ちょうど、この海岸の整備事業の現場監督をしていたのだ。

ここに来ると、三月一一日の混乱をまざまざと思い出す。あの日、猛烈な揺れを体験した私は、会社をすぐに離れ、車で一〇分ほどの自宅へと急いだ。そして母と祖母を連れ、近くの小名浜第二小学校に避難し、校庭の近くに津波が到達しているという校内放送を聞きながら、父の帰りを待った。校内放送で父の名前が呼ばれた時には、放心して力が抜けたのを今でも覚えている。聞けば、父は一旦ロッコクを南に向かい、事務所のある四倉方面に戻ったそうだ。しかし、事務所付近にす

写真5　波立海岸は震災7年を迎えても依然として工事が行われている（2018年撮影）

でに津波が到達しており、車の方向を変えて山手方面に逃げたらしい。今走っているロッコクは、当時は波の下にあったのだ。

今年（二〇一八年）六九歳になる私の父は、幸いにもこの三月まで仕事を続けることができた。「震災がなかったら孫にプレゼントも買ってやれねかったし、今頃家でボケてたかもしんねえな」と父は言う。不況に喘いでいた市内の建設会社は震災で息を吹き返した。第四章で震災バブルに触れたが、震災時、すでに六〇歳を超えていた父は、そのバブルのおかげで七年もの長期にわたって仕事を続けることができた。ここを通るたびにハンドルを握りながら考えるのは、震災の光と影。震災で得られたものと失われたもの、その両方だ。ギャップの大きさに、我がことながら狼狽してしまう。

廃炉に人を送り込む広野町

久之浜をさらに北に進む。久之浜の北端、末続地区を過ぎるといわき市は終わる。ここからは双葉郡広野町である。広野町は「東北に春を告げる町」と言われる。温州みかん栽培の北限という温暖な気候から、そう自称しているようだ。広野町あたりに入ると、ロッコクは少し内陸を走るようになり、道の標高も高くなる。遠くに美しい太平洋を見ることができるだろう。

ハンドルを握りながら見る美しい自然とは対照的に、ロッコクを走る車たちは無骨だ。作業員をどこかに送ってきたバス、道路の段差を越えるたびにドーンと大きな音を立てるダンプカー、作業着を

写真6　廃炉作業の中心地、広野町。商店も次々にオープンしている（2017年撮影）

着込んだ人たちを乗せた営業車やミニバンが行き交う。復旧復興の最前線基地であること。それはこの町の、ここ五年近く変わらない役割だ。以前、広野町のコンビニを利用したときには、おにぎりやお惣菜がワゴンに高く積まれ、本棚にはいわきのコンビニよりも豊富にエロ本が並び、駐車場では、弁当をかきこむ作業員や、つかの間の昼寝を貪る営業マンがそれぞれに体を休めていた。最前線の男たちの町であることを強烈に感じたものだ［**写真6**］。

私がドライブしたときは、五台に三台くらいの割合で県外ナンバーの車を見かけた。色々な地方のナンバーを見つけたが、八戸、札幌、秋田、なぜかそんなナンバーが目についた。日本を背負い、そして裏切られ、それでもなおこうして出稼ぎでやってきて、原発事故からの復興を支えている「蝦夷」の人たちに共感を覚えたからかもしれない。車のシートを倒し、光が当たらないように目のあたりに腕を置いて昼寝をしているおっさんを見つけた。私は、頭が下がる思いがした。同時に、どこか忸怩たる思いがした。

道沿いには、作業員の宿泊施設が建てられている。ここ数年で新設されたものも多い。ただ、見た目はお世辞にも豪華とは言えない。あるものはプレハブ、またあるものはコンテナ。仮設住宅のような簡素な建物が並んでいた。そうなのだ。仮設。つまり、この地域を支える作業員たちの仮住まい。用が済んだら解体される。もっとも、その「仮」が一体どのくらいになるのかは、まだ誰も知らない。このホテルが解体され、もとの野っ原になること。それが復興ということなのだろう。

中心部に入ってくると、広野町役場のすぐ裏手にある、ふたつの大きな石碑が目に入った。ひとつは天皇皇后両陛下の行幸を記念した石碑。そしてもうひとつが、かつての広野町長、大和田清之助が東京電力広野火力発電所を誘致した功績を讃える石碑だ。天皇皇后両陛下の石碑と火力発電所を誘致した町長の石碑が並ぶ。その奥の方に、石碑を見下ろすように屹立する広野火力発電所の煙突が見えた。そうだ。ここは火力発電所の町なのだ。石碑の風景は、改めてそのことを強く感じさせた［写真7］。

地域発展に貢献して町史に名を残す。産業を興すのではなく、企業を誘致することによって。それが地方の現実だ。ひとつの企業の工場が、地域経済に大きな影響を及ぼすことなんて広野町に限った話ではない。今回紹介したロッコク沿いの町だってどこも同じようなものだ。しかし、この石碑のインパクトは強い。広野火力発電所は、単なる企業の一施設ではない。首都圏の生活を支えるために電気を作り続け、東京に本社のある東電を儲けさせ、同時に大量の雇用を生み出し、その儲けや国からの補助金が巡り巡って地元に投下されるという「システム」だからだ。目の前にあるのは、そのようなシステムをこの町にインストールした人を讃える碑でもある。自らバックヤードになる道を選ぶことで町を発展させる。そしてそれが石碑で讃えられるという現実。それを、まざまざと見せつけられる。

重苦しさを抱えたまま、今度は海沿いを目指す。すると、防潮堤の上に新しい県道ができていた。近づいて上まで登ってみると、海がだいぶ下に見える。それだけこの道路が高く盛り土されたということだ。頬を撫でる風。空を優雅に飛ぶ鳥たち。目を閉じれば、ここが被災地であることを忘れることができる。しかし、この足下に、この盛り土の下にかつての町があるのだった。この新しい風景は、ここにあった風景を破壊して完成したものなのだ。だからせめて、この盛り土の上では、人

写真7　火力発電所を誘致した町長を讃える石碑と、広野火力発電所の煙突

と人の笑顔が交わるのを願いたい。町を破壊してできた風景がネガティブなものになってしまったら、壊されたものは浮かばれない。

防災緑地を単なる「コンクリートの壁」にしないよう、法面(のりめん)には苗木が植えられていた。細々とした苗木の頼りなさが、この地の将来の厳しさを暗示しているような気がした。添え木の支えがなければ、絶えず厳しい海風に裸のままさらされることになるだろう。ここが緑地と呼べるほどになるまで、あと数十年はかかる。木々は太く育ち、このコンクリートを覆ってしまうほどになるだろうか。そしてその頃、廃炉作業は終わっているだろうか。町は、そして町民は、豊かな暮らしを謳歌しているだろうか。強い添え木に支えられますようにと、願うほかない。

今こそ訪れたい楢葉町

防災緑地の道を北上し、一旦ロッコクに戻る。しばらく北に車を走らせると楢葉町だ。楢葉町は二〇一五年九月に、すべての居住規制を解除した。町のウェブサイトを見てみると、もともとの人口が七〇〇〇人なのに対し、二〇一八年四月時点での町内居住者は三三〇〇人あまり。居住率は五割近くにまで回復している。二〇一六年の四月時点ではたった五〇〇人だったのを考えれば、それだけ帰還が進んでいるということであり、素直に喜ばしい。通りに目を移すと、居住率五割という数字以上に人の息吹を感じる。新しく建てられている住宅も多いし、集会場など公的な施設の再建もかなり進められているそうだ。これから戻ってくる人はさらに増えていくだろう。

楢葉町を流れる木戸川は鮭の名産地で知られる。原発事故前は採卵・孵化事業で毎年一五〇〇万匹近い稚魚を育て、川に放流していた。その稚魚が成長して戻り、毎年七万匹から一三万匹が木戸川を遡上したという。東日本大震災では甚大な被害を受けた。津波によって孵化設備が壊され、町民の長期的な避難が続くなど、鮭漁がほとんどできない時期が続いた。しかし、現在では、漁はすでに再開され、孵化設備も復旧。稚魚の放流量も年々増え続けている。木戸川の鮭は木戸川に戻る。生ぬるい言葉かもしれないが「ふるさと」という言葉が思い浮かんだ。慣れ親しんだ土地に戻りたいと願う人たち。戻らないという選択をした人たち。なぜそのような分断が引き起こされたのか。ふるさとを真っ二つにしてしまった原発事故の悲惨さが、この木戸川には流れているような気がする。そして、その悲しさを乗り越えるようにして、今年もたくさんの鮭が戻る。

とはいえ、木戸川沿いを海側に出ると、殺伐とした光景が視界に飛び込んでくる。廃棄物の貯蔵施設だ。廃棄物の種類によっていくつかのエリアに分けられていて、膨大な廃棄物の上に、黒やら青やら緑のシートがかけられていた。原発事故が生み出した膨大なゴミ。あの原発事故が「人災」ならば、これらの廃棄物もまた人が作り出したものだ。健康に害を及ぼすとか、被曝線量が上がるとかそんな話をするつもりはない。適正に処理されれば、このゴミが健康に害を及ぼさないということは科学的に考えればよく分かることだ［写真8］。

しかし、これらのゴミを社会的に片付けなければならない。これはとても厄介だ。政治的な友敵の

写真8　楢葉町の廃棄物置き場。緑のシートが被せられている（2017年撮影）

分割が社会を覆うなかで、どうやってこの核のゴミを社会として受け入れていくのか。廃棄物の受け入れによって、これまで以上に厄介な分断が生まれるだろう。しかし、政治も行政もメディアも、その分断を埋め合わせようとはしない。彼らはいつも暴力的に何かを決め、ためらいもなく、そして事務的に上から押し付けていく。そして現場の人たちに分断の埋め合わせを放り投げていくだけだ。

今の被災地とて、猛然と働く地域の担い手がいたから、たまたまコミュニティが保たれているにすぎない。全国の原発廃炉が進めば、それだけ廃棄物も出される。その意味で、県外に住んでいる人たちも無縁ではない。私たち一人ひとりに突きつけられた問題でもあるのだ。原発廃炉を望めばこそ、廃棄物の処理について、どこかにその決断の責任を負わせるのではなく、社会全体で議論を深め、皆で考えなければならないはずだ。

ここからは完全に個人の妄想を書く。寝言と非難されてもいい。私は最終処分場を福島県内、浜通りやいわき市に作ってもいいのではないかと考えている。

ただ、引き受けるのには条件がある。処理場そのものを学習施設にしてしまうことだ。適正に処理されているか、数値は安全なのか、あとどのくらいすれば半減期を迎えるのか。そうしたデータをすべて公開しつつ、原子力そのものを考え、原発事故を振り返り、人間の英知と愚かさの、その両方を考えるための場にしてしまうのだ。

学習施設化、観光地化は徹底した情報公開とセットだ。何ら利権を持ち得ない観光客が国内外から入り、自由に好き勝手に語れる場だからこそ、安全を保つだけではなく、安全に関わるすべての情報を公開しなければならない。そうして敢えて「ＮＩＭＢＹ（ノット・イン・マイ・バックヤード）」の構造を表面化させ、人間はこのゴミといかに付き合うべきなのかを問う施設にする。原発廃炉資料館のようなものをセットで作ってもいいし、美術館や博物館の機能を持たせてもいい。そこで突きつけられた問いに、観覧者はすぐには答えを出せないかもしれない。しかし問い続けるということが必要なのだ。忘れないためにこそ。

最終処分場は、辛いとか見たくないとか言っていられるものではない。結局、どこかには作らないといけないものだ。であるならば、その存在を逆に利用し、処理を社会から漂白するのではなく、むしろ厳然たる事実として突きつける。それによって原発事故を語り続けるという方法があるのではないだろうか。

もうひとつ、ここから世界に訴えて欲しいことがある。エネルギーについて考えるということだ。木戸川の河口の側には天神岬スポーツ公園がある。公園の中にある展望台からは、楢葉沖に設置された「洋上風力発電」の実験施設が見える。太平洋上に浮かぶ風車。現在は実証実験中だが、実験の結果次第では、再生可能エネルギーの生産の場となっていくだろう。

首都圏に電気を供給し続ける広野火力。ギリギリの状態でなんとか耐え抜き、大惨事を免れた福島第二原発。日本の原子力政策の夢と現実をどこまでも訴える福島第一原発。そして、未来のエネルギーとしての風力発電。これらを俯瞰して見ることができる場所は、世界でここしかない［写真9］。

少し足を伸ばして常磐炭鉱を見るのもいいし、石炭の積み降ろしのための戦略港として完成する小名浜東港を見てもいいだろう。浜通りへの観光

写真9　楢葉沖に見える洋上風力発電実証施設の風車。未来のエネルギーになり得るか

で、私たちは、エネルギーとは何か、私たちの生活が何によって成立しているかを観光客に突きつけることができる。私たちは、もの言わぬバックヤードではなく、ものを言う、人々の思想を問うバックヤードになるべきではないだろうか。

実は、そんな動きがすでに始まっている。二〇一七年一二月、埼玉県加須市にある不動岡高校の生徒たちが福島県浜通りでスタディツアーを行った。これは、福島県と県の観光協会が企画した高校生向け研修旅行のモニターツアーとして開催されたものだ。私は、元東電社員で廃炉に関する情報発信を行っている一般社団法人AFWの吉川彰浩とともにガイドとしてそのツアーに参加し、勿来から小名浜、さらに常磐炭鉱のあった内郷までの各地区をガイドした。

生徒たちの学習テーマは「エネルギーを学ぶこと」だった。すでに、原発事故のあった福島県浜通りをエネルギーについて学ぶ教育観光地として認識し始めている人たちがいて、福島県も、それを観光コンテンツとして押し出そうとしている、ということだ。生徒や先生のモチベーションも高く、発電やエネルギーについて何度も事前学習を行うほどの力の入れようだった。理解も早く、問題意識も非常にクリアだったことに驚かされた。私は、エネルギー産業を受け入れた地域に何が起き、何が残ったのか、まさに本書でここまで書いてきたことと同じことを語らせてもらった。生まれて初めて浜通りを訪れた彼らは、この地で多くのことを学んだことだろう。彼らのような存在は、まさに被災地の希望ではないか。

楢葉町には、もうひとつ希望が生まれている。地元の若い地域づくりの担い手たちが中心になってリノベーションされた「木戸の交民家(こうみんか)」というスペースである。住民が戻りはじめた楢葉で、この交民家は、地元の人たちと外からやってきた人やボランティア、原発廃炉に関わる人たちのゆるやかな交流を生み続けている。一緒に田植えをしたり、収穫を喜んだり、気楽に酒を飲んだり、企画は様々。そのような「緩衝地帯」があるからこそ、多様な選択や立場の違いを受け止められるようになるのだろう。これからの浜通りを支える場所に、確実になっていくはずだ。

富岡町から帰還困難区域へ

天神岬を下り、ロッコクに戻って再び北上すると、ほどなくして富岡町に入る。政府は「帰還困難区域」を除いた、富岡町内の「避難指示解除準備区域」と「居住制限区域」のふたつの区域の避難指示を、二〇一七年四月一日に解除した[図1]。北部の一部が帰還困難区域に指定されているものの、避難指示解除準備区域と居住制限区域で町の人口の七割を占めている。町民の帰還や復旧作業をより円滑に進めるため、コンビニやホームセンター、食堂などがすでに営業を始めていて、町役場も業務を再開している。復興の槌音がけたたましく鳴り響く町だ。

商業施設の柱になるのが「さくらモールとみおか」。ホームセンターとフードコートがすでにオープンしていて、フードコートにはゲンロンが発行する『福島第一原発観光地化計画』にも登場する藤田大が関わる飲食ブース「浜鶏」がある。「浜鶏」と書いて「はまど〜り」と読む。ラーメンと親子

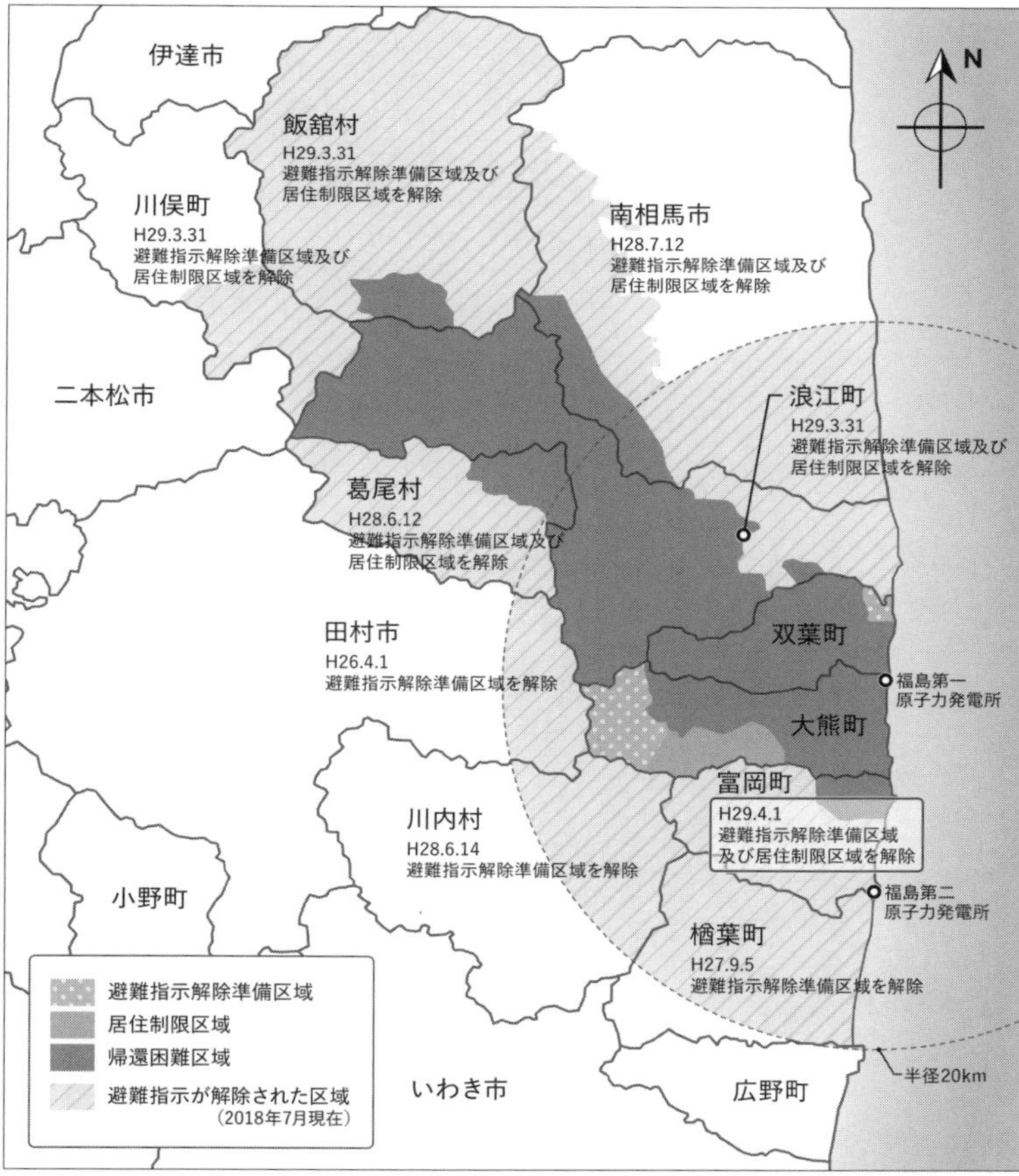

図1 避難指示区域の変遷　福島県ホームページ「避難指示区域のイメージ」をもとに制作

丼がメインのお店だ［写真10］。

この店を運営する鳥藤本店は、もともとは富岡町にあった食品会社。戦後、鶏肉屋からスタートしたものの、地元のお祭りで鶏をシメてラーメンを提供したところ大人気となり、それを契機に食堂をオープンさせたという歴史を持つ。そこから地域の企業への給食や仕出し事業を始め、東京電力相手の商売も始まった。震災まで長年にわたり原発作業員の給食事業などを手がけていたそうだ。そこで、会社のルーツである「鶏」をメイン商材に据えたのだという。

ラーメンと親子丼と、どちらにしようかと迷ったが、面倒なので両方注文した。おばちゃんに「ふたつ食べるの?」と驚かれたが、腹が減っていたのと、ラーメンのスープが鶏ベースでスッキリしていたこともあり、意外とサクッと胃のなかに収まってしまった。親子丼の方は、もう少

写真10 浜鶏があるさくらモールとみおか

し味が濃くてもいいかなと思ったものの、「ラーメンの付け合わせ」と考えれば丁度良い。ちなみに両方とも七五〇円（取材をした二〇一七年一月時点の価格）なので、ふたつ頼むと一五〇〇円。安いランチではないが、富岡の復興を感じつつ、町への応援も込めての価格だと思えば高くはない。富岡町を訪れることがあったら、ぜひ味わってもらいたい。

さくらモールを後にした私たちは再びロッコクへと戻る。北上すると帰還困難区域だ。大熊町、双葉町、このふたつの町を通るロッコクは、全区間で帰還困難区域に指定されている。ついさっきまで復興の槌音が感じられたのと打って変わって、この地では、七年間変わらない無音の景色が続く。いや、変わらないように見えて、木々はさらに生い茂り、家は朽ち、店舗は錆びつき、まさに本当の意味での「風化」が見て取れる。民家の前にもゲートができている。ここにあった暮らしが、そして日常が、根こそぎむしりとられてしまったままだ［写真11］。

私は、この光景を、多くの人たちが見るべきだと思っている。ここに暮らしてきた人たちには怒られるだろう。それでもやはり多くの人たちが見るべきだと思う。それは別に福島の被害のひどさや、原子力災害の過酷さを強調したいからではない。何かもっと別の、もっと根源的な問いをこの光景がもたらしてくれるからだ。その問いは、自分の暮らしや人生に影響するはずだし、この地の復興に資するものだとも思う。だから訴えないわけにはいかない。ここに来い、これを見ろと。

「復興のためにこの場を訪れよ」「カネを落とせ」と言いたいわけでもない。むしろ逆で、気軽なドライブだからこそ、復興などという言葉にからめ捕られることのない、自由な発想が生まれるのだ。

初めから「地域課題の解決のため」というお題目をつけていたら、そこから抜け出すことができず、目の前に現実を積み上げられてどこにも到達できなくなってしまう。むしろ自由に考え、好き勝手に語り、自分なりの問いをぶつけられるような土地になってもらいたい。「復興」という内向きの磁力が強い土地だからこそ、思い切り外に開くのだ。

やがて、この町も帰還が進み、かつての姿を取り戻していくだろう。もちろんそうなるべきだし、それが多くの町民たちの望みでもあるはずだ。しかし、かつての姿が戻った時、そこに原発事故を語るものが何もなくなってしまったのでは、あの事故はなんだったのかということになってしまう。震災と原発事故の記憶が、どの風景からも感じ取れなくなったら、後世の人たちは何を頼りにこの悲劇を学べばいいのだろうか。復興とは「何

写真11　大熊町の国道6号線。家の出入口がゲートで塞がれている（2018年撮影）

ごともなかった状態に戻す」ことではない。いささか暴力的な言い方になるが、復興が進む前にこの地を訪れることを勧める。当然、復興は進んで欲しい。しかし、今でなければ見えない風景もある。今、見ておいて欲しいのだ。

複雑な分断を抱える浪江町

双葉町の北の浪江町。ここも復旧のまっただなかにある町だ。浪江町は、ロッコク沿いの市街地の多くが居住制限区域と避難指示解除準備区域に指定されている。一方、テレビ番組の人気企画「DASH村」のある山間部の多くは帰還困難区域。町の中心部は復旧が進んでいるが、帰還困難区域のある山間部は除染も難しく、再建の見通しが立っていない。このように町内でまったく異なる状況が生まれてしまっている。

政府の原子力災害現地対策本部は、帰還困難区域を除く二区域の避難指示を二〇一七年三月三一日に解除した。居住制限区域と避難指示解除準備区域の二区域に人口が集中しているため、まずはその二区域を先行的に再開発し、復興拠点にしたいと考えているようだ。JR浪江駅も下り線のみ同年四月一日に再開された。上り線の浪江−富岡駅間だけは不通だが、浪江以北の復旧が完了したことになる。

一方、漁港のあった沿岸部の請戸(うけど)地区にも足を運んでみると、中心部とは景色がまったく違っていた。五年くらい前に宮城や岩手の沿岸部で見たような景色に似ている。瓦礫はきれいに片付けられているものの、解体を待つ住宅がぽつぽつと残り、まだ完全に更地にはなっていなかった。ここに大勢の人たちが住んでいたのだろうと想像はできるが、どこに何があったかまでは部外者の私は想像することができない。かつてここには、地酒「磐城（いわき） 壽（ことぶき）」の蔵元である鈴木酒造店があった。日本一海に近い酒造として知られた酒蔵だ。ただ、残念ながら、町民でない私はこの風景のどこに酒蔵があったのか分からない。浪江の地で酒造りが再開するのはいつだろうか。目の前の荒涼たる景色を前に、私は必死になって酒の味を思い出そうとした［写真12］。

町と海で異なる風景。山はさらに異なる。浪江町は東西に長く伸びた形をしており、西側の山間部の面積がとても大きいのだが、その山間部がみな帰還困難区域になってしまった。そこにあった暮らし、歴史、伝統や文化、そのすべてが事故によって奪われた。ＤＡＳＨ村のある津島地区の住民たちは、国と東電を相手取って原状回復や完全賠償を求める「ふるさとを返せ 津島原発訴訟」を起こしている。原告は二〇〇世帯を超え、七〇〇人近い住民が訴訟を起こしているのだ。暮らしを奪われた不条理に対する叫びは悲痛だ。このような集団訴訟は、もっと広く報道されるべきだと思っている。

そんな複雑な事情を抱える津島地区で、「ＤＡＳＨ村を復興拠点に」という報道が飛び出したことがあった。二〇一七年一月、当時の原子力災害現地対策本部長だった高木陽介副経済産業相が、浪江町の馬場有町長と東京都内で会談した際、農業再生と風評被害克服のシンボルとして復活させたいという考えを伝えたものだ。住民の集団訴訟が起きている地区で、テレビで有名だからという理由で

DASH村が利用されかけた。番組プロデューサーの反論などもあったから実現は難しいだろう。だから放っておけばいいのかもしれない。しかし、ふとした発言だからこそ政府や国のホンネが見えてしまった。住民訴訟が起きている土地で、地域住民の声をかき消し、元気や安全性を率先してPRする前に、政府は津島の人たちの声に真摯に耳を傾けるべきだ。

そして、一連の報道やSNSでのやりとりで、「当事者」という言葉がいかに歪んだものであるかも露見した。外部からの声に対し「当事者以外は福島を語るな」と激昂していたような大勢の匿名アカウントが、今度は「津島はDASH村を受け入れるべきだ」と叫んでいた。津島に暮らしている人が「津島のことは津島が決めるから黙っていろ」と言ったらどうするのだろう。結局、みんな都合よく「当事者」を使いた

写真12　甚大な津波被害を受けた浪江町請戸。少しずつだが復旧が始まっている（2017年撮影）

写真13　ロッコクより浪江・小高原発の建設予定地方面を望む（2018年撮影）

いだけなのだろう。だったら初めから「当事者」という言葉で壁を作らなければいいはずなのだが、結局、誰もが当事者になりたい、当事者になって気に入らないヤツをこきおろしたい。そういうことなのかもしれない。

あり得たかもしれない原発

さらにロッコクを北上すると南相馬市小高区へと入る。実はこの小高には「東北電力浪江・小高原子力発電所」の建設が予定されていた〔写真13〕。一九六〇年代に計画が持ち上がり、さまざまな紆余曲折、そして福島第一原発の爆発事故を経て二〇一三年に断念されたが、福島県は、さらにもうひとつ原発を持とうとしていたわけだ。それを知る人はあまり多くないかもしれない。貧しかったのだと思う。ロッコクの風景がそれを物語っていた。確かに大きな交差点沿いには店舗もあるのだが、すぐに荒涼とした景色になる。その荒涼さは、東北然とした山村の光景とは明らかに違う。同じ福島県の中通り、郡山市や福島市を通過する国道四号線とも違う。私が小名浜の工場地帯のそばで毎日見る景色に似ていた。どこか殺伐としているのだ。

あったかもしれない、もうひとつの原発。その存在は、とても重い問題を問いかける。原発が、その土地にそもそもあった文化を奪い去り、原発一色にしてしまうということだ。初めは、原発によって経済を潤し、地域を豊かにしたいと願って受け入れられる。しかしいつの間にか当初の理念が失われ、原発がなければ生きていけない土地になってしまう。爆発した福島第一原発もまた、震災前まで七号機、八号機を増設する予定だった。福島第一原発（一号機から八号機）、福島第二原発（一号機から四号機）、浪江・小高原発が建設され、すべてが稼働していた未来もあり得たのだ。

原発事故後の二〇一一年、福島県浪江町議会は「東京電力福島原発の廃炉を求める決議」を賛成多数で可決した。当時の決議では、「東京電力福島第1原発事故により、我が国の原子力安全神話は完全に崩壊した」と断言。「事故は、町民の命や健康を脅かし、暮らしや家族、心までも引き裂き、浪江の豊かで美しい自然と歴史ある風土を放射能で汚染した」、「『町民の暮らしと原発は共生できない』ことが明確になった」としている［★1］。

人間は簡単に色々なことを忘れていく。ここに新しい原発を立てようとしていたことも、原発を作ろうとしていた自治体がこのような決議を出していたことも。もしかしたらあったかもしれない原発。それは幻ではある。しかし、この小高の、美しい白鳥が飛来するロッコク沿いを走っていると、幻が見えてくる。見えないからこそ、あり得たかもしれない歴史を想像してしまうのだ。ここに原発が建っていたら、小高はどうなっていただろうか。発展していただろうか。そしてほかの土地も、そうなりたいと願っただろうか。小高の美しい自然と幻の原発は、私たちに多くの問いと想像を与えてくれるだろう。

私のロッコクのドライブはここまでだ。本来は福島県の最北端まで書きたいが、このエリアに絞ったのは、このルートが「エネルギーとは何か」「原発とは何か」について、私の暮らしの目線で語れるエリアだからだ。もちろん相馬やその先の新地町まで出かけたことは何度もあるし、それなりの紹介文を書くことはできる。しかし、自分の生活エリアとは遠く、従って思い出や個人の記憶とともに語れる場所があまりにも少ない。自分の思い出や思い入れ、個人の感情と目の前の風景がリンクしていく「コミュニティ・ツーリズム」の観点から、勿来から南相馬までをルートとした。これは、いまのところ私だけのツアーである。

福島第一原発観光地化計画の再考

復旧作業を進めなければいけないときには、実利的なもの、必要最低限のものを急いで整える必要がある。そこでは、人々のクリエイティビティやイマジネーションはむしろ邪魔になるかもしれない。空想や妄想に付き合っている暇はないという人もいるだろう。

しかし、災後の時間経過に関係なく、私は空想や妄想や想像を遮断してはいけないと思う。百歩譲って震災直後はそれが最優先とされなくとも、復旧がある程度進み、地域の魅力を再生していくとき、あるいは、なくなった命に思いを馳せるとき、その地域には想像力のようなゆらぎのあるもの、外部的な目線が必要になってくる。もしかしたら移住してくれるかもしれない人や、何の利害関係もなく本音を提示してくれる人、そのような外部を受け入れる余白が必要になるはずだ。私は、その余白は観光によって作られると考えている。

地域づくりの観点だけではない。外部的な目線を受け入れていくことは、原発事故の当事者を拡大するということにもつながる。福島第一原発事故が何を奪い去ったのか、それを知るためには、国や東電の調査だけでは不十分だ。もしかしたら、遠くの地に暮らす人や、原発事故とは関係ないと思っていた人でも、観光によって福島と関わりが生まれることで「これも被害と言えるのかもしれない」という気づきや、意見の発露につながるかもしれないからだ。当事者の限定は、原発事故の被害を矮小化することにつながりかねない。言うまでもないことだが、原発事故の被害は、医学的被害や経済的被害に留まらない。社会的な分断や文化の喪失など、数字に表すことのできない被害のほうがむし

★1 「福島原発廃炉求め決議　浪江町議会 双葉郡で初」、しんぶん赤旗、二〇一一年一二月二二日。URL=http://www.jcp.or.jp/akahata/aik11/2011-12-22/2011122204_01_1.html（二〇一八年七月二四日閲覧）。

ろ大きいと感じている。その被害の実態を知っていくためには、当事者を限定することなく、すべての人が当事者だと捉えていかなければならない。

外部の目線というのは、空間的な外部に留まらない。過去に暮らした人、震災の犠牲になってしまった人、未来に生まれる人、そのような時間的な外部も含まれるだろう。すでにこの世からはいなくなってしまった人たち、これから生まれる命に対するまなざしを抜きに、震災と原発事故、地域づくりを語ってしまってはいけないのだ。時間的な外部をいかに受け入れるのかについては、第三部で文化やアートを軸に考えていく。

震災や原発事故から時間が経つほど、いつまでもネガティブなことを語るな、それは風評加害だと非難されるかもしれない。しかし、反対に、時が経てば経つほど、そうした原初的な問いを、私たちは取り戻さなければならないのではないだろうか。人は容易に忘れる。しかも、私たちは当事者だからこそ忘れるということがある。灯台下暗しという諺があるように、よその人たちに指摘されて初めて、私たち自身が忘れている大事なことが再発見され得る。

本書は、「はじめに」でも書いたように、ゲンロンが発行した『福島第一原発観光地化計画』という本に強く影響を受けた。私もまた、福島第一原発周辺を観光地化し、多くの人にこの地を見てもらうことが復興に欠かせないと思う一人だ。

発行当時は大きな批判を浴びた同書。私もそのすべてに賛成であるわけではない。しかし、福島第一原発やその周辺に人が訪れ、たくさんの人たちに見てもらい、ゆるやかな関わりを作るという思想は、とても希望に満ちあふれていると思う。

その観光は、自治体やツアー会社が提案するようなマスツーリズムだけでは不十分だ。ここに暮らす個人の記憶や思い出、かつてその町に住んでいた人たちの思念のようなものに触れられる小さなツアーでなければ、地域の魅力や課題を浮かび上がらせ、聞こえなかった誰かの声を届けることはできない。今まで見えていた世界ではない、もうひとつのあり得たかもしれない世界を想像すること。それが観光の醍醐味だろう。本書がたびたび私個人の体験やライフストーリーを記してきたのも同じ理由だ。私の小さな、そして勝手なツアーを通して、これまでは伝えられなかった被災地の姿を感じ取り、復興とは何だったのかを考え、想像してもらうこと。それは本書の大きなテーマのひとつである。

もちろん、私が案内することで生まれるバイアスもある。だからまずは、この地をドライブしてみて欲しい。本書に書かれたことより、圧倒的に強い現実がロッコクにはある。私たちは、いずれこの風景を当たり前の日常風景としてしか認識できなくなっていくだろう。だから、皆さんに来て欲しい。来て、ここが面白い、ここが酷いと好き勝手に語ってもらいたいのだ。魅力は膨らませ、課題は少しずつ解決すればいい。福島第一原発周辺を観光地にすること。それは被災地を「不幸の地」に固定しない。外の目線に晒すことで、この地によりよい復興をもたらそうという意志にほかならない。だからどうか、安心してロッコクを観光して欲しい。ロッコクに散らばる若い地域づくりの担い手たちが、皆さんの声を活かしてくれるはずだ。

第6章　原発をどうするのか

原発事故によって一度開けられてしまったパンドラの箱。そこから飛散したおびただしい量の汚染物質は、多くの人たちの心のなかに残り、人々の連帯やコミュニティを傷つけてきた。同じ地域で、同じようなライフスタイルを謳歌していた私たちは、突如として、何を食べるか、どこに住むか、どこで子どもを遊ばせるかといった選択の違いに向き合わざるを得なくなった。これまで体験したことのない「異なる他者との共生」に、私たちの心は疲れ果て、それぞれの選択を尊重する余裕をなくしているようにも見える。

バラバラであることに耐えられなくなった心の反応だろうか、科学や経済的合理性を持ち出すことで、多様な選択を切り捨てるような動きも起きている。同じ原発事故の被害者同士であるにもかかわらず、他者の選択を政治的な友敵の関係に回収し、お互いを対話不可能な領域に押し込め合ってしまうような動きも目立った。福島第一原発事故は、人々の心を、これまで以上に大きく傷つけ、社会の連帯を破壊してしまったように見える。そのようなポスト原発事故の時代の日本で、私たちは何を拠り所に福島を伝え、いかにして課題を解決していくための連帯を取り戻していけばよいのだろうか。

ただでさえ殺伐とした時代に、私たちはさらに厄介な放射性廃棄物の問題を処理していかなければならない。処理するために一〇万年が必要とされる高濃度の廃棄物。原発を好むと好まざるとに関わらず、いやむしろ原発を廃炉にすればするほど廃棄物は生まれ、私たちは一〇万年もの間、それを監視し続けなければならない。原発はなくなっても、廃棄物という負の遺産と、未来永劫付き合っていかなければならないのだ。

ばらまかれた放射能といかに向きあうか、そして、廃棄物をいかに受け入れるのか。原発事故によって深く分断された社会では、そのような社会問題は、すでにそうなっているように容易に政治的友敵に回収されていくだろう。社会問題は棚上げされ、被害者同士の分断を、しめしめと見ている人たちすらいるかもしれない。しかしそれでも、私たちが生み出したツケを遠い子孫に残すことのないよう、自分たちの代が終わらないうちに、この問題の解決の糸口を探り出す責任がある。

この面倒な問題と向き合うには、放射能や廃棄物の問題を、福島の問題としてではなく、共通の地域課題として捉える必要がある。一人の市民として、いかにこの問題を直視する仲間を増やし、いかに共通課題としてぶつかっていくのか。誰かの判断に依存するのではなく、権威にすがるのでもなく、皆がそれぞれに自分の問題としてアクセスし、できるだけ納得のいく答えを出していくための「心の態度」のようなものを、この第六章では提示していくつもりだ。

その「心の態度」についてあらかじめ結論を提示するとすれば、原発事故に真の当事者などいない、真の当事者など作らないということだ。皆が当事者として、それぞれに原発事故やエネルギーについて考え、その考えを自由に述べることができ、気軽に福島にアクセスすることができる。そのような環境があって初めて、放射能や廃棄物の問題は、共通の社会課題になっていくのではないだろうか。そのために、私たちにもできることがある。関心を起こし、外部を拒まず、対話を繰り返し、問題を提起し続けること。原発を、そして原発事故を間近に見てきた私たちにしか伝えられないことを考えること。その思考プロセス自体をオープンにしていくこと。

アイデアならいくつも湧いてくる。当然、私だって結論が見えているわけではない。まだまだ問いの途中だ。私は専門家ではない。しかし、専門家ではないから、葛藤も迷いも怒りもそのまま書くことができる。その葛藤や迷いが、あなたと福島を近づける何かしらの結着剤のようなものになるのであれば本望だ。ともに福島を考えていく仲間を見つけ、ゆるやかに連帯していく可能性を探りたいからこそ、私は今、葛藤も迷いも切り取ることなくこの文章を書いている。

大阪の事件から

ある象徴的な事件から、この章を始めたい。二〇一五年八月一三日。福島から遠く離れた大阪府高槻市にある物流会社の駐車場で、顔や手首を粘着テープでぐるぐる巻きにされた、当時一三歳の少女の遺体が発見された。その後、少女は同級生の少年と二人で行動していたことが分かり、名前と顔写真、防犯カメラの映像などが公開されたうえでの捜査が始まった。しかし、事件は最悪の結末になってしまう。少女が遺体で見つかった一週間ののち、当時一二歳の少年も遺体で発見されてしまったのだ。公開捜査の末の遺体発見だっただけに、世の中は大きなショックを受けた。関連するニュースが連日のように報じられたのを覚えている読者がいるかもしれない。

事件からおよそ一週間後、容疑者の男が逮捕された。そして意外なことが分かった。その男が福島で除染作業員をしていたのだ。これが報じられると、にわかにニュースの流れは変わっていく。除染作業員という仕事に対する偏見や差別意識が露わになってきたのだ。大きなきっかけは、容疑者の男が福島県内の除染を受け持つ作業員だったことが報じられた際、男が除染に関わっていた伊達郡川俣町の議会が、除染作業を当面中止するよう発注元に要請を出したことだ。当時の新聞記事によれば、町議会は「除染は個人の敷地に立ち入ることから、作業員と住民の信頼関係が不可欠だ。事件は、住民に大きな不安と恐怖を与えている」ため、「住民の安全安心が担保できる体制が整うまで」除染作業を中止および延期すべきなどと申し入れたという［★1］。

事件への関心が高かったこともあり、除染中止要請のニュースもまた大勢の人にシェアされ、ネット上で様々な議論が巻き起こった。その多くは、町議会の過剰反応を批判する声だった。まるで除染作業員＝犯罪者予備軍とでも言いたげな差別的な対応ではないかと。あくまで容疑者は容疑者であり、除染作業員が皆、犯罪傾向にあるわけではない。ほとんどの作業員は、日々真面目に除染作業に従事

★1　『「事件受け不安」　除染中止要請　福島・川俣町議会』、朝日新聞、二〇一五年八月二五日朝刊。

してくれている。こうした対応は必要のない偏見を生み出してしまう。

しかし、町議会の対応が敏感すぎるのにも理由はあった。事件当時の福島民報の調べによれば、福島県内で二〇一五年一月から九月末までに罪を犯して県警に摘発された除染作業員は、前年同期より三九人増えて一六七人を数えたという。摘発された除染作業員を罪種別に見ると、窃盗がもっとも多く、次いで傷害、覚せい剤取締法違反の順番だったそうだ［★2］。摘発数は二〇一一年一人、二〇一二年二六人、二〇一三年一五一人、二〇一四年一九五人と右肩上がりで増えていた。トラブルを起こしている除染作業員は確かに一部ではあるのだが、その一部が年々大きくなっているということが数字にも表れている。だから町議会としても作業の中止を申し入れるほかなかったのかもしれない。

根強く残る多重下請けと住民との軋轢

除染に関しては、「多重下請け構造」の問題が数年前からクローズアップされている。そもそも土木建築業界は慢性的な人手不足。そこに何千人という作業員が必要になるわけだから、人集めに難儀するのも当然だろう。最初の発注金額はかなりの額だとしても、そこからどんどん下請け企業が増え、それぞれの業者が中抜きしていけば最終的な賃金はどんどん下がってしまう。まともな現場作業員を集められず、半グレのような人たちが「とりあえず食えそうな仕事」として除染作業を選んだり、暴力団が日雇い労働者を強引にかき集め、福島に送り出したりする事態にもなってしまう。

実際、暴力団関係者が、組員を除染作業に違法に派遣して検挙されたという事件もあった。二〇一五年八月、飯舘村の除染現場へ作業員を無許可で派遣したとして、愛知県の山口組系組幹部の男らが逮捕されたのだ。当時の記事によれば、作業員の日当二万二〇〇〇円のうち六〇〇〇円を差し引きピンハネしていたという[★3]。複数の建設会社に除染作業員を送り込み、およそ一年間で一〇〇〇万円から二〇〇〇万円の売り上げがあったそうだ。除染作業そのものが暴力団の利ザヤになっているのだ。

県外の会社経営者が儲かるという理由だけで福島にやってきて、自分の地元で雇い入れた人間を除染や復旧現場に送り出す、いわゆる「人工出し（にんく）」も多い。実際に何人かに話を聞いたことがある。仕事と職人が集まれば簡単に始められるビジネスなので比較的手を出しやすいのだそうだ。「一日で一人五〇〇〇円はヌケる。二〇人雇ってたら一日で一〇万。一カ月で二、三〇〇万だもん、やめらんないよ」などと言う人もいた。そのような人が地元から集めてくる作業員たちの雰囲気を想像してみる。

★2 「【除染作業員の犯罪1～9月167人】」、福島民報、二〇一五年一〇月二〇日。URL=http://www.minpo.jp/pub/topics/jishin2011/2015/10/post_12399.html（二〇一八年七月二四日閲覧）。
★3 「除染で無許可派遣容疑　組幹部ら3人逮捕」、朝日新聞、二〇一五年八月一三日朝刊（愛知版）。

一部なのかもしれない。しかし、一部の人たちが事件を起こし、それが全体に影響していく。イメージだけではない。当然、除染作業の質にも影響を与え、復興は遅れる。

作業員を迎え入れる地元の住民との軋轢は、作業員の宿舎を巡っても引き起こされてきた。通常、作業員は、簡易的に設営されたプレハブ宿舎や、借り上げた一般住宅に宿泊するケースが多い。復興の前線基地となっている広野町などでは、一般の民家の門扉に「宿舎として貸します」といった内容の紙が貼られているのを当時はよく見かけた。しかし、田舎というのは話す言葉のイントネーションが少し違うだけで「ソトモノ」と区別されてしまうようなところだ。地域からの視線も厳しいものになりやすい。何かことが起きれば「除染作業員が来てから物騒になった」と思う人たちが増えてしまう。二〇一三年には、伊達郡保原町で作業員の暮らす宿舎の建設に対して住民から反対の声が上がったということも報じられた[★4]。

復興の担い手としての作業員

しかしながら、地域の復興のためには、作業員の皆さんに頑張って頂くほかない。帰還する人が増えるには、街の復旧復興を進めるのが第一だ。確かに、作業員に対するイメージはいいものではないかもしれない。軋轢もあるだろう。しかし、誤解や偏見が作業員のモチベーションを低下させることにもなる。「どうせ俺たちは鼻つまみ者だと思われてるんだろう」などと感じる人が増えてしまえば、仕事の質にも影響しかねない。作業員として浜通りに来た人が所帯を持ち、住民として移り住むことだってあるだろう。全国の山村で盛んに「地域おこし協力隊」の募集が行われているが、人口減に悩む双葉郡の自治体にとって、もしかしたら移住してくれるかもしれない作業員は、潜在的移住者としても貴重な存在である。

少女と少年が犠牲となる事件のあった二〇一五年当時、地元の人によれば広野町の震災前の人口およそ五〇〇〇人のうち、おおよそ二五〇〇人の住民が戻り、二五〇〇人程度の作業員が働いていたそうだ。住民のおよそ半分が作業員ということになると、彼らの日常の消費行動が地元経済を左右する。今後その影響は楢葉町、富岡町、浪江町などにも伝わっていくだろう。作業員なしの復興はあり得ないのだ。

対応として、実害を減らすために警察のパトロールを増やしたり、労働法規違反や違法な多重下請けを徹底的に摘発するということを、時間はかかっても粛々と厳正にやり続けるしかないのではないか。同時に、作業員が気軽に相談できる労働ユニオンのような組織のバックアップも急務だろう。私自身が痛感したことでもあるのだが、地方の零細企業では、当たり前に与えられるべき労働者の権利が、そもそも労働者に知られていない、知らされていないという問題がある。

★4　「除染作業員宿舎に反対」、朝日新聞、二〇一三年一二月一八日朝刊（福島版）。

不当な労働やピンハネなどを相談できるような窓口を作ることができれば、作業員の地位や労働条件を改善することにつながるし、作業員以外の、普通に当地で働いている人たちにとっても働きやすい土地になる。原発事故がもたらした問題を解決することを通じて、もともとあった問題まで改善してしまう。そのような横断的、包括的な取り組みが求められる。支援団体やＮＰＯなどが連携するなどして作業員と地域の人たちの交わる場を増やし、社会的地位の向上を図りながら共に地域づくりをしていくこと。時間はかかるだろうけれども、それしかない。

今でこそ除染作業の規模も縮小し、犯罪件数も減ってきているようだが、作業員の数がゼロになったわけではない。どこかでまた災害が起き、何かしらの大きな事業が必要になったときに、福島の経験が役立つこともあるだろう。作業員確保は何も被災地に限った話ではない。災害復興時に考えておくべき問題として想定しておいても、備え過ぎということはないだろう。

地域の担い手による具体的な取り組みも始まっている。二〇一七年七月に双葉郡楢葉町の木戸駅のそばにオープンした「結のはじまり」という小料理屋を紹介したい。震災後に移住した古谷かおりによるプロジェクトで、作業員と帰還住民の交流の場をコンセプトにしている。廃炉作業に従事する人はこの地に愛着を持てず、帰還した住民は作業員に不安を抱きがちだ。お互いにネガティブな気持ちを持ってしまっている。それを改善するため、まずは交流の場をということで立ち上げられたそうだ。古谷はかつて建築に関わってきた人間である。様々な人たちを巻き込みながら、ある種ゲリラ的に「場」を作る。こうした取り組みが少しずつ公共化され、作業員／住民の壁を壊していくのかもしれない。

機会があったらぜひ訪ねてみて欲しい。

放射能不安とどう向き合うか

除染作業員逮捕のニュースに話を戻す。この問題にもうひとつ論点を提示してみる。放射能に対するイメージという論点だ。もともと日本の神道には「ケガレ」という概念がある。ケガレについてはここで詳説はしないけれども、神社にお参りするときに手を洗う人は多いだろうから、ケガレと聞いてなんとなく「不浄なもの」をイメージできる日本人は少なくないはずだ。ここで考えたいのは、そのケガレと放射能の関係である。

もともと日本にあったケガレ思想に、チェルノブイリの事故、茨城県東海村ＪＣＯの臨界被曝事故などが複雑に絡みつき、放射能＝汚染＝ケガレというイメージが醸成されてきたと私は感じている。がん治療やレントゲンなどでは放射線が使われるから、放射能は私たちの健康に欠かせないものでもあるのだが、福島第一原発の事故によって、そのネガティブなケガレのイメージが爆発し、固定されてしまった。

放射能は、当然のことながら線量が高ければ健康被害も及ぼす。「量の概念」と言ったって、そんなことは学校でも教えてもらっていないし、そもそも安全神話が信奉された日本では、放射線防護のことなんてほとんど知られていない。だから余計にケガレと結びついて避けてしまう人が増え、被曝しても全く影響のない線量だとしても情緒的な忌避をもたらしてしまうのだ。政治的な立場でデマや差別を繰り返す人もいるが、未だに被曝を忌避し、不安を抱えた人たちもいる。それをいかに受け止めていくのか。これもまた浜通りの地域課題であろう。

放射能不安を受け止める三段階論

放射能への不安をどう受け止めるかという問題は、私の意識のなかでは震災から年を追うごとに変化している。個人的な体験と絡めて整理してみよう。震災直後の二〇一一年から一三年あたりまでは、物理学的、医学的なアプローチが主流だった。科学者や医者を呼んで学説の説明をしてもらったり、放射性物質についての基礎を学んだりというものだ。放射線の基礎を知ろうというような本も数多く出版された。当時、東京大学の教授だった早野龍五らのアプローチは、糸井重里との共著『知ろうとすること。』(新潮文庫、二〇一四年)にもまとめられている。

うみラボがスタートしたのも、二〇一三年の冬のことだ。データを取らなければ実際の状況が分からない。セシウムだヨウ素だストロンチウムだ、ベクレルだマイクロシーベルトだと、専門用語を調べていた時期である。もし、原発を多く抱えた日本で必須の学問として「放射線防護学」が普及していたら、このようなことを学ばなくてもよかったかもしれない。しかし、日本で普及していたのは安全神話だ。それが壊れれば、当然、こうした基礎的なものから学ぶ必要がある。これを仮に「啓発期」

としよう。

ところが、どうしても、その「科学」から漏れる人、不安を解消できない人や避難先から帰ってこない人、福島の食品を食べたくないという人が出てくる。それらの人をどう包摂していくのかというのが、二〇一四年から一五年にかけての問題になった。これは「対話期」として区分できるだろう。同じ時期に、環境省が主催するワークショップに参加したことがある。空間線量の測定ラボを運営する人、避難したママたちのケアを行う団体の代表、住民の対話集会を運営する人たちなど、原発事故後の福島で不安に向き合う活動を続けてきた人たちが参加していた。そこで話題になったのも、情緒的な不安に対するケアの必要性や、不安を抱えた人たちをいかに受け止めるかということだった。不安を抱える人を弱者として捉え、いかに包摂していくかという問題として放射能不安は語られていたのだ。医学的、物理学的問題から社会学的問題へと変わっていったと言っていいかもしれない。

私自身の言動を振り返ると、やはりちょうどこの頃から不安を非科学的だと切り捨てることにためらいを覚え始めるようになった。うみラボでデータを取り、それを元に発信は続けていたし、エビデンスが第一だと考えていたけれども、それを額面通りに受け取れない人を排除する必要はないと感じていたからだ。

議論の変化の潮目となった印象的な出来事をひとつ紹介する。歌手の大塚愛のツイッター投稿だ。二〇一五年三月に彼女はこのようなつぶやきを残している。

4年の月日が経って、薄れていく記憶とは反比例に募る放射能による子供への影響の不安。未だに食品には不安が多く、神経質に過ごす毎日には、起こった出来事の大きさを少しも忘れることはありません［★5］

案の定、この発言は大炎上した。福島県内からも、不安を助長する、福島差別だと様々な言葉が投げかけられた。対話期に入っていた私は、不安を排除するような発言に納得がいかず、「福島愛のようなものが暴走して不安を抱える他者を切り捨てることには賛成できない」というような主旨の投稿をツイッターにした。すると、大塚を批判していた人の矛先が私にも向き、私の投稿も炎上することになる。うみラボの活動を「デマ撲滅活動」だと支持していた人たちは離れていき、私も「不安寄り添い派」などというレッテルを貼られることになる。

今振り返れば、この「大塚愛事件」をきっかけに、不安とどう向き合うかの論調がはっきりと変わったように思う。まさに潮目だったのだ。この時大塚に批判的な態度を取った人は、今でもデマや不安の吐露に対してかなり厳しい態度を取り続けている。逆に、私のようなパターンは、明らかなデマと不安を切り分けたうえで、不安を解消できるようなアプローチも心がけるべきだという立場に今も立ち続けている。そして、この両者の分断が、意外にも根強く続いている。

もちろん、対話アプローチによってすべての不安が解消されたわけではない。信頼関係の端緒は築けても、食べない人は食べないし、帰らない人は帰らない。不安だからといって不勉強というわけではなく、むしろ、情報を精査したうえで食べないことを選択している人もいるはずだ。だから、こちらが正しい情報を持っていて、向こう側は間違った認識を持っているという態度では情報は伝わらないし、むしろ、情報を伝えようとすればするほど溝は深くなり、信頼関係が築けなくなる。

対話をしてみてつくづく痛感したのは、埋めようのない考えの違いだった。誰かの選択や立場をひっくり返すことなんてできないし、賛成／反対に二元論化した環境でそれをやろうと思うと、お互いに意見を強くぶつけ合うことになってしまい、どんどん対話の壁が高くなる。そうではなく、異なる他者の選択を尊重できる社会を目指すにはどうしたらいいのか、という問題意識に移行したほうが断然ヘルシーなのではないかと考えるようになった。かくして、二〇一六年、一七年の私の問題意識は、いかに異なる選択をした他者を受け入れるかというものに移行している。いうなれば「共存期」である。分断ではなく役割「分担」。そう考えなければやっていけないと思うようになった。自分の心の安寧を取り戻すには、相互不干渉的な共存を目指すほかないと。

★5 https://twitter.com/ai_otsuka99/status/575491284053307392

「閉じた福島」の象徴的事件

相互不干渉的な共存の道。それを考えていた矢先の出来事だった。二〇一八年四月。『週刊文春』にあまりにも衝撃的な記事が掲載された。東京電力の福島担当特別顧問で、本書にも名前が出ている石崎芳行が、南相馬市で復興活動にあたっていた女性Aと不倫関係にあったことが記事に取り上げられたのだ。

記事によれば、石崎は、南相馬市の女性Aと二〇一五年頃に出会い、翌年には男女の関係になり交際が続いたものの、二〇一七年頃から関係が悪化し、Aから石崎に対し「口止め料五〇〇〇万で手を打ちましょう」、「子孫の代まで汚名を背負わせる」といった恐喝めいた内容のメールを送る事態になったという。それを受け、石崎は二〇一八年三月末に辞表を提出し、東京電力の福島担当特別顧問を退任した。

これだけを見れば、東電の幹部であった男性と地元の女性の不倫劇で終わりだ。こんな痴情のもつれはどこにでもある話かもしれない。しかし、話はそれほど単純ではない。ひとつは、この女性Aが地元の復興の顔であったこと。そしてもうひとつが、この女性に対し、電気業界の団体や東電幹部から個人的に一〇〇万円単位の大金が支払われていたことだ。記事には、金銭に困窮したAがなんとか現金を得ようと、石崎に対し、自分を登壇させるトークイベントの開催を依頼し、その報酬として一〇〇万円を支払うよう要求したことが記されている。

Aは、南相馬や東京に拠点を持ち、数年前から学者や医師、メディア関係者の手厚い保護を受け、独自の「福島差別」論を展開してきた。「福島から来たと告げたら東京では放射能を理由に物件が借りられなかった」、「東京の病院で南相馬の保険証を見せると差別的に別室対応された」など、私個人はほとんど耳にしたことがないような酷い差別を受けてきたと彼女はメディアなどで語っている。

彼女を支えてきたのが、福島で率先して放射線の計測や情報発信にあたってきた東大教授の早野龍五、社会学者の開沼博、医師の坪倉正治らである。彼らは早期から福島へと入り、放射線の影響が非常に限定的であることを発信。科学的な理解を進めた立役者でもある。ここ数年は、Aらとともに被曝に関する冊子などを発行してきた。もちろん、これらが科学的に誤っていたわけではないが、ビッグネームがAを取り上げるほど、科学的見解よりも、Aの語る「福島差別」がメディアで語られるようになり、県民に対する差別の問題が、原発事故を語るある種のメインストリームになっていった。そして、その「福島差別」論の裏で、被曝を不安視する声や、避難先での生活自立に困難を抱える人たちの声はかき消され、むしろ「風評を助長する」として排除されてきた。

この動きは、「原発事故の語りにくさ」の問題ともリンクしている。二〇一七年には、福島関連デマの撲滅を目的に掲げた情報サイト「ファクトチェック福島」が、クラウドファンディングで五四〇万円を超える支援を獲得して開設された[★6]。ファクトチェック福島でも、Aの語る差別の話は大きく紹介された（文春報道以降削除されている）。このようなサイトがオープンしたことで、過去のデマは多少は潰されたのだろう。しかし一方で、一部の人たちによる過剰な「不安叩き」が横行したり、「差別」という言葉を拡大解釈し、自分と異なる意見を封殺するような攻撃的な投稿もまた広く発信され、同サイトには批判も集まった。

放射能に関するデマの多くは、原発事故直後、急進的な反原発勢力がネット上に投稿したものが多い。このため、デマを撲滅しようと思えば、それは容易に「サヨク叩き」へと発展していく。だからこそ、ファクトチェック福島のようなサイトは、公平性を意識し政治的なメッセージをできる限り退けなければならなかったはずだ。しかし、一度拡散した情報を抑制するのは難しく、「福島の大義」を手にした人たちを止めることは困難を極めた。

過度に政治的なメッセージがネット上で行き交うようになると、不安を吐露することばかりでなく、福島について語ること、それ自体が難しくなる空気が醸成されていく。間違った情報をつぶやいてしまったら福島の人に迷惑がかかるかもしれない。私もデマだと糾弾されるかもしれない。ネットでイチャモンをつけられそうだ。そんなふうに感じた人も少なくなかったはずだ。

この数年の「福島差別」論の中心にいたのがAである。しかし、文春報道が事実だとすれば、Aは、自分が被害者である、差別されているということを論拠に権威とつながり、のし上がり、東電の幹部に金を要求していたことになる。私は、Aの声や、彼女を取り囲む専門家たちの声を最大限尊重してきたつもりだ。しかし、Aの語る差別とはなんだったのか。結局彼女は、カネを得てのし上がりたかっただけではないか。彼女の声の裏で、どれだけの人が配慮を求められ、どれだけの人が議論から離れ、どれだけの人が自分のリスク判断を排除されてきたのだろう。ニュースを読んで心底がっかりしたのを覚えている。

今回の不倫劇を、単なる痴情のもつれの話で終わらせることもできる。しかし、Aを取り巻く環境、すなわち「福島について語ること」の環境を考えると、この不倫劇は、限られた人たちが、自分たちの都合のいい「被災者」を使って、自分たちの言説のみを正統とするような「閉じた言論環境」を作ってきた、その象徴であるようにも見える。

言論環境だけではない。金銭的なものもそうだろう。原発事故の被害者が円滑に紛争を解決することを目的に設置された「原子力損害賠償紛争解決センター（原発ＡＤＲ）」を取り巻く問題と比較すればよく分かる。

原発ＡＤＲを巡っては、福島県浪江町が町民およそ一万五〇〇〇人の代理人となり、慰謝料の増額を申し立てていた。原発ＡＤＲは一人当たり月一〇万円の慰謝料を一律で五万円増やす和解案を示し、町は受け入れを表明したものの、東電は一貫してこれを拒否。二〇一八年四月、原発ＡＤＲが和解手続きの打ち切りを通達するという事態になった［★7］。

町民一万五〇〇〇人の悲痛な叫びが切り捨てられたわけだ。新聞記事には、浪江町の馬場有町長の

★6　クラウドファンディングページは https://camp-fire.jp/projects/view/26293、ファクトチェック福島は http://fukushima.factcheck.site/
★7　「1万5000人ADR打ち切り　浪江町民7割、東電拒否で」、福島民報、二〇一八年四月七日朝刊。

「避難者に寄り添うどころか、突き放しているとしか思えない残念な結果だ」というコメントが紹介されている。手続きそのものが煩雑で苦労が伴う和解請求。町民はたった五万円の賠償金上乗せすら拒否され続けているのに、Aが要求すれば、電気業界の団体や東電幹部から個人的に一〇〇万単位の大金が出てしまうという、そのギャップ。そして、浪江の町民のような被害者の声に耳を傾けようとすることなく、自分の都合のいい被害者の声のみを拾い上げ、異論を排除しようという動き。そのような「閉じた福島」が、この事件には凝縮されている。

諦めからの共存

しかしながら、福島に暮らす人たちを差別視するような言説や偏見は確かに存在するし、「福島に人は住めない」「お前らはガンで死ぬ」などと呪いの言葉を吐かれ、苦しい思いをしてきた人たちもいる。差別や偏見が温存されれば、事故とは何の関係もない子どもたち、孫たちの代が差別に苦しめられることになる可能性もある。デマや差別が「ダメ」なのは言うまでもないことだし、差別されたと感じる人たちが差別を告発することは当然認めなければならない。

そもそもファクトチェック福島のようなサイトが立ち上げられたのも、メディアが正しい情報や復興の現状を公平に報じなかったからだ。在京メディアは汚染水のタンクや汚染土を入れたフレコンバッグは大々的に報じても、魚の放射線量が減退していることや、水揚げが回復しつつあることはなかなか報じてくれない。負の部分のみをセンセーショナルに報じたり、原発事故や福島県民の健康について数々のデマをばら撒いた武田邦彦のような似非科学者を登場させたりするような体質にこそ問題がある。頼りないメディアの代わりに鬼にならねばならなかったファクトチェック福島にも同情の余地はある。メディアや自治体に対して、正しく公平な情報発信をこれまで以上に求めていきたい。

そしてそのうえで、不安はゆるやかに受け止め、被曝忌避を、ある種のライフスタイルとして承認するというような道も用意すべきだろう。私たちから見れば風評被害を撒き散らしてしまうような人にすらも、正義や正しさがあるということを理解すべきだ。正義や正しさをぶつけ合っても問題は解決しない。考えの違いなんて埋められないんだという、ある種の「諦め」をベースに、正しい情報を広く発信しながら、なぜ人間は正しさや正義をぶつけ合わせてしまうのか、心理的なメカニズムや哲学の知を経由するような遠回りのアプローチも必要ではないだろうか。

神奈川県の三崎に事務所を構えるアタシ社という出版社が二〇一七年に創刊した『たたみかた』という雑誌がある［写真1］。創

写真1　創刊号で福島特集という尖った雑誌『たたみかた』

刊号の特集は「福島特集」。当時、ネットメディア「バズフィード」の記者だった石戸諭、福島の番組を何本も企画してきたNHKディレクターの山登宏史など、福島を伝える人たちを軸に据えたうえで、哲学者や僧侶にも話を聞き、なぜ人間は正しさをぶつけ合ってしまうのかといった問いを発する構成になっている。世の中が友と敵に別れ、互いに対話不可能な溝を作るなか、遠くを見つめる『たたみかた』のような、一見すると回りくどいアプローチも、これからますます重要になるのではないだろうか。

私は、放射線不安問題の根幹に「異なる他者の受け入れられなさ」という問題を見る。結局のところ、被曝に対する見解の違いや、それにまつわる分断の問題というのは、異なる判断をする人、異なる立場にある人、異なる考えをする人をいかに受け入れるのか、という問題に収斂されていく気がしているのだ。移民をいかに受け入れるかという問題にも似ているかもしれないし、多民族国家ではない日本の、伝統的宿痾とも言えるかもしれない。放射線防護学も必要だが、いかに価値観の違うものを尊重するかという、当たり前のダイバーシティ教育が重要ではないだろうか。もちろん、この「違う価値観の尊重」は、筆者に向けられたものでもある。

ただ、尊重といっても、すべての考えを受け入れる必要もないし、なんでもオッケーというわけでもない。適度の諦めを持つということかもしれない。ムスリムやビーガン、ベジタリアンと食卓を共にするとき、いちいちなぜ肉を食わないのか、なぜ野菜しか食わないのかと問いつめてもしょうがない。「お前は肉を食わないのか、そうか」で終わり。その程度の話だ。「君は福島県産を食わないのか、そうか」と、諦めをベースに選択を尊重する。そのほうが断然心の平静を保てる。もちろん、これは私個人の考えだから誰かに強制するというものでもないが、二〇一一年から放射能のケガレをめぐる喧噪に巻き込まれている私なりのライフハックである。

観光やアートによってケガレをハラウ

文化的なアプローチや観光の再起動も求められる。日本人にとってケガレといえば「ハライ」が効く。これまではケガレの地として認識され、危険視されていた福島をポジティブにアップデートさせるための装置が必要だろう。原発事故とはなんだったのか。数値だけではなく多様な表現によって可視化し、それを体験できるようなアートプロジェクトや観光ツアーなどが、まさにその装置にあたる。

二〇一五年から一七年度に、美術集団のカオス＊ラウンジが、いわき市で「市街劇」をコンセプトに掲げたアートプロジェクトを企画した。いわきの美術史や震災復興の負の側面に光を当てたツアー型のプロジェクトになっており、首都圏からたくさんのアートファンがいわきを訪れ、各地に展示された作品を見ながらいわきを観光した。カオス＊ラウンジの市街劇については第三部でふたたび詳しく紹介するが、復興を応援したいという人たちだけでなく、むしろ復興応援とは異なる動機で訪れる人たちや、美術作品がなければ福島になんて観光しなかったであろう人たちが動員された企画だった。

そのような企画は、「ハライ」としても有効性があるはずだ。

また、海外との接続も必要だろう。二〇一七年、韓国の友人の招きで、ソウルにある社会団体「青年ハブ」のカンファレンスに参加し、「うみラボ」の活動について講演をさせてもらった【写真2】。講演の冒頭で「福島を危険な場所だと思うか」と質問したところ、ほぼ全員が手を挙げたが、講演の後には少なくない人が活動に賛意を示してくれ、自らデータを取ろうという姿勢を評価してくれた。たった一度の対話でも、濃密な時間を共有することで思い込みが取り払われ、むしろ福島に対する興味関心に逆転していく。それを痛感するカンファレンスだった。

会議の次の月の一一月には、なんと七名の韓国人がいわきに研修旅行に来てくれた。小名浜の私の自宅に皆を案内し、小名浜のソープ街を歩き、福島が抱える問題を解説し、小名浜のソープ街を歩き、仲間たちと運営するオルタナティブスペース「UDOK.」

写真2 ソウル「青年ハブ」での講演の様子。社会問題に関心のあるソウルの若者が福島の話に耳を傾けてくれた　写真提供=Seoul Youth Hub

を案内した。エネルギーの話や、原発の話は韓国人の若者にとっても関心事であるらしい。一行は、このほか、いわきの各地を見て回り、福島の復興の現状を理解し、いわきの面白さを体感してくれたようだ。「いわきで日本語を学びたい」とまで言ってくれた女性がいたのには正直驚いた。

日本から一歩外に出ると、「福島には人が住めないと思っている」という人なんてざらにいる。そのような人たちのほうが多いだろう。そこにいちいち目くじらを立てていても仕方がない。むしろ、それをチャンスと捉えるべきではないだろうか。誤解があるからこそ、その誤解を解くことができたときに強烈なファンになってくれるのだ。それを韓国で体験してから、私は不安を抱える人の存在がさほど気にならなくなった。そんなのは当たり前だと思うようになったからだろう。それを前提に考えれば、とるべき対応も変わってくる。

今まで福島に関心のなかった人が思わず行きたくなってしまうアートや観光。思わず食べてしまいたくなる農産物や海産物。数百年にわたって練り上げられてきた哲学や思想に触れられる場。必要なのは、それだ。それらを作ることは、当然、福島の内側に住む私たちの暮らしをも楽しく、そして豊かにしてくれる。そして、そのような活動を繰り返す先に、魅力的な地域が生まれ、結果的にケガレが取り除かれるのではないだろうか。

そのうえで、今、福島で一番力のある場所はどこだろうかと考える。世界の人たちが見てみたい、できることならそこに立ってみたい。そんな場所がひとつだけある。それこそが福島第一原子力発電所である。

福島第一原発構内を視察する

震災後の福島で活動を続けて出会った方のなかでもっとも信頼している一人が、本書でたびたび言及している一般社団法人ＡＦＷの吉川彰浩である［写真３］。原発廃炉や汚染水問題について市民目線で情報発信を行いながら、福島第一原発構内の視察のコーディネートなども担っている。有志たちと運営している「うみラボ」にも毎回参加してもらい、福島第一原発沖で廃炉に関するレクチャーをしてもらっている。双葉郡内の地域づくりにも関わっていて、地域づくり系のイベントや対話集会などを通じていつの間にかつながっていた、そんな男である。

その吉川から声をかけられ、二〇一五年一〇月、震災後初めて、東京電力福島第一原

写真3　うみラボで廃炉状況を解説する一般社団法人AFWの吉川彰浩

子力発電所構内の視察に参加する機会を得た。うみラボの活動で、すでに何度も原発近傍には近づいていたけれども、海からの眺望は、旅行で訪れたお城の天守閣から町を見下ろすような、どこかのんびりとした物見遊山的な感覚があった。何度も行っていたから慣れてしまったということもあるのだろう。吉川がコーディネートする視察では、バスに乗って原子炉建屋の目の前まで近づくという。それで、とても興味が湧き、参加をお願いしたのだった。以下の記述はその視察をまとめたルポタージュである。私が当時目にしたもの、感じたことそのままお伝えする（以下、本章中の写真は、キャプションに明記がない限り、二〇一五年当時のものである）。

意外に聞こえるかもしれないが、東京電力はこれまで国内外の二万人近くの視察を受け入れてきた。東京電力福島復興本社の中には「視察センター」という部署があり、そこが窓口になっているのだ。それは、見学を受け入れられるレベルにまで現場の収拾がつき、除染によって線量が下がってきたということを意味する。私が見学した時、すでに白いタイベックスーツなどを着る必要はなく、簡素な装備での見学ができるまでに除染が進んでいた。

集合時間は午後一時。広野町のJヴィレッジに到着する。そこがかつて日本サッカー協会のナショナルトレーニングセンターだったことを分かりやすく示すのは、ロッコク沿いのゲートに置かれたふたつのサッカーボールと、本館入り口のドアにプリントされたサッカー日本代表の選手の写真くらいのものだ。原発廃炉のための最前線基地である。廃炉作業に携わる七〇〇〇人の作業員が毎日ここに集合し、それぞれの戦場へ向かうバスのターミナルになっていた。

Jヴィレッジに到着すると、中庭にあるテント式の事務所に通され、二〇名ほどの視察団全員で、東電社員から視察についての簡単なレクチャーを受けた［写真4］。東電が、廃炉に向けてどのような取り組みをしているのか、汚染水対策はどのように施されているのか。そのような説明である。説明の理解を手助けしてくれる手元の資料は実に詳細である。一号機から四号機の現状と課題、廃炉に向けたロードマップ、汚染水対策の資料、作業員確保と労働環境についてなどなど。吉川の説明では「これでも前に比べれば分かりやすくなった」ということだったが、あまりに説明が詳細で、私にはまだまだ分かりにくかった。廃炉作業の現状を伝える広報力が不足しているのだろうか。

しかし、東電復興本社が地元福島で展開してきたＣＳＲ（企業の社会的責任）の実績を記した「福

写真4　Jヴィレッジで行われた視察前講習での一枚。東電福島復興本社の代表だった石崎芳行の講話
写真提供＝一般社団法人AFW

島復興への責任を果たすために」という資料は、廃炉関連資料よりも簡潔で分かりやすく、しかも分厚い。こちらは広報力の充実ぶりを感じるものだった。事務所を見渡すと、そこかしこにポスターが貼ってある。大きく「福島復興への責任」と書かれていて、東電の制服を着た人たちが雪かきをしている写真が何枚も使われていた。分かりにくい廃炉資料と、とても分かりやすい社会貢献資料。そのねじれが気になった。

復興本社の石崎芳行代表(当時)もあいさつをした。「浜通りの復興のために、必ず廃炉を成し遂げる。時間はかかるが、私たち東京電力も福島復興の仲間に入れて頂きたい」と、そんな中身だった。それは偽らざる本音だろうし、いつまでも頭を下げろと言うつもりもない。立場上、そう言わざるを得ないことも分かっている。しかし、それは分かっていながらも、どうしても白けてしまう気持ちがあった。そう簡単に「一緒に手を取り合って頑張りましょう!」とはいかないものだ。東電には頑張ってもらうほかない。しかしそれは果たすべき責任であって、仲間かどうかというレベルの問題ではない。

一連の説明が終わると、ケータイなどの荷物をそのテント小屋に置き、いよいよ福島第一原発に向けてバスに乗り込む。国道六号線を三〇分ほど北上すれば福島第一原子力発電所、俗称「イチエフ」だ。

途中、楢葉町だっただろうか、コメの試験作付けをしている田んぼを通った。あとひと月もすれば収穫というところだったろう。モミは大きく膨らみ、風に揺れている。しかし、その豊かな稲の風景の奥には、一カ所にまとめられた黒いフレコンバッグが置いてあった。田んぼにフレコンバッグが置いてあったからといって、別にそのコメが汚染されていると言いたいのではない。土壌のセシウムがコメにはほとんど移行しないことなんて私でも知っている。前の年の試験作付けでも放射性物質は検出されなかったそうだ。除染の済んだ田んぼである。コメがうまけりゃ私だって食う。

しかし、放射性物質を入れたフレコンバッグが、頭を垂れる稲穂のすぐ奥に置いてあるという光景の異常さを改めて感じずにいられなかった。やっぱりおかしいよなと。もちろん、復興を目指す地域を応援しているし、営みを取り戻すために苦労している生産者を尊重する。試験作付けすることもおかしいことではない。そんなことは百も千も承知だ。しかしそれでも、その光景の、なにか次元がねじれてしまったような、本来ならあってはならないものを置かざるを得ないという異常さ、事故の影響の大きさが際立って感じられた。復興を喜ぶ気持ちと、なんでこんなことになったんだという怒り。その両方がぐるぐると頭のなかを回っていく。

かまぼこメーカーに勤務していた頃、配達のために何度かこのロッコクを通った。そのときは自分で運転していたが、今回はバスに乗っているだけ。自分で運転しない分、意識が散漫になり、自分の意識が体と切り離されていくような感覚になった。体はバスに揺られているのに、意識がふわふわと目の前の風景のなかで漂っているような、そんな所在なさが、かえって目の前のおかしな光景を際立たせた。

大熊町では、民家の前のバリケードが固く閉じられていた。金属のバリケードである。なぜここに住んでいた人は家に帰れないのか。そしてなぜバリケードなどがあるのか。誰が何の権利で置いているのか。見えない放射能ではない、目の前に見える金属のバリケードが、人がここに入ることを拒み続けていた。防犯上必要なのは分かっている。それでもこの金属のバリケードには、その金属が本来持つ重量よりも数倍重い、人間の業の重さのようなものを感じずにいられなかった。

ロッコクを右折すると、福島第一原発へ向かう一本道である［写真5］［写真6］。原発から伸びる太い送電線は、山手方向に電線を伸ばし、数百メートル先に建っている送電線へとつながる。そしてその電線は、電気を首都圏に送るために、さらにその先の送電線へとつなげられている。その太い送電線のすぐそばには、大熊町内の人たちに電気を供給するための電柱が立っていた。その細さがただただ寂しかった。

原発からやってきたバスが対向車線を通っていくのが見えた。どこかで見たことのあるようなおっさんやあんちゃんが、たばこをくわえながらぼんやりと虚空を見つめているのが見えた。道路の段差でバスが揺れると、その揺れに合わせて彼らの身体も力なく揺れた。現場作業を終えた疲れが垣間見えた。私は、今まさに、その現場に向かっている。

何度か検問所を通ると、福島第一原発に到着した。なんということはない。どこかの工業団地の工場のようなところだった。その日は天気が曇り空だったからだろう。殺風景な、実に色のないところだった。作業員を乗せたベージュ色のバスやら、土ぼこりで汚れたトラックやら、やけに味気ない車たちが行き交う。ここには色彩が必要ないのだろう。

写真5（上） 正面に4号機原子炉建屋が見えた。すっかり復旧が進み、どこぞの工場のようにしか見えなかった　写真提供＝一般社団法人AFW

写真6（下） 大熊町の田園風景。田んぼから阿武隈の山並みに送電線が続く　写真提供＝一般社団法人AFW

「おつかれさまです」の一言で通った血液

しかし、バスを降りた途端、そんな味気なさのなかに、急に血液が巡らされたような生の表情が見え始めた。作業員一人ひとりの顔が見えた。ナントカ工業と刺繍の入った作業服を着た人、「福島県」と書かれたジャケットを着た人、ごましおヒゲのおっさんや、黒いタオルを巻いてあごひげを生やしたあんちゃんがいた。私の近所にいる、私のよく知る、そんな、どこにでもいる人たちの息づかいが聞こえてきた。私を驚かせたのは、彼らのほとんどが、明らかに見学客だと分かる私たちに「おつかれさまです」と声をかけてくれたことだった。

おつかれさまです。その一言で、さっきまでのぼんやりした頭に血が通った。どこか遠くで作業している人たちではない。まさに目の前のおっちゃんやあんちゃんたちが、この厳しい現場で汗を流しているという事実に激しく触れた。おつかれさまですと自分も声を出した。するとなぜだろう、私もこの現場の当事者なのだという一体感が感じられたのだった。そして、目の前のこの人たちに頑張ってもらわなければ福島の未来はないんだということが、なぜかはっきりと感じられた。

入退域管理施設に入ると、空港の荷物検査ゲートのような場所がある。ここでは、事前に渡されていた視察用のセキュリティカードをかざしてなかに入る。幅の狭いゲートに、次々と見学客と作業員が吸い込まれていく。私もそこをくぐった。なぜか、別の世界への門をくぐりぬけたような感慨があった。大学生のとき、留学先だった中国のとある空港に降り立ち、入国ゲートをくぐったときの感慨に似ていたかもしれない。「ここ」に来たのだ。そんな感慨深さがあった。初めて訪れたからだろう。何度も訪れたら、そんな感覚も鈍くなるのだろうか。

管理施設の一角にあるスペースで装備をつけ、再度簡単な説明を聞き、バスに乗り込んだ［写真7］。ベージュ色のバスは一切の装飾が取り除かれ、通路にも手すりにも椅子にもビニールが張られている。放射性物質を取り除きやすいようにしてあるのだ。私はこのようなバスに未だかつて乗ったことがない。

ベージュ色のバスが動き始めた。「多核種除去設備（ALPS）」を確認し、右手に汚染水のタンク群を捉えながら原子炉建屋を目指す。空間線量は三〇から五〇マイクロシーベルト毎時。場所によって一桁まで下がるところもある。それだけホットスポットが点在しているということだ。私たちは軽装でのバスツアーを決め込んでいるけれども、外を歩く作業員はテレビで見慣れたフル装備。いくら軽装備で視察ができるからといって、ここが危険と隣り合わせの場所であることに変わりはない。ガイガーカウンターのピッピピッピッという音が、目の前の光景とバスのなかとをつないでいた。

海抜三五メートルと少し高い地点から、原子炉建屋のある海抜一〇メートルレベルのところまで下りていく。すると目の前に、水素爆発を起こした三号機の原子炉建屋が見えた［写真8］。想像以上に片付けが進んでいた。しかし、爆発の衝撃でぐちゃぐちゃに曲がった鉄骨や、当時の面影を色濃く残す外壁が確認できた。線量計のアラームが異常な速さで音を刻み始める。バスの前のほうに乗っていた東電社員が「空間線量は三〇〇マイクロシーベルト毎時ほどです」と声を上げる。「おおおぉ」と、

写真7　バス車内の風景。多様な人たちが視察に訪れていた　写真提供=一般社団法人AFW

写真8　3号機の原子炉建屋。生々しい傷が残されたままだった　写真提供=一般社団法人AFW

何とも言えない声を上げる視察客。グラウンドゼロ。私はなぜか感極まってしまった。心揺さぶる感動ではない。悲しみとか怒りでもない。「ここなんだ」。その思いだけが心を揺さぶっていた。

その後は四号機を巡り、少し離れた五号機、六号機、サブドレン（建屋まわりの井戸）のくみ上げ場所や凍土壁パイプなども見ることができた。資料上ではなく、自分の目で、粛々と作業が行われている現実や、汚染水のためのさまざまな対策・設備を確認できたことは大変勉強になった。あの原発事故直後の悲惨な映像を思い起こせば、廃炉に向けた作業が着々と進んでいることを実感できる。こうした情報の発信やアップデートが、福島についての正しい認識を生み出していくのだろう。目の前のイチエフは、当然ながら原発事故直後のイチエフではない［写真9］［写真10］。

しかしながら、目の前を通り過ぎた三号機は、原子炉から燃料が溶け落ち、圧力容器を突き破ってしまった状態にあるとみられている。「みられている」というのは確認のしようがないからだ。線量があまりにも高いため人間は近づけない。ロボットですら故障してしまうほどの高線量である。今のところ、燃料デブリは格納容器内には留まっているとされ、そのデブリを冷やすための注水が続けられている。

現在の技術ではどうしようもないので、技術を確立するというところからのアプローチを余儀なくされている。成果は一進一退。東芝が原子炉建屋内を調査するロボットを開発したものの、途中で動かなくなってしまい、期待した仕事を果たすことができなかったということもあった。日本を代表するあらゆる分野の企業が英知を結集しても、デブリの在処すらよく分からず、廃炉まで数十年で終わ

写真9（上） 4号機前より　北方向を向いて撮った写真　写真提供＝一般社団法人AFW

写真10（下） 4号機近くから北の1号機を望む。こちらの写真は2017年に再度視察を行った時のもの
写真提供＝一般社団法人AFW

るかどうかも分からない。政府による工程表も遅れが出ており、計画の再考を余儀なくされている。これもまた現実だ。

原子炉建屋の前で考えた、あの日のこと

そこでぼんやりと思い出す光景があった。私は三号機が爆発した二〇一一年三月一四日、あの瞬間を、当時勤めていた会社の事務所で見ていた。情報収集のため事務所のパソコンの一台をユーストリーム用に使っていたのだ。「福島第一原発三号機で水素爆発」というニュースが流れ、あの黒いきのこ雲が巻き上がる映像が何度も放映された。すぐに退勤となり、家に帰ったものの、数日の間は混乱した日々を過ごした。避難するしないで家族と揉めた。年老いた祖母を残して避難できないと父は言う。母は父に従うと言う。それで、避難を渋る父とぶつかった。取っ組み合いのケンカにもなった。

当時のツイッターを思い出す。ツイッターに「ごめん」という言葉を残して、友人や知人がぽつりぽつりと県外に避難していく。地元から「逃げる」という意識があったからだろう。誰も責めているわけではないのに、皆が懺悔するようにコメントを残して県外に避難していく。残った者は、大きな不安を感じながら残り、テレビにかじりついていた。うがい薬を飲めというデマメールがやってきたり、国外に暮らす友人が「いつでもこちらへおいで」という心配の電話をかけてきたり。あの数日の混乱は、ツイッターのログを遡れば、いつでも確認することができる。

三月一七日、私は、当時交際中だった妻の家に避難するために新潟へ向かおうとしていた。私の車にはガソリンが半分も入っていない。父は、おれの車に乗っていけと言った。それを断り、自分の車の荷台に小さな自転車を入れた。ガソリンが切れたらそれで新潟まで行こうと思ったのだ。今思えば本当にバカだったと思う。自転車で新潟まで行けるものか。

母は、何かあったら使いなさいと一〇万円を渡してくれた。そして、浄水場でもらってきた水でコメを炊き、おにぎりを作ってくれた。具材もない。ただの塩にぎりに海苔を巻いただけだった。母は少し涙をこぼしながら、「温泉でも行くつもりで行っておいで」と声をかけてくれた。私も泣いていた。今思えばばかばかしいやりとりだったと思う。しかし他人にばかばかしいと言われる筋合いもない。極限状態だったのだ。

一人夜の磐越自動車道を走り、新潟へ向かった。道路はガタガタ。走る車はほとんどない。いわきへ向かう反対車線を自衛隊の車が走り去っていく。途中のサービスエリアでガソリンを入れることができたときの安堵。到着した新潟県の落ち着きぶり。コンビニに並んだお弁当。そこで買って食べた牛カルビ弁当のうまさ。それをうまいと思ってしまう自分のあさましさ。今もはっきりと思い出すことができる。

私が新潟へ避難した数日の後、両親はついに祖母を連れて、東京のおばの家に避難した。東京のおばを安心させたいということもあったのだろう。まずはとにかく元気な顔を見せようと、祖母を何日かおばの家に預けることになった。数日の後、私の両親は小名浜の自宅に戻ったが、祖母はせっかくだからというおばの厚意で夏まで東京で暮らすことになった。しかし、東京の暮らしは勝手が違ったのだろう。祖母は日に日に衰え、認知症になってしまった。いわきでは何でも自分で一人でやっていたのに、おばの手伝いや介護を受けているうちに、自分の生活リズムを崩してしまったのだ。

いわきに戻ってくる頃には、祖母は一人で生活できる状態ではなくなっていた。あっという間にかつての健康を失い、私の名前も、息子である父のことも思い出すことができなくなり、そして九八歳でこの世を去った。私が「避難しろ」と言わなければ、今頃まだ元気だったかもしれない。いや、高齢だったから、どこかでぽっくりと逝っていたかもしれない。しかし、現実の祖母は、原発事故ではなく、私が避難を呼びかけたせいで命を縮めてしまった。ぼんやりと原発構内を巡りながら、私は祖母のことを思い出していた。

もうひとつ思い出す光景があった。原発事故直後、自衛隊のヘリコプターが三号機に水を投下したときのことだ。世界有数の技術大国は、ヘリコプターから水を撒くことしかできなかったのだ。我々県民は一抹の希望を胸に、固唾をのんで見守った。少しだけなんとかなるのではないかとすら思っていた。

しかし、ヘリコプターから撒かれた水は、建屋に当たる前に霧となって消えたように見えた。本当にあっけなかった。「いざ原発が爆発したらヘリで水をかけることしかできない日本」のほうが、実は等身大なのかもしれないと地元の友人たちと話をした。私は、ヘリのあの光景を忘れることができない。そして今も、私はあの日本に住んでいる。

福島の復興は、常に表裏一体だ。表面にはAがある。しかしまったく反対のBということがらが裏面に存在する。いつもAとBに引き裂かれる。Aを取り上げればBを訴えたい人に批判され、Bに目を向ければ「Aという現実もある」と反論される。ずっとその調子だ。原子力が天使にも悪魔にもなれるのと同じように、福島は絶望の町にもなれば希望の町にもなる。私たちはいつだってその両側に引き裂かれている。

原子力の悪魔の部分を封じる技術を、今のところ人類は持ち得ていない。何百年、何万年、何十万年という時間が、放射性物質の力を減らしてくれるだけだ。そしてその何十万年という時間を、人類は生きていくことができるか分からない。仮に人類が絶滅しても、今回の原発事故で放出された放射性物質はゼロになることはない。だから、事故を語り継ぐのは私たちではなく放射性物質のほうなのだ。私たちの生活を、暮らしを、人々の心を引き裂いた放射性物質こそが事故を語り継ぐ。なんという皮肉だろう。私たちは原子力の前ではあまりに無力である。

原発の構内でバスに揺られながら、私はそんなことをぼんやりと考えていた。数値で分かることなら資料に書いてある。後で読めばいいなどと思って油断し、気づくとウトウトとしてしまっていた。そしていつの間にか視察は終わり、バスを降りた。体につけていた線量計を確認する。一時間程度での被曝線量は一〇マイクロシーベルトにも満たない。歯医者のレントゲン写真一回分くらいだそうだ。鼻血を出すこともなければ、ダルさを感じることもなかった。このように安全に視察できる状況なら、やはり一人でも多くの方に原発視察の門戸が開かれるべきだろう［写真11］。

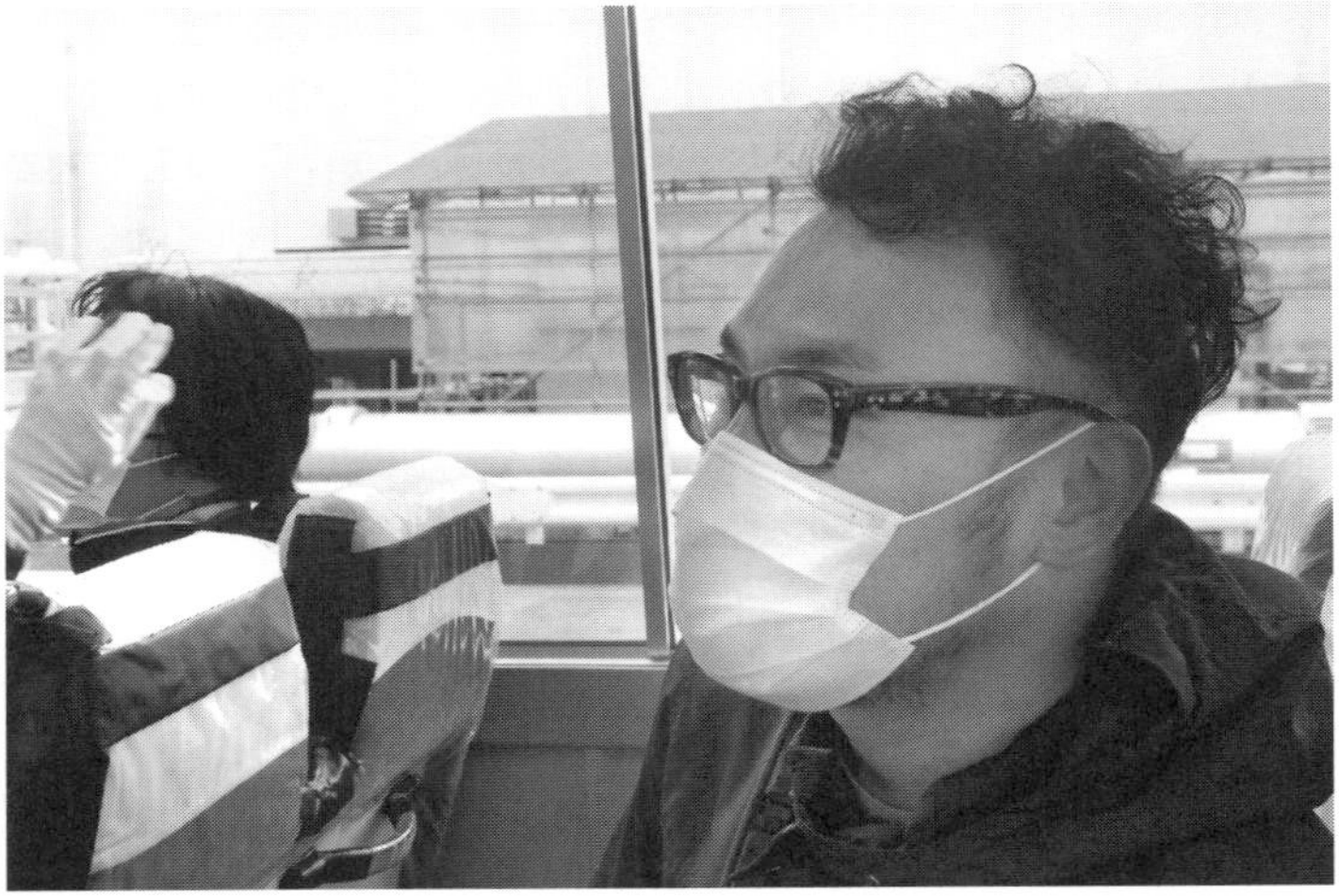

写真11　視察中の筆者。震災後は初めての福島第一原発だっただけに、衝撃の大きさが記憶に残っている
写真提供=一般社団法人AFW

写真12　2018年に行われた視察のバス内。バスも観光バスになり、特殊な装備は何一つ必要ないくらいに視察環境が改善している　写真提供=一般社団法人AFW

今はどうなっているか分からないが、当時は意外にも、原発構内に津波の痕跡を確認できる箇所がいくつかあった。被災地の復旧復興が進み、津波被災の凄まじさを伝えてきたほかの遺構が取り壊されるなか、福島第一原子力発電所は、原子力災害だけでなく津波の凄まじさをも伝える場所として残っていくのかもしれない。原子力とは何なのか、復興とは何なのか、福島が抱える問題は何なのか。さまざまな根源的な問いが、このグラウンドゼロから生まれることになるのだろう。

二〇二〇年の東京オリンピックの頃には、ここもきっといろいろな思惑が交錯する場所になっているはずだ。だから、もし今後機会があるなら、二〇二〇年までに、福島第一原発の視察へ参加することをおすすめする。本稿が書かれた二〇一八年現在でも、視察のときとは大きく状況が異なっている。Jヴィレッジは再びオープンし、視察用のバスも観光用の大型のものとなり、車の中ではマスクを付ける必要すらなくなった［写真12］。私も、今後機会があれば何度でも行くつもりだ。そして、また答えの出ない問いを繰り返すしかないのだろう。祖母の顔や、ヘリからの散水の風景が、きっとまたフラッシュバックするに違いない。この場所とは、やはり長い付き合いになりそうだ。

一〇万年の憂鬱

原子力発電は、高レベル廃棄物の問題を抜きに語ることはできない。好むと好まざるとに関わらず、私たちは放射性廃棄物を社会のなかに受け入れなければならないのだ。政府は、二〇一七年になって

「科学的特性マップ」などというものを発表した。科学的特性マップとは、高レベル放射性廃棄物の地層処分を行う場所を選ぶ際、どのような科学的特性を考慮する必要があるのか、それらは日本全国にどのように分布しているかを知るためのマップである。火山活動や断層活動といった自然現象の影響や、地下深部の地盤の強度や地温の状況などの科学的特性が、地図上に示されている。地質学的に最終処分場を作るのに好ましい地域を選定し、候補地探しの足掛かりを作ろうとしているわけだ。好ましい地域に選ばれた市町村などでは意見交換会が開催され、核のごみを地下三〇〇メートルより深い岩盤に埋める「地層処分」の必要性などについて意見が交わされている。

地層処分とは、高レベル放射性廃棄物をガラスと混ぜて固めた「ガラス固化体」を金属の容器に入れ、外側を厚さ七〇センチの緩衝材で覆ったうえで、地下三〇〇メートルより深い岩盤のなかにある地中施設に埋めるものである。毎日新聞の報道によれば、最終処分場の地中施設の広さは約六平方キロから一〇平方キロ。ガラス固化体を埋める坑道の総延長は約二〇〇キロにのぼり、ガラス固化体を約四万本以上保管することを想定しているという［★8］。

処分には、一〇万年単位の時間がかかると言われている。新聞やテレビなどでも盛んに「一〇万年」が言及されるようになった。しかしちょっと待って欲しい。何の根拠があって一〇万年後の安全が約束できるのだろう。というか、一〇万年後に日本という国が存在しているかも分からない。そんな途方もない時間「安全に管理します」と言われても、誰がそれを信用できるだろうか。改めて、原子力発電を受け入れる代償の大きさと理不尽さに、暗澹とした気持ちになる。

一〇万年問題が取り沙汰されるようになったのは、二〇一六年頃からだ。その年の九月一日に朝日新聞に掲載された記事の冒頭部分をそのまま引用する。

原子力規制委員会は31日、原発の廃炉で出る放射性廃棄物のうち、原子炉の制御棒など放射能レベルが比較的高い廃棄物（L1）の処分の基本方針を決定した。地震や火山の影響を受けにくい場所で70メートルより深い地中に埋め、電力会社に300〜400年間管理させる。その後は国が引きつぎ、10万年間、掘削を制限する。これで、放射能レベルの高いものから低いものまで放射性廃棄物の処分方針が出そろった［★9］。

膨大な量の放射性廃棄物は目の前の現実として存在している。そして、それは今後も増え続ける。しかも爆発的にだ。葛藤や矛盾を背負いながらも、厄介なものを社会のなかで受け入れていくしかないのだろう。それは分かっている。

しかし、役人や専門家、東電の経営陣が、いつも対話や信頼関係をひっくり返していくのだ。電力

★8 「選定基礎資料『科学的特性マップ』 塗り分けた適・不適」毎日新聞、二〇一七年七月二九日朝刊。
★9 「制御棒処分 地下70メートル超 電力会社400年 国が10万年管理」、朝日新聞、二〇一六年九月一日朝刊。

会社が三〇〇年から四〇〇年続くということが前提として語られているところにまず唖然とするし、一〇万年という数字がいきなり出てきてしまうところに、役人と我々の認識の隔たりを感じずにいられない。ウソをつけというわけではない。しかし「一〇万年管理します。責任持ちます」と言われて、どれほどの市民が納得するというのだろう。あまりにも非現実的な発言だし、受け入れる側の私たちをあまりにもバカにしてはいないか。特に、本稿が書かれている二〇一八年は、公文書の偽造や書き換えが大きな関心事になっている。このような社会で「安全に管理します」という役人の台詞の、いったいどこを信じればいいのだろう。

そもそも、原子力行政を司る人たちにはコミュニケーションの想像力が決定的に欠落している。ここまでたびたび述べてきたように、私は、原発事故のもっとも大きな被害のひとつを「コミュニティの分断」だと考えている。分断を埋め合わせるには慎重な対話が求められるはずだ。しかし、当人たち、事故を起こした責任のある側にその意識がなく、慎重に行われるべき市民とのコミュニケーションのプロセスをすっ飛ばして、「科学的結論」やら「専門家の意見」を持ち出してくる。そして、科学や経済的合理性を受け入れられない者を、科学的知識が欠落している、バカだと言って切り捨てていく。そんなことで地域のコミュニティが成り立つはずがない。

国や電力会社、地方自治体に翻弄され、受け入れによって生まれるであろう分断や軋轢に対峙し、罵声を浴びせられるかもしれないのは私たち現地の住民だ。役人のことなかれ主義や、官僚の不作為、専門家の科学による切り捨ての尻拭いをさせられるのは、いつも現場の人間なのだ。本来は、東電や政府、自治体がやるべきことを地域の住民がやらなくてはならない。そんなのおかしいじゃないか。だいたい、この事故の責任があるのは、どこのどいつだ。

漁業者に押し付けられるトリチウム水

最終処分場を巡る議論が今後どうなるのか。その顛末を占うのが、トリチウム水の処理についての議論である。その経過を見れば、漁業者に対する説明責任を果たさず、社会的な影響も考慮せず、科学的な正しさを押し出して世論を作り、最終的には当事者に結論を押し付けるに違いない。

トリチウムは、放射性物質の一種で水素と性質が似ているため、溶け込んだ水から分離することができない。第一原発で稼働中の「多核種除去設備（ＡＬＰＳ）」でも唯一除去できない放射性物質である。そのため水のまま保管するしかなく、トリチウムを含んだ廃水は貯まる一方だ。現在、約八〇万トンも貯まっていると言われている。だから、東電や政府としては、それを希釈して海に放出したいというわけだ。

もともとトリチウムは、世界中の原子力発電所で海洋投棄されている。希釈して海に捨てることには問題はない。健康的被害もない。ただ、大量放出となれば報道も大きくなり、いったん収まりかけた消費者の不安が間違いなく再燃する。漁業者がトリチウム水の海洋放出に反対しているのも、不安の再燃が確実視されるからだ。当然だろう。現在のマスコミの体質を考えれば、正しいデータを繰り返し報じるとは思えない。センセーショナルなニュースになるはずだ。トリチウムの影響を恐れる消費者を付度して買い控えをする業者も現れるかもしれない。

政府や東電は、現状、説明責任をまったく果たしていない。経済的合理性を持ち出し、海洋放出が正しいという立場を取り続けている。そもそもトリチウムとは何なのか、その水を流すことでどのような影響があるのか、考えられる問題とその対策を、こまめに国民に説明すべきではないか。総理自らが頭を下げ、国民、漁業者、さらには周辺各国へ真摯に説明すべきだろう。基本的情報すら国民に説明せずに、役人たちは「漁業者に丁寧な説明を」などと繰り返すばかり。国民への説明責任を果たさないまま、情報隠蔽が明るみになったり、工程表の遅れが出たり、いきなり「一〇万年」なんて話をし始める。現場で少しずつ積み上げてきた信頼関係を、政府や東電や役人が崩してきたのだ。

そのようなことを繰り返しているから、正しい情報が伝わらない。漁業者との信頼も築けない。そして誰も聞く耳を持たなくなる。東電を交えた地域の合意形成など不可能だろう。過去の説明会などで、漁業者は一貫して海洋放出への懸念と拒否を伝えてきたし、東電側も現場では放出を否定してきた。ところが、東電の社長や原子力規制委員長が放出ありきの方針をいきなり口に出したりする。それが大々的に報じられる。口では謝罪するが、一度口にしてしまった方針は一人歩きするだろう。いつの間にか「放出ありき」の世論が作り上げられ、最後は「漁業者が決めるべき話だ」などと、すべての責任を漁業者に押し付ける。それが目に見えている。

トリチウム水が流れれば、当然それに対する風評被害対策費や賠償が支払われるはずだ。第四章でも見てきたように、賠償金は福島の漁業の自立をさらに遅らせるだろう。賠償によって売り上げが補償されたとしても、世の中は福島の水産物がない状態に慣れていく。福島抜きで流通網が作られていくのだ。福島の港の水揚げ量は回復せず、もともとブランドイメージの高い三陸や千葉に産地優位性で負けてしまうだろう。すると、さらに水揚げ量が減り、流通業や小売業、飲食業や観光業にまで影響が及ぶことになる。売り上げを回復する手だてのないまま漁業の担い手は年を取る。賠償が終わる頃には、いわきの漁業は死んでいるかもしれない。そして地域は、賠償や助成金にさらに依存していくことになる。自立こそが低コストなのに、賠償への依存を深めてどうするのか。そこまでの社会的コストを見込んで、それでも海洋投棄が安上がりだと言うのだろうか。そもそも議論を尽くしたとも思えない。まだ地中埋設やタンク増設などの選択肢もある。今の段階でトリチウム水の海洋投棄など一パーセントも認められない。

今後、日本各地で取り沙汰されることになる廃棄物の問題。トリチウム水ですらこの状況である。いわんや高レベル廃棄物をや。いったいこの国の誰が、どの地域が、放射性廃棄物を受け入れてくれるのだろう。結局「福島に置いておけばよい」という話になるに違いない。負担をいつまでも福島に押し付ける。そして、それを引き受けることが美徳になってしまう。そんな未来が、今からハッキリ見えてしまうようだ。

この国に早すぎた原発

情報の受け手の姿を想像できない官僚、さまざまな不安を「非科学的」と言って切り捨ててしまう専門家、情報発信に対する「真摯さ」や「姿勢」が問われていることに気づけず社内規則を盾にし続ける東電、国にノーと言えない自治体、事大主義のメディア。このような組織の人たちが、原子力発電所を正しく運用し、情報を発信し、事故を未然に防いでいくことなどできるはずがない。もはや、原発や処分場が安全か危険かという問題ではない。彼らに原発を任せざるを得ないことが最大の社会的リスクなのだ。原発は、社会が未熟な日本には早すぎたのではないか。

一〇万年という月日は、私にはほとんど永遠と同じものに思える。そもそも一〇万年後に日本という国がある保証もなければ、人類が存在している保証もない。前例のない超巨大地震や地殻変動が起きているかもしれない。今後一〇〇年ですら、福島と同じようなシビアアクシデントが絶対に起きないと誰が約束できるだろう。それなのに、専門家や官僚から一〇万年という言葉が飛び出してきてしまう。

汚染水対策にせよ、最終処分場にせよ、近い将来、私たちが何らかの決断をしなければいけないことは分かっている。しかし、主たる原因を作った政府や東電が説明責任を果たさず、圧倒的に弱い立場にある市民に責任を押し付け、市民が分断されている状態では、それらを受け入れることなんて到底できない。問われているのは原因を作った側、何かを推進する側の真摯さだ。専門家も東電も政府も政治家も、本当に真摯に市民と向き合い、説明しようとしているだろうか。いくら科学的に説明しても愚民には分かるまい、バカなのだから説明したってしょうがない。問題はすぐに風化するし誰も覚えちゃいない。そんな気持ちが透けて見えてしまうのだ。あまりに傲慢である。

地域のなかで、多少なりともコミュニティに接していけば分かる。科学を持ち出したところで伝わらない人はたくさんいる。不安を抱えた親御さんもいる。科学の正しさで弱者が切り捨てられていく社会のどこに希望があるのだろう。本書の第一部で、ダニエル・カーネマンの「システム1」と「システム2」の話をした。いくら科学的には滑稽に見える不安だとしても、それをもとにリスク政策を構築しなければならないとカーネマンは語っていた。官僚や東電社員や専門家は、もう少し現場を見て欲しい。正しさをいかに伝えるのか。信頼関係を構築できるコミュニケーションを、もう少し真摯に模索して欲しい。

国民に広く放射線防護学が普及し、原発のある周辺自治体の避難計画が遺漏なく策定され、社会を分断することのない賠償制度が確立し、原発が爆発しても影響を最小限に食い止められる技術が約束され、最終処分場の目処が立ち、政府や東電、専門家や知識人が市民に寄り添いながら合意形成を図ってくれるのであれば、原発をどんどん再稼働しても構わないと私は思っている。国が原発を推進するのなら、そのくらいやるべきだ。しかしそれは現実的には難しいだろう。そんな風にこの国の社会は設計されていない。だから、私は原発をこれ以上増やすことには反対の立場だ。もう一度、どこかで事故が起きたら、地域社会がもたない。

しかしながら、今ある原発を廃炉にすれば放射性廃棄物は増える。むしろ原発をやめようと思えばこそ、使い終わった燃料をどうするのか考えなければならない。どうすればいいのか。一〇万年間、私たちの憂鬱は続く。それはほとんど未来永劫続く苦しみではないか。一〇万年後にはきっと技術が確立しているに違いない、放射線防護学も普及しているだろうと、そう無邪気に信じればいいのだろうか。地域に残された私たちは、それでも粘り強く考えていかなければならないのだろう。しかし、前向きな気持ちにはなれない。今のところ湧いて出てくるのは、なんてものを日本は作ってくれたんだ、という怒りばかりである。

現実に縛られる社会

ずっと憂鬱な話ばかりを続けてしまった。復興予算の裏側、バブルと分断、賠償金の問題、ロックの風景、さらには食を巡る対立や一〇万年の理不尽さ。私がここに書き連ねてきたことは、結局はすべて「現実のリアリティ」がもたらす憂鬱の話であった。現実的な話をすればするほど議論は狭くなり、お互いが正義と正義をぶつけ合わせてしまい、対話の糸口がなくなってしまう。そして、今ここの世界の外側に辿り着けなくなってしまう。どこにも行けなさ。それが憂鬱の正体だ。

そろそろ、この憂鬱を終わりにしたい。本書が探し出したいのは、どこまでも現実のリアリティが強くなってしまった福島、浜通り、いわきという土地で、そのリアリティの束縛から離れ、一旦その外側に飛び出すことができるような、大きな乗り物のようなものである。それが何かを見つけるために、最後にもうひとつだけ憂鬱な話をしなければならない。政治の話である。

二〇一六年四月。熊本県と大分県で大きな地震が発生した。次々にテレビに映される被災地。自分もあの東日本大震災を経験した一人だ。無関心でいられるはずがない。現地の情報が何かないかとツイッターを開くと、そこには災害情報ではなく、外野の殺伐としたやりとりが可視化されていた。一部の心ないボランティア、それに対する怒り、匿名アカウントによる不謹慎狩り、災害時恒例のマスコミ批判、暴走する原発デマ、そのデマを収拾させようという過激な反論。東日本大震災のときよりも、その殺伐さに拍車がかかっているようにも感じられた。

誰も彼もが義憤のようなものに駆られている。すでに陣営は友と敵に分かれていて、対話の兆しはない。議論が先鋭化し、皆が反対意見を叩くのに一生懸命。そんな光景は、いつの間にかSNSの日常風景となった。そして、そのミサイルの打ち合いに疲れ果てた良心的な人たちは、そこから撤退していく。SNSには過激な意見しか残らなくなる。そして、その過激な議論を打ち負かすため、議論はさらに過激になりタコツボ化していく。友も敵も、自分がカルト化しているのに気づかず、コップの中の嵐で憎悪を増幅させているように見える。

福島第一原発の事故から七年。未だに健康に関するデマは残っており、政権批判と絡め、福島の食品を貶める人たちも多い。福島の魚の安全性について記事を書けば、変なメールやコメントが届くことも一度や二度ではない。デマや差別的言説を繰り返す人たちは、さらに先鋭化している。本当に酷いものだ。

しかし、現実のリアリティに縛られた世界では、どれほど正しく見える議論を持ち出しても、それ自体が友と敵の関係にからめ捕られてしまう。原発事故当初は、デマを否定し、福島から正しいデータを発信するんだと意気込んでいた人たちが、いつの間にか安直な「サヨク叩き」に堕してしまったのも同じだろう。反原発を追求するあまり、福島の健康被害を誇張してしまう人もそうかもしれない。ある差別問題には厳しく対応するのに、別の差別問題ではむしろそれを煽ったりしてしまう人が多いのも、その最たるものだろう。また、正しい情報を発信するより、政治的友敵関係に乗っかって発信するほうが、ＳＮＳでは拡散してしまう。例えば「福島の魚は安全だ」と発信するよりも、「福島の魚は安全だ。反原発左翼には食わせたくない」と発信したほうが圧倒的に拡散する。伝えたい、拡散させたいという欲望が、政治的な友敵関係に回収されてしまう隙を作るのだ。それが震災後の福島であり、浜通りであった。

福島の政治的受け皿のなさ

世界史に残るような未曾有の原発事故を経験した福島県は、左傾化するのではないかというのが私の当初の見立てであった。これは今思えばあまりにも浅はかな考えだったが、あれだけの事故を経験したのだから、脱原発を目指し、小さな草の根のアクションから政治を行っていくような、リベラル色の強い人が意見を出しやすい地域になるのではないかと思っていた。実際、震災後に県内で様々な活動をスタートさせてきた方に取材で話を伺うと、草の根的な考えを持った方であることが多かった。

結末は逆であった。震災後、福島県は右傾化したように見える。いや、右傾化というより「反左翼」「リベラルへの失望」といったほうが正しいかもしれない。本来は、慎重に被害を見極めつつ、福島県産品を応援し、復興を後押ししたいという声も多かったはずだが、山本太郎に代表されるような過激派の言説が目立ち、彼らの声がリベラルの声として流布された。福島では数万人が死ぬ、福島の食品は放射性廃棄物と同じだ……そんな方々と同じ未来を描けるはずがない。

そこに、震災後の総選挙（二〇一二年）における民主党の惨敗も加わった。このようなときに福島で脱原発を叫べば、「あなたもあいつらの仲間か」と言われ、福島の敵として認定されてしまう。原発に否定的な声は発しにくくなり、結果として右傾化した発言が福島の地元の声として発信されてしまった。これは特にネットで見られた現象だろう。

原子力災害の被害を受けた福島県民の多くが、実際には脱原発を望んでいる。それは世論調査や新聞報道などを見れば明らかだ。しかし、同じ脱原発を望んでいるはずの政党と手を携えて行動を共にすることができない。なぜなら、脱原発を掲げているのに、福島に暮らす人たちの声を聞こうとせず、むしろ福島の人たちを貶めるような政党ばかりだからだ。政治的な受け皿のなさという憂鬱。リベラルの自滅である。

二〇一七年の総選挙を思い出せばよく分かる。原発を推進する与党自民党。それに対抗するのはポピュリズムの希望の党。残りは、過激な反原発派が支援する共産党・社民党しかない。後になって枝野幸男が立憲民主党を立ち上げたが、原発政策はよく分からなかった。脱原発を目指しながら、福島県民の健康被害が最小限で食い止められたことを喜び、差別にも加担しない。福島の復興や収穫を分かち合い、科学的な思考をベースに原発に依存しない社会を設計できる勢力がないのだ。私は本気で棄権を考えた。とことん推進するか、とことん反対するか、そのどちらかしかない。まさに憂鬱ではないか。

政治的な受け皿だけでなく、思想的な受け皿がないことも、憂鬱をもたらす原因のひとつだろう。原発事故を経験した私たちはこんな福島県を作るんだという「福島宣言」のようなものがあればよかったのかもしれない。どの党に属するでもなく、あの震災と原発事故を福島で経験したからこそ目指されるべき地域の思想。それがあればと当時を思い返している。

思い出されるのは、震災後、福島県立博物館の館長で、民俗学者の赤坂憲雄を座長に迎えて組織された「ふくしま会議」である。様々な専門家や市民が集まり、対話シンポジウムの開催や政策提言などをしてきた。赤坂館長とは何度も話をしたことがある。そこに集まる人たちも多彩で魅力的だった。福島から、これからの日本の地域づくりをリードする思想や哲学が生まれるのではないかと本気で期待をしていた。けれども、ふくしま会議は、二〇一四年に行われた福島県知事選で、共産党が支援した熊坂義裕候補への投票を呼びかけるなど党派的な動きを見せてしまい、多くの人たちの失望を買ってしまった。結局彼らも、現実のリアリティにからめ捕られてしまったのだろう。そのふくしま会議はすでに解散している。

政治的受け皿も、思想的受け皿もないまま、国内のリベラルの自滅に引きずられ、福島には政治的な友敵の対立が持ち込まれた。皆が、友か敵かを峻別したがる時代である。自分の政治信条を結びつけて語ろうとする人が増えた。次第に、彼ら彼女らが語る福島は主語が大きくなり、被災地に暮らす被災者の声を利用して、自説を補強しようという動きが大きくなった。ジャーナリストの佐々木俊尚は、著書『「当事者」の時代』（光文社新書、二〇一二年）のなかで、当事者性の強い弱者の言葉を利用して自説の補強に使おうとすることを「マイノリティ憑依」と呼んだが、福島はまさにその憑依の草狩り場となった。政治的に敵対する人間を論破したい。だから「福島の人はこう言っている」「被災者こう考えている」などと、大きな主語を使いたくなってしまうのだ。

意見には多様なグラデーションがあるはずなのに、敵と味方に分かれてしまった福島では、いつだって「あなたはどちらの側につくのか」と迫られてしまう。原発への疑義を呈せば「サヨクと同じか」と告げられ、福島の食は安全だと言えば「御用」とレッテルを貼られる。それが面倒で議論を避けていく人もいただろう。政治的な友と敵の関係にしか興味がない人以外、福島を語らなくなっていく。そして、大勢の人たちは、震災も原発事故も忘れていく。それが風評の固定化と記憶の風化と呼ばれるものである。こんな面倒な環境を、私たちの誰が望んだのだろうか。

原発事故の当事者とは誰か

この憂鬱を解くための唯一の問い。それは、東日本大震災の当事者とは、原発事故の当事者とは一体誰なのか、という問いである。結論は決まっている。真の当事者などいないということだ。主語を大きくしたがる人は、当事者性の高さを良しとする。「もっと大変な人がいる」「おれのほうが被害者だ」「いや私のほうがつらい」というように、当事者性の濃淡で優劣をつけがちだ。しかし、その文脈で言えば、一番の当事者は被災して亡くなってしまった人になってしまう。あるいは、帰還困難区域で土地を奪われ、津波で家族を失ってしまった人かもしれない。その人がもし「あなたは間違っている」と言ったらどうするのだろう。その犠牲者の声を聞こうとしてきただろうか。

結局、当事者性を持ち出す人は感情を利権化したいだけなのだ。怒っていいのは私だけ、気持ちを表明していいのは苦しんでいる私だけ、当事者の私がイヤだと言っているのだからお前は黙れ。そんな風に、異なる意見をいくらでも封殺できてしまう。知らない人は語るな。福島県民の気持ちなど分かってたまるか。そのような言論空間には常に当事者性を悪用した排除が存在してきた。そんな風に考えてしまう気持ちもよく分かる。私自身もそうだったからだ。福島に人は住めない。福島県民はガンで死ぬ。福島の食品は毒だ。そんな声ばかり聞かされてきた私たちが外部を排除したくなるのも当然かもしれない。しかし、それによって失われてきたものをもう一度考えなければいけないと私は思っている。

原発事故の当事者とは誰か。そんな問いは愚かだ。全員が当事者だからだ。東京で被災した福島出身者も当事者である。海外でニュースを見た外国人だってそうかもしれない。廃炉は一〇〇年がかりである。ならば一〇〇年後に生まれる未来の人たちも当事者であるかもしれない。私が韓国で出会った人たちも当事者だ。第一部で見た、原発を受け入れざるを得なかった構造的な問題にまで遡れば、戦後はおろか関ヶ原や戊辰戦争の時代にまで当事者を含むことができるかもしれない。つまり、当事者を限定しようという身振り自体が愚かなのだ。

主語を大きくしようとすると、当事者を限定したくなる。そこに「内」と「外」が作られ、構造が二分化される。二分化されると、そこには容易に政治的な友と敵の関係が持ち込まれてしまう。すると、その議論は現場を置き去りにし、多様な声をかき消す。震災や原発事故の被害や実態がよく分からないものになり、矮小化されていく。そして、問題は忘れ去られ、温存される。これは原発事故に限った話ではない。社会問題全般がそうだ。障害福祉もそうだ。移民の受け入れもそうだろう。沖縄が抱える問題もそうだろう。当事者を限定すること。当事者を限定しようと思ってしまうような私たちの心のあり方。つまるところ、それこそが憂鬱の種なのだ。

その意味で、社会学者の開沼博が、自身の著書『はじめての福島学』（イースト・プレス、二〇一五年）で用いた「ありがた迷惑」という言葉は本当に大きかった。あの言葉が、福島の当事者を内と外に分けてしまった。差別やデマをなくしたいという気持ちはよく分かる。あの本に書かれた九割は首肯できる内容だった。今でもあの本を読んで福島の基礎知識を学ぶ学生も多いだろう。しかし、あの「ありがた迷惑」という言葉は、主語を大きくしたい人に悪用され、デマや差別的言説を続ける人の反発を刺激し、中庸を薄くしてしまった。本当にもったいない言葉だったと思う。

あの時には必要だった言葉なのかもしれない。しかしこれからは、福島県の内と外に囚われることなく、過去や未来まで視界に捉えながら、それぞれが、それぞれの濃淡やグラデーションを受け入れつつ、原発事故について語り直していく。そんな環境を取り戻さなければならないのではないだろうか。

原発事故とは単なる災害ではない。私たちの暮らしの問題でありながら、文明の問題でもあり、エネルギーの問題でもあり、私たちがいかに生きるかという問題であり、地域づくりの問題でもあり、医学の問題でもあり社会学の問題でもある。哲学の問題であり、思想や道徳、宗教の話にすら膨らむかもしれない。これらを当事者性というもので切り捨ててしまうことは、原発事故そのものを矮小化することになってしまう。もっと自由に、自分なりの視点で原発事故を語ることができる環境。私たちが取り戻すべきは、それだ。

引き裂かれた風景の向こう側に

さきほど、埼玉県加須市の不動岡高校の学生たちを連れて、福島県が主催するスタディツアーのガイドをさせてもらったことを紹介した。過去のモニターツアーには、筑波大学附属駒場高校や兵庫県の灘高校などが参加したという。日本を背負って立つような若者たちが参加しているのだ。福島県は、高校生や大学生向けの教育旅行を推進する「ふくしまホープツーリズム」というアイデアを持っているそうだ。パンフレットの冒頭にはこう書いてある。「光も、影も。福島の『いま』を見る」。ホープだけではなくダークでネガティブな面も直視し、これからの社会づくりに役立てようというのだ。大いに共感できる。

学生たちと話をしていて気づいたことがある。彼らはまっさらだということだ。これからは原発事故を知らない世代が日本を作っていくことになる。こんなことも知らなかったのか、原発事故を経験していないのだから関わるな、などと言っていられなくなる。彼らにこそ伝え、彼らとともに考えていかなければならない。まっさらな彼らに伝える。それはどういうことだろう。絶望でもなく希望でもなく、左でも右でもなく、賛成でも反対でもない。どちらかに分けることのできない分断の向こう側にある福島を伝えるということだ。

第一部で取り上げた「潮目」に照らすならば、そのような伝え方こそ、暖流と寒流が入り交じり、その両方を受け入れてきた浜通りこそ実現できる理想だと思う。浜通りには、暖流と寒流、ヤマトとアイヌ、東北と関東、様々な「ふたつの潮流」が流れ着いた。そこには悲劇もあった。しかし、混沌を包み込んできた精神の豊かさがあるはずだ。だからこそ、それを見つけ、観光客とゆるやかにつながり、外部を受け入れながら、絶望も希望もひっくるめた未来を創造することができるのではないか。そしてそれを浜通りの新しい価値にできないか。思想にまで高めることはできないか。

ようやく課題は見えてきた。私たちが浜通りで起動しなければならないもの。それを探るため、次の第三部では、震災後のいわきで立ち上げられた文化的な取り組み、アートプロジェクトなどを参照しながら「文化と復興」について考える。そして、多様な文化を育んできた浜通りの歴史を今一度深堀りしながら、当事者の壁を取り払い、風化と風評に抗っていくための方策を考えていきたい。

第3部

文化と復興

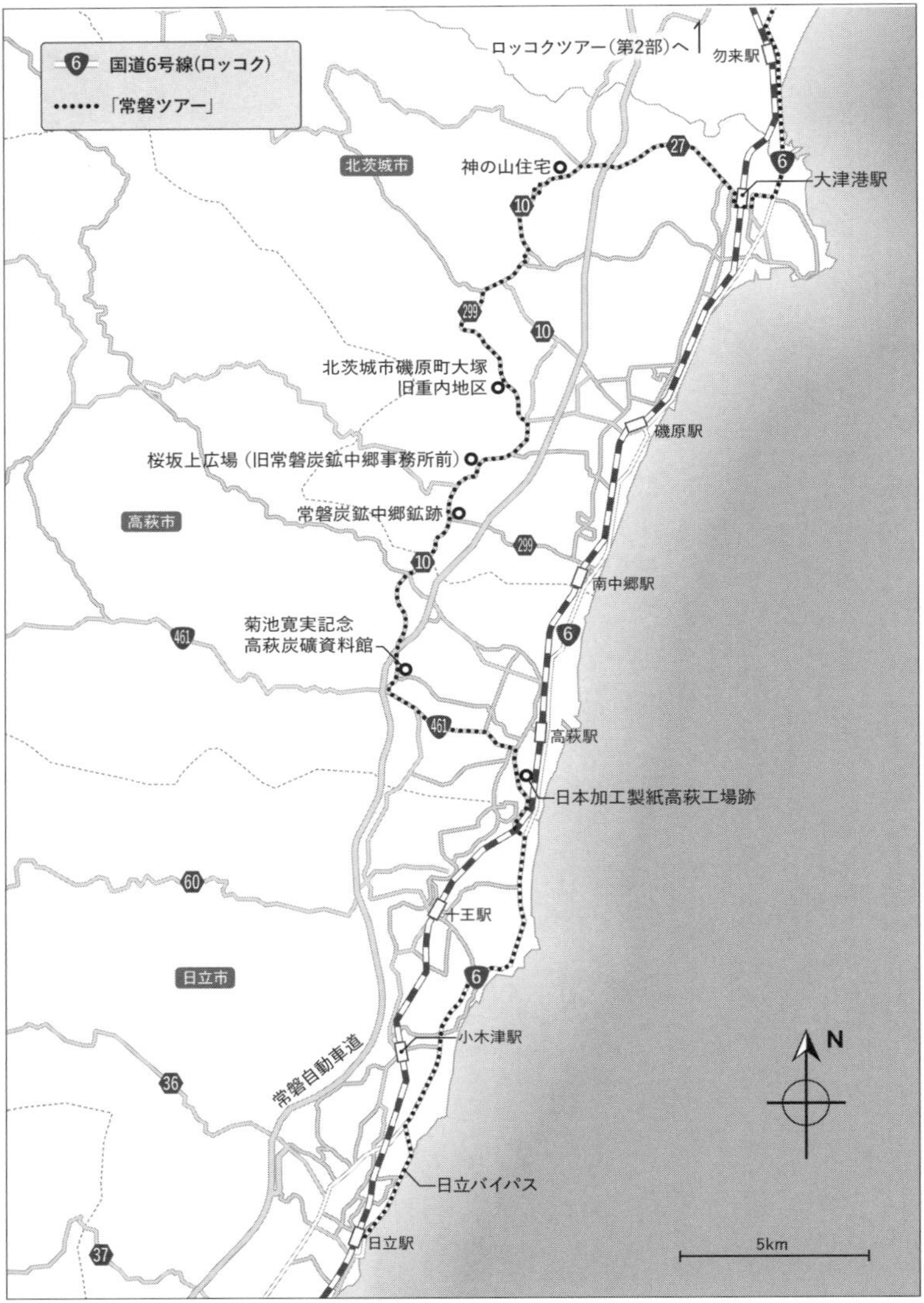

国道6号線（ロッコク）
「常磐ツアー」
ロッコクツアー（第2部）へ
勿来駅
大津港駅
北茨城市
神の山住宅
北茨城市磯原町大塚
旧重内地区
磯原駅
桜坂上広場（旧常磐炭鉱中郷事務所前）
常磐炭鉱中郷鉱跡
高萩市
南中郷駅
菊池寛実記念
高萩炭礦資料館
高萩駅
日本加工製紙高萩工場跡
十王駅
日立市
小木津駅
常磐自動車道
日立バイパス
日立駅
N
5km

2018年現在

第7章　いわきの力

震災と原発事故が揺さぶったものは、大地と海、そして原発だけではなかった。私たちとは何者なのか、その地域アイデンティティもまた、強く揺さぶられた。町や字で被災の状況は大きく異なり、同じ町のなかに「帰還困難区域」や「警戒区域」という理不尽な線が引かれ、いわき市も、福島県も、日本国すらもアテにならなかった。自分たちの裁量で決断し、目の前の命を救い、生活を守らなければならなかった私たちは、自分や家族を守ろうと思えばこそ、国から押し付けられたのではない、何かもっと別のリアルな地域をイメージした。

いわきと一口に言っても、かつては日本一の面積を誇った市である。北端の久之浜から南端の勿来までは、ゆうに四〇キロは距離があるし、いわき市平にある市役所の本庁まで行くのに車で一時間近くかかる地域もざらにある。目の前の支援物資をどうするか、被災した人たちをどう受け入れるかなど、緊急性の高い問題をいちいち本庁に確認している暇はない。防災、減災といった文脈から見ても、震災と原発事故は私たちに地域自治のようなものを取り戻させ、地域への帰属意識を強めた。

私にとって、帰属する地域とは、「がんばろうふくしま」でも「がんばっぺいわき」でもなく、カタカナの「フクシマ」でもない。紛れもなく「小名浜」であった。「フクシマ」や「ふくしま」といった記号にからめ捕られるのが嫌だったからかもしれない。県外から見れば「福島」はひとつに見えるだろうけれども、重要なのはそれぞれが暮らす地域にほかならない。

リアルな地域アイデンティティを取り戻した「町民」たちは、いわき市内の各地で祭りを再起動している。例えば、湯本地区では「やっぺ踊り」という、いわき市合併前の踊りを五〇年ぶりに復活させた。四倉地区では地元の若手が中心になって「四倉音頭」の再生プロジェクトを立ち上げた。内郷地区の奇祭「回転櫓盆踊り」も、以前にも増して内郷色を打ち出すようになっている。小名浜では毎年「小名浜本町通り芸術祭」が企画され、私も立ち上げに関わった。そこに暮らす人たちが「自分たちは何者なのか」を考えたときに手繰り寄せたのは、文化や歴史、芸術の力だったのだ[★1]。

本書の第二章では、うみラボの活動を通じて「データ」や「数値」を取り上げた。福島の現状を理解するには、当然こうした科学的なデータを見ていく必要がある。しかし一方で、そこに暮らす私たちは、データや数値では説明できない何かや、神仏や、形のないものに希望を託し、ここに暮らす誇りのようなものをもう一度探し出そうとしている。私たちが文化や歴史に触れて何かを表現したくなるのは、そこに、様々な社会の課題や軋轢を超え、コミュニティの分断や震災の喪失感を回復させる力を、無意識に見出しているからかもしれない。

そこで第三部では、「文化と復興」をテーマに、震災後に立ち上げられた興味深い取り組みや場所、アートプロジェクトなどについて取り上げていく。いずれも、私個人が参加したり観覧したりしたものだ。それらに通底する理念を探しながら、地域づくりに取り戻すべき思想を考えていきたい。キーワードは「ゲリラ戦」である。国や県からの復興への同調圧力、ひとつになってがんばろうという曖昧な空気に抵抗するようなゲリラ的、即興的な動きが、いわきで展開されている。理不尽な死や喪失から回復しようと選び取ったのは、いわば文化のゲリラ戦だったのだ。

まず第七章では、震災後のいわきでスタートしたいくつかの取り組みを紹介しながら、いわきの「バックヤード」を一旦引き剥がす。本書の前半で、私はずっといわきのバックヤード性について書いてきた。しかし、第七章では歴史を遡ってバックヤードになる前のいわきを見ていくことになる。バックヤードになる前、私たちの地域には何があったのか。私たちは、なぜそれを失ったのか。いわきには何が残っているのか。それが見つかれば、私たちがこれから意識的に再起動させていくべきも

★1　震災後、いわき市では、合併前の市町村単位でのお祭りが再起動されている。常磐地区の「やっぺ踊り」は、昭和三〇年代から夏祭りなどで踊られるようになったもの。江戸時代の木材商、豊川屋弥平が常磐地区にある温泉神社で事業再興の願をかけたところ「利のみを追わず、商いを通して世に尽くせば、永久に商売繁盛するであろう」とのお告げを受け、「わしはやるぞ」と喜びを全身で表した姿が由来と伝えられている。一九六六年のいわき市大合併を機に踊られなくなったが、二〇一一年に復活を果たした。四倉地区の四倉音頭もまた、いわき市合併前に愛された盆踊りだ。八茎鉱山と北洋漁業が栄えた時期、四倉はいわき地区北部最大の町だった。町の魅力を県外に伝えるため、四倉音頭を踊るキャラバン隊が県内外に派遣されたという。震災後、地元の地域づくりチーム「ムジカへッズ」が四倉音頭の復活プロジェクトを立ち上げた。内郷地区の「回転櫓盆踊り大会」は、踊り手ではなく「櫓」のほうが回るという一風変わった盆踊り。常磐炭鉱が最盛期の頃、その技術を披露しようと櫓に発動機を入れたことが由来だそうだ。震災後は、より地元色を強く打ち出したPRを行っている。「小名浜本町通り芸術祭」は、小名浜在住のデザイナー高木市之助らによるアートプロジェクト。アーティストを招かず、地元の担い手が中心になり、低予算且つ即興的なプロジェクトになっている。こちらも震災後に生まれた「小名浜本町通り」という等身大のゾーニングに、「いわき」や「福島」という、いわば「大きなローカル」に対するカウンター性を感じる。

のも見えてくるはずだ。

続く第八章では「地域アート」について考えていく。震災後の福島県では、国や県、市が補助金を出し、傷ついたコミュニティを回復させるための様々なアート事業が推進されてきた。そこで、福島県内で行われてきた地域アートを検証しつつ、二〇一六年に、いわき市小名浜を舞台に開催された、東京出身の若手アーティストたちによるコレクティブ、カオス*ラウンジの「市街劇『小名浜竜宮』」を取り上げていく。美術界から見た評価や作品論は美術批評家に任せることにし、私は、地域を舞台に企画されたアートプロジェクトが、そこに暮らす人たちに何を残したかということにしぼって考えていく。

本書の最後を締めくくる第九章では、福島の原発事故を「障害」と捉える視座を示し、障害福祉という文脈を加えながら、これから採られるべき道を探る。そこでは復興の失敗が語られていくことになるだろう。本書は、その失敗をほかの土地では繰り返して欲しくないという思いで書かれている。敢えて批判的な目を向けながら、愛するふるさとを書き綴ったつもりだ。もちろん、福島の復興を、このまま失敗で終わらせるつもりはないし、批判だけで終わるつもりはない。福祉やアートといったキーワードを示しながら、私たち自身がこの福島で展開していくべきゲリラ戦についても言及し、本書を閉じることにする。

第三部で文化を考える目的はもうひとつある。この世にいない人たちの声を聞く術を探ることだ。文化や歴史に触れることは、過去の偉人たちや、過去にこの地に暮らしてきた人たちの思いに触れることにつながる。アーティストが作品を作るために地域をリサーチし、人の声を聞き、文化や歴史を知ろうとすることも同じだ。アーティストは、この世にいないものの声を届ける、その翻訳者であろう。私たちはその作品を通じて、死者の声、異界の声を聞くことになる。

震災後の福島では、未来ばかりが語られてきた。しかし、未来の人たちにとってみれば、私たちはもうすでに死んだ人、過去の人である。未来の人たちに思いを託すというと格好はいいが、実際には、未来の人たちに「死者の声を聞け」と言っていることと同じだ。つまり、未来は、つねに死者の声によって作られていくのだ[★2]。

では、今を生きる私たちは死者の声を聞いてきただろうか。震災で命を失った方々、過去の災害で亡くなった私たちの祖先、戊辰戦争で命を奪われた兵士や、数百年前のいわき市民の「いわきの未来はこうなっていて欲しい」という声を、私たちは探そうとしただろうか。私たちは、数百年前のいわき市民が願った復興を成就させられているのだろうか。

私たちは、どのような未来を、この福島に残したいのだろう。それを考えるためにこそ、私たちは、

★2　被災地における「死者の声」の存在に着目したのが、ノンフィクションライターの石戸諭による『リスクと生きる、死者と生きる』（亜紀書房、二〇一七年）である。同書において石戸は大切な人を失った人たちの死の向き合い方の多様さを丁寧に拾い上げ、何者にも代弁できない「個的な言葉」にこそ耳を傾けよと訴える。「被災者」や「福島県民」といった大きな主語に批判的な目線を向け、「当事者」という壁を越えることに希望を見出した石戸の言葉は、確実に本書にも引き継がれている。

文化や歴史、芸術を通じて死者の声に耳を傾けなければならない。死者の声とは、「今この福島」の外部そのもの。ならばこう言い換えてもいい。原発事故後の福島に生きる私たちは、いかにして外部の声を聞くのか。本書が一貫して続けてきたこの問いは、ようやく第三部にいたって、外部の声、死者の声と強固に接続される。

　本書がここまで書いてきたように、福島は課題だらけである。私たちはこの七年、課題を乗り越えるために議論を続けてきた。しかしその議論は苛烈さばかりが増し、お互いを傷つけ合うようなものに成り果て、論戦に疲れ果てた人たちを生み出してもきた。私もそうだ。伝えようと思えば思うほど壁が高くなり、言葉は強くなり、敵対関係を補強してしまう。なぜだろう。私たちがあまりにも「現実のリアリティ」に束縛されているからではないか。友と敵に分かれ、賛成派と反対派が攻撃し合い、ああでもないこうでもないと罵り合う。そんな未来を、はたして死者たちは望んだのだろうか。

　第一部で取り上げた食も、第二部で取り上げた復興の負の側面も、暮らしと直結する問題である。その意味で、これまで本書が書いてきたことは「現実のリアリティ」に紐付けされたことだとも言える。しかし第七章において、私は一旦現実を離れる。福島をよりよい地域にし、よりよい未来を子孫に届けるためには、すでに揃いつつある事実やデータだけでなく、むしろ、死者の声、外部の声、そして想像の力を再検討していく必要があると思うからだ。

　地域づくりの観点で言えば、第一部と第二部は「社会起業」的な側面を強く打ち出している。思えば私個人の活動がそうであった。被災地も、震災直後から数年は「震災復興系人材」を求め続けた。

目の前の問題を突破するためには、そうするしかなかった面もある。

しかし、そこで闘おうとすればするほど、軋轢や分断を深めてしまったという反省と後悔が私にはある。そこから解放されたのは、私本人が思想や芸術と出会い、その担い手と対話できたからにほかならない。現実のリアリティの引力が強い福島だからこそ、現実の問題から一旦離れ、死者の声や外部の声に耳を傾け、思想やアート、文化の力を自分のなかに取り込む。それができて、私はずいぶん楽になった。

本書は、私の七年を追体験するかのような構成になっている。今振り返れば、職業として関わってきた食、住民として見つめてきた原発問題、その両面で感じてきた痛みは、仕事にも暮らしにも属さない、ふわっとした「文化」というアプローチを通過することで寛解されてきたように思う。ならば、福島の現場で編み出された私の処方箋は、全国のどこかで今まさに「現実のリアリティ」に葛藤する皆さんの心に、何らかの効能があると思いたい。そんな期待を、第三部のあちこちに込めた。

ゲリラ的に立ち上げられたいわき回廊美術館

いわき回廊美術館。本書の序盤でも少し触れたが、今や、いわきのアートを語るうえで欠かすことのできない場所だ。現代美術家の蔡國強（ツァイグオチャン）がコンセプトデザインを手がけたことでも知られる。美術館の回廊の長さは一〇〇メートル余り。一匹の龍が里山を這いのぼるような形状をしている、実に奇抜

写真1　回廊美術館の入り口。ここから100メートル以上の回廊が山頂に向かって続く　美術館許諾済

な美術館だ［写真1］。展示スペースには、蔡といわきの関わりを記録した写真や、地域の小学生たちが描いた桜の絵（なんと蔡自身が子どもたちの作品を講評している）が常設展示されている。

美術館について詳しく紹介する前に、この美術館を運営している「いわき万本桜プロジェクト」について紹介しておこう。このプロジェクトは、いわき市在住の会社経営者、志賀忠重ら有志が立ち上げた植樹プロジェクトだ［写真2］。いわき市神谷地区の里山に二〇〇年をかけて九万九〇〇〇本の桜を植えようという壮大な計画で、定期的な植樹会以外にも、大小さまざまなイベントを企画している。地元のアーティストやミュージシャンだけでなく、ロックバンド「くるり」のヴォーカルである岸田繁や、タブラ奏者のユザーン、現代美術家の増田セバスチャンなども訪れている。ジャーナリストの津田大介も足しげく通っており、私も、津田が運営するウェブマガジン『ポリタス』に、万本桜プロジェクトに関するエッセイを寄稿させてもらったことがある［★3］。ウェブだけではない。二〇一八年、作家の川内有緒が蔡と志賀の物語を綴った『空をゆく巨人』（集英社）という作品が、開高健ノンフィクション賞を受賞した。様々な表現者がゆるくつながる場所になっているのだ。

活動の初期こそ志賀たち数人で小さく始まった万本桜プロジェクトだが、かねてから交友のあった蔡が支援することになり徐々に規模が拡大。里山の整備や草刈りをするボランティアも増え、現在では、「墨の塔」や「火炎の塔」など、蔡がコンセプトを考えたインスタレーションのような建造物も増えてきた。ほかにも、ツリーハウス、サウナ部屋、さらには図書館も完成していて、もはや立派な文化施設と言っていい。

蔡と志賀の出会いは二〇年前に遡る。芸術家としての栄達を目指して訪れた日本で、作品が売れずに苦しむ蔡の絵を、志賀が購入したことがきっかけだ。本人から直接伺った話だが、志賀は、芸術や美術は全くの門外漢であるにもかかわらず、友人のギャラリストに言われ

写真2　2014年に開催された春のイベントでの一コマ。志賀忠重（右）と蔡國強（左）が揃って挨拶した

★3　「9万9千本の桜を植える――原発事故への怒りから生まれた『いわき万本桜プロジェクト』」URL=http://politas.jp/features/4/article/336

写真3　里山の頂上に展示された蔡の《廻光―龍骨》。いわき市小名浜の三崎公園で展示された後引き取られ、自然に朽ち果てるよう展示されている　美術館許諾済

るがまま、蔡の作品を二〇〇万円以上も買い上げたというからものすごい。それがきっかけで、蔡はいわきに移り住み、一九九四年に、いわき市立美術館で個展「環太平洋より」を開催する。志賀たちも、個展に向けて様々な形で支援を行なったそうだ。

いわきで制作された作品で代表的なものが、小名浜の神白海岸から掘り起こしたサケマス船を使った作品《廻光―龍骨》（一九九四年）だ［写真3］。サケマス船は、蔡に依頼され、志賀たちボランティアが掘り起こした。作品はその後、小名浜の三崎公園に数年間にわたって展示されたが、傷みがひどくなったことから志賀たちがそれを引き取った。ちなみに蔡は、二〇〇三年になって、もう一隻の船を掘り起こして欲しいと志賀たちに依頼。それに応えた志賀たちが費用を負担し、掘り起こした船を蔡へ贈った。二隻目の船はスミソニアン美術館で《いわきからの贈り物》(二〇〇四年)という作品になり[★4]、世界各国を巡って、現在はコペンハーゲンにある財団に引き取られたそうだ。回廊美術館の里山を登っていくと、最初の作品が高台の頂上に展示されている。下手をしたら数千万円くらいの価値があるのかもしれない。しかし、そんな作品が里山に流れる季節とともに少しずつ風化していく。とても贅沢な味わい方ではないだろうか。

この美術館の何より面白いところは、有志が勝手に作り、勝手に運営しているということにある。回廊美術館は何らかの建造物ではあるものの、法律で認められた美術館というわけではない。また、その姿かたちも、建築申請や許認可を経て建てられたものにはどうしても見えない。蔡國強という美術家が関わった美術館と聞くと、いかにも著名な建築家が設計に携わっていそうにも思えるのだが、実際には、志賀たちボランティアが手作りで建てたものである。山で切り取った木材とホームセンターで買ってきた合板で、即興的且つ簡易的にしつらえられているのだ。

そもそもこの土地も、志賀たちが山の持ち主にお願いをして確保したものだそうだ。国や県の予算が投入されているわけでもない。民間の人たちの力仕事と寄付だけで、これほどに素晴らしい場が運営されていること自体、奇跡的なことである。それでも志賀たちは、特に大きな宣伝をすることもな

★4 「いわきの廃船、カナダで蘇る」URL=http://www.siga.co.jp/canadatop.html

く、蔡の知名度に乗っかろうとするわけでもなく、プロジェクトを「大人の遊び」の延長のように楽しんでいるのがいい。それでいて建築の専門誌などでも紹介されている。それがなんとも痛快なのだ。

ここがもし国や自治体が定めるような「震災復興拠点」だとしたらどうだろう。当然、法律で認められた条件内で施工されなければならないし、いろいろなところから「それは復興のイメージと合わない」などと口を挟まれることになる。もともとの企画や理念は影を潜めて、お役所的な、いかにも面白みのない、美術館とは名ばかりの場所になっていただろう。

しかし、この場所はそうではない。志賀や蔡たちは、ここが私有地であることをいいことに、自分たちのノリで勝手に「やらかして」いるのだ。だからこそ、突き抜けたアイデアも打ち出せる。法律をなかば無視して突き抜けた場所を目指すがゆえに、多くの人たちが魅了され、ボランティアに参加し始め、建築家ではない市井の人たちが、本業の建築家を驚嘆させるようなものを作れてしまうわけだ。そしてそれがまた人を呼ぶという循環がある。

志賀に話を聞くと、「やっぱり自分たちが楽しいと思うことをやりたいんだ」とよく話をする。自治体からの問い合わせや、助成金などの話も持ち込まれるようだが、「楽しいことができなくなる」と断ってしまうそうだ。助成金があるせいで表現が捻じ曲げられ、自治体のオーダー通りにことをなそうとするという「地域アート」の限界が叫ばれるなかで、この美術館の立ち位置や運営方法、そして理念は、既存の地域アートに対する批判的応答になっているようにも見える。

地域アートについては、このあとの第八章でも掘り下げて考えてみるが、自分たちが表現したいことを、蔡國強というアーティストとともに進め、住民がそれを勝手に楽しみ、それでいて、地域全体にもその効果がじわじわと滲み出ている。これこそ本物の「地域アート」ではないか。現代美術の専門誌は、もう少しこのいわき回廊美術館を取り上げてもよいのではないだろうか。

コモンズとしてのUDOK.

手前味噌になるが、私と友人が小名浜で運営しているオルタナティブスペースUDOK.も、同じような反復興的なゲリラ戦を展開してきた［写真4］［写真5］。「UDOK.」と書いて、「ウドク」と読む。「晴耕雨読」から取った名だ。UDOK.がオープンしたのは、震災後の二〇一一年五月である。小名浜の本町通りというメインストリートにあるテナントを借りたもので、広さはおよそ二〇坪ほど。メンバーに加入して会費を払えば、自由にこの場所を使うことができる。サラリーマンをしている絵描きやDJたちが、実験的な表現の場として活用したり、ケアマネージャーがイベントや対話の空間として使ったり、写真好きな人たちが個展の会場として使ったりと、用途は実に様々だ。過去にもライブハウス、劇場小屋、イベントスペース、ギャラリー、アトリエなどとして使われてきた。しかし、だからといってここが法人登記されているわけでも、ギャラリーやイベントスペースとして登録されているわけでもない。店長を雇用しているわけでもなければスタッフがいるわけでもない。つまり何だかよく分からない場所なのだ。

写真4（上） 現在のUDOK.。「晴耕雨読」のグラフィティは友人の建築家が描いてくれた
写真5（下） アーティストの川西遼平がレジデンスしていた頃のUDOK.

UDOK.といわき回廊美術館に共通することが「経営しない」ということかもしれない。以前、DJが複数所属していた頃、UDOK.では週末になるとちょくちょく音楽イベントが開催されていた。当時は風営法の関係で午前零時を超えると、音楽をかけて人を踊らせてはいけないはずだった。しかしこのイベントはお金を取るわけではなく、「風営法」の埒外である。朝四時、五時まで酒を飲んで踊っていても何か言われる筋合いはない。何しろここは法的にはただの倉庫（か何か）なのである。

経営されていないという強みは、大きく分けてふたつある。ひとつは、運営のハードルが下がり持続性が生まれること。もうひとつは、運営が自立的になるので、既存のコミュニティや補助金行政に頼らずに済み、自分たちのやりたいことを貫ける点だ。

企業でも法人でもない。とても浮わついた存在のように見えるけれど、それで大きなトラブルになったことはない。むしろかえって法律から浮いた存在になり、グレーゾーンのなかで面白いことにチャレンジできるようになる。特に儲けを出す必要もなく、家賃＋αを稼げればよいので、私的な空間の中で自分たちのノリを貫けるのだ。UDOK.は家賃は毎月六万円ほどかかるものの、一四人ほどいるメンバーでそれをシェアしている。一人の負担は毎月五〇〇〇円。飲み会に行くより安く自分の場所を持てる。メンバーのほとんどは会社員として勤めており最低限の収入がある。この場所でお金を稼ぐ必要がないから、集客を無視してチャレンジングな企画も立てられる。

そこまで開き直ることができると、既存のコミュニティに依存せずに済む。どこかの地域で事業を始めると、商工会議所やら青年会議所に仁義を通さなければならないことも多い。しかし、私たちの場合は自分たちで勝手に始めたことだし、特にお金に困っているというわけでもないので、既存の「顔役」や「重鎮」の顔色を見ずに済む。自由に企画ができるので、少しずつお客が来てくれるようになり、次第に、県外からも見学者がやってきたり、話を聞いてみたいとかライブをやってみたいとか、色々なオファーが届くようになった。

この場所が立ち上げられた頃は、よくメディアの取材がやってきた。すると決まって「この場所は被災者の集いの場所なんですね？」などとストーリー仕立ての質問が来たものだ。テレビ局にとってUDOK.は「復興拠点」であったほうが都合がいいからだ。しかし、この場所は震災があったから立ち上げたわけではない。もともと震災前から話が進められていて、契約しようとしていた場所が津波で流されたため、オープンの場所と時期がずれただけである。私たちは、UDOK.が復興のストーリーにからめ捕られることを拒絶した。既存のコミュニティから切り離されていた場所だからこそ、それができたのかもしれない。

ところが、このように自立的にイベントを企画していくと、UDOK.がじわじわと公共的な場所になっていくのを感じた。私たちの存在が少しずつ地域の公共空間に漏れ出し、いつの間にか人が集い、商店会や自治体の会合に呼ばれるようになり、若手としての発言を求められたり、アイデアを求められたりするようになったのだ。企画がメディアで紹介されたり、町内会の重鎮たちとの接触が増えると、UDOK.という場所が、図らずも小名浜の公共的な空間として認識されるようになる。そのうち、市の担当者のほうから「こんな助成金があるから使ってみてはどうか」というオファーのようなものも頂くようになった。

回廊美術館もＵＤＯＫ．も、現地のリアリティから解放され、外の人たちとつながっている。つまりとても「観光的」な場所なのだ。そして、結果的に公共性も付与されている。それも共通点かもしれない。復興のメインストリームからは外れた存在なのに、市の公式ウェブサイトで紹介されたり、メディアからの取材を受けているうちに、いつの間にか公共性が付与されていく。その「あとづけの公共性」は、自治体や政府から与えられたものではない。そこに暮らす人たちが自分たちで作り上げたものだ。ふたつの場所は、オフィシャルな場所ではなくコモンズ的な場所になっている。そこが興味深い。

やりたいことを表明する、そしてやりたいようにやる。とてもシンプルなことだが、復興の文脈に合致する社会派起業ばかりがクローズアップされる震災後の福島において、こうした自分勝手な地域づくりの取り組みは、既存の復興活動に対する強烈な批評性を持っていると感じる。復興とは一線を画し、むしろ既存の復興政策からこぼれ落ちてしまうようなふまじめな人たちの集う場所になっていくからこそ、地域の復興の問題点に目が行き、それを自由に発信できるようになる。私の存在自体が、その最たるものかもしれない。

そして、そのようなラディカルな活動が続いたことで、結果としてＵＤＯＫ．は、急速にアートや表現活動との距離を縮めていくことになる。小名浜のならず者たちの理由なき表現欲求は外部へと発信され、次第に、アーティストや表現者が集うようになったのだ。ＵＤＯＫ．のメンバーが中心となり、二〇一三年から「小名浜本町通り芸術祭」というアートプロジェクトをスタートさせた。毎年一〇月に開催され、いわき市内で活動している表現者たちが自分勝手に作品を制作、展示する実にカオスなプロジェクトになっている。

県外から作家が訪れてくれることも増えてきた。二〇一二年には、当時ロンドン芸術大学のセントラル・セント・マーチンズで芸術を学んでいた川西遼平という作家が一ヶ月間レジデンスをしたことがある。彼はいわきで作品を発表後、ニューヨークに移住し、現在は自分のブランドを立ち上げ、若手の実力派デザイナーとして活動を続けている。二〇一六年には、次章で取り上げるカオス*ラウンジの「市街劇『小名浜竜宮』」の会場になった。こうして県外からアートや表現活動に関わる人たちが訪れるようになったことで、より外部の視点がもたらされ、私たちは、少しずつ現実のリアリティから離れることができたのだ。

社会起業家ばかりが集まるような場所だったら、今頃私も自分の関係する復興事業を「志事（しごと）」などと言って情熱を燃やしていたに違いない。アーティストや表現者が訪れるようになったからこそ、現実のリアリティから距離を置くことができ、以前よりも射程の長い視点で地域を見つめられるようになったのだと思う。震災直後は、被災地での表現活動など不謹慎極まりないなどと言われたものだが、震災直後から多様な人たちが集まる場所を運営できてよかったと今は思う。彼らとの出会いは、確実に本書にもつながっている。

このような場を運営するにあたって重要なことは、助成金や補助金に頼らない「動員のシステム」

を作ることだろう。ゲリラならではの身軽さを活かしながら、企業や法人という形式に囚われることなく、最小限の資金で活動を継続する。小さいからこそ尖った企画が立てられ、面白さで勝負できるようになるのだ。それができれば、引きつけられた人たちが次の当事者になってくれる。そこでは「県内／県外」「被災者／非被災者」などという二項対立は意味をなさない。みんなが当事者になっていく。それがいい。

当事者を限定していくのではなく、逆に外に拡大していくことで、活動は広がり、持続性が生まれていく。それこそ原発事故後の福島に必要なアプローチだろう。現実のリアリティから解放されるためのふまじめさ。それを持つことが、かえって持続性と当事者性を高めてくれるのだ。その結果、福島を語る人たちが増え、忘却と風化に抗う小さな力になる。いわき回廊美術館と、UDOK. での実践は、そのことを強く学ばせてくれた。

震災後のいわきに生まれたアートの胎動

私たちと同じように、震災後にアートに魅了された人たちによって企画されたアートプロジェクトがある。いわき市平で二〇一五年から年に一度開催されてきた「玄玄天(げんげんてん)」というアートプロジェクトだ［写真6］。同地区に拠点を構える「ワンダーグラウンド」というNPOが主催している。いわき駅の駅ビルや、町内の店舗、商業ビルなどが展示会場になっていて、その規模も毎年拡大している。とても意欲的なアートプロジェクトだ。

ここ数年は、いわき市の美術史に徹底して目を向け、ベテラン作家たちとも手を組みながら、いわき市を代表する美術家の若松光一郎や松田松雄、陶芸家の緑川宏樹といった過去の偉人たちにも積極的にアクセスし、様々な企画を打ち出してきた[★5]。玄玄天の担い手たちは、私と同世代が中心だ。日常的に連絡を取り合いながら、いわきに文化の力を注入できればと、ともに試行錯誤を続けているところである。

「玄玄天」という言葉の由来を紹介しておこう。いわき市が誇る大詩人、草野心平が一九八五年に発表した詩集『幻景』（筑摩書房）のなかに、「玄玄天」という詩がある[★6]。アートプロジェクトの名前は、ここから付けられた。「天」とは、心平の詩を語るうえで欠かすことのできない主題のひとつである。詩集『天』（新潮社、一九五一年）のあとがきで、

写真6　いわき市の陶芸家、緑川宏樹がフィーチャーされた2017年の玄玄天　撮影＝白土亮次

心平が「私のいままで書いた作品の約七十パアセントに天がでてくる」と語っているように、「天」という言葉には心平独自の宇宙観、生命観が如実に表れている。心平の詩では、人間はその「天」を前に、どこか孤独で悲しい存在として描かれている。「天」とは、まさに「触れられなさ」の象徴でもあるのだろう。

そもそも、この芸術祭は草野心平をテーマにした企画展ではない。にもかかわらず、タイトルは心平の詩なのだ。言葉の響きだけで選んだのかもしれないし、熟慮を重ねて決めたものではないのかもしれない。しかし、どちらにせよ、企画者たちの心の拠り所として心平が再発見されたことは事実で

★5 若松光一郎は、一九一四年、福島県岩城郡湯本町（現在のいわき市常磐湯本町）生まれの洋画家。油彩だけでなく、和紙や顔料などを用い、独自の技法によるコラージュ作品を数多く制作し、コラージュの世界的第一人者として知られるようになった。一九七六年「いわき市民ギャラリー」を設立、会長に就任。この市民ギャラリーが、現代美術を中心としたいわき市立美術館の設立につながった。

松田松雄は岩手県陸前高田市出身の洋画家。一九六五年から作家としての活動を始める。白と黒のストロークで画面が埋め尽くされた抽象画など、簡潔な色彩とフォルムで緊張感と静けさに満ちた心象風景を描き続けた。松田も、若松と同様、いわき市民ギャラリーの設立メンバーとして、いわきの文化の潮流を作り上げた一人。

緑川宏樹は一九三八年東京生まれの陶芸家。京都で前衛陶芸家集団の走泥社の同人となった後、いわきに移住。いわきでは《裂》や《風は結晶する》など、前衛的で野心的な作品を発表するかたわら、市民ギャラリー運動やいわき陶芸協会などを設立し、いわきの芸術の底上げに尽力した。

★6 草野心平は、福島県石城郡上小川村（現在のいわき市小川町）出身の詩人。一九八七年文化勲章受章。一九八八年に亡くなるまでに一四〇〇あまりの詩を残した、いわき屈指の偉人である。いわき市小川町には草野心平記念文学館があり、心平の世界観や足跡を目や耳で鑑賞することができる。いわき市の小中学校には心平が作詞をした校歌が多い。自然、動物、天とともに生きようという心平の言葉は、いわきに生きる私たちにとって、常に子どもの頃の記憶とともに生き続けている。

あろう。彼らは、江戸から続く「磐城平」でも、「フラガール」や「常磐炭鉱」でも、震災でも原発でもなく、心平に希望を見出した。この決断は、いわきの同世代の私から見て、とても意外な、しかしとても希望に満ちあふれたもののように思えた。

私たちは、原発事故以前に「震災」と「津波」という自然災害を経験している。目の前で死が剥き出しになった様を見せつけられた災害であった。玄玄天の担い手たちは、そうした日常の揺らぎや、自然の猛威を前にした人間の無力感を、心平の「天」という言葉に見たのではないだろうか。天を「触れられない」ものの象徴だとするなら、この芸術祭はまさに私たちが触れることのできない「向こう側の存在」を暗示する。意識的にせよ、無意識にせよ、彼らは、現実のリアリティから離脱するため、死者や異界との対話を求めたのだろう。私もそうだ。原発事故云々の前に、私たちは未だにあの膨大な喪失を受け止めきれていない。なぜあのように膨大な数の命が失われなければならなかったのか。答えは出ない。出しようがない。だからこそ救いを求めて、心平の声を聞きたいと思ってしまうのだろう。玄玄天は、それに応える展示になっていた。

平地区と小名浜地区、いわきの二大経済圏で、「玄玄天」と「小名浜本町通り芸術祭」という毛色の異なるアートプロジェクトが、震災後のほとんど同じタイミングに、しかも同世代の担い手たちによって立ち上げられたことは実に興味深い。本章の冒頭でも紹介したとおり、傷ついた被災地で地域の担い手たちが救いを求めたのは文化や芸術だったのだ。

その両者に地域性が滲み出ているのも面白い。もとは城下町であり、都市としての歴史も長い平地区の玄玄天が、地元の美術史を深堀りしながら、国内の作家たちの作品を集めて展示する、いわば正統派のプロジェクトになっているのに対し、港町の小名浜地区では、ストリートの即興性を重要視し、地元の作家たちが自由気ままに展示を行っている。規模は小さくとも、メインストリームとカウンターのふたつの潮流が生まれているのだ。

二〇一七年からは、このふたつの潮流が合流し、ぶつかり合い、ひとつの潮目を作っている。いわき市と地域の担い手が中心となって「いわき潮目劇場」というプロジェクトがスタートした［★7］。いプロジェクトのネーミングはいかにも役所的だが、玄玄天と、小名浜本町通り芸術祭の担い手たちが実行委員に名を連ねている。自治体が絡む助成事業なので、正直なところ今後どうなるか分からないけれども、ほんの数年前まではアートなんて大して興味もなかった地元の人間が、こうして自治体と一緒にプログラムを考えているのである。滑稽と言えば滑稽だが、そんな事実にこそ、アートや表現活動が持つ本来の力強さ、被災地における「外部」の重要性が滲み出ているような気がする。

ちなみにこの「いわき潮目文化共創都市づくり」、ウェブサイトのステイトメントは私が書かせて

★7　いわき潮目劇場は、二〇一七年度より始まった、いわき市といわき市内の地域の担い手たちによる文化プロジェクト。いわき潮目文化共創都市づくり推進実行委員会の主催。いわきの文化の軸を「潮目」という言葉に置き、潮目をテーマにしたツアー演劇、セミナー、まちあるきやインスタレーション制作、ワークショップなど、大小さまざまなプログラムが企画された。筆者は実行副委員長を務めており、そのステイトメントは以下のサイトで読める。「潮目文化共創都市いわき宣言」 URL=http://iwaki-shiome.com/statment/

もらっている。さらに、そのウェブサイトに使われているアートワークは、カオス＊ラウンジの市街劇で作品を展示したアーティストのＫＯＵＲＹＯＵが手がけた。震災後にいわきに蒔かれた芸術の種が、少しずつ発芽し始めているようだ。文化不毛の地だったはずの「バックヤード」としてのいわきに、小さいながらもふたつのアートプロジェクトが始まり、さらにいわき回廊美術館のような場所が生まれている。それは、日本の美術史からすれば些末なことに過ぎないかもしれないが、私には、希望そのものに思えてならない。

常磐から考える

芸術家や表現者との関わりが増えたことで得られた視座のひとつに、地域を文化圏や気候、地層などによって区切り直すというものがある。国が策定した市町村という行政区域ではなく、それ以前の藩の時代や、さらに以前から続く文化、数千年、数万年のスパンで考えられる区分でもって、地域を今一度再構築しようというものだ。この章の冒頭で、私は震災によって地域アイデンティティが揺さぶられたと書いた。その動揺ののち、私が実感したアイデンティティが小名浜という生活圏の小さなエリアだったのに対し、表現者と触れ合うことで得られたアイデンティティは、文化圏的な広さがある。

被災直後は、防災や自治などの観点から、地域の自立心を喚起するものとして、生活圏レベルでの地域アイデンティティが再確認された。私にとってそれは「小名浜」である。しかしその後、地域の文化や歴史を知ろうとする過程で、地域アイデンティティは拡大し、「どこまでが私たちと運命を共有し、連帯できるのか」というレベルへ思考が膨らんでいった。「福島」という括りに、どうしても違和感を感じてしまっていたからかもしれない。福島という言葉では、この地域を適切に捉えられないのだ。生活圏レベルでの小名浜と、文化圏レベルでの何か。その何かに当てはまるものとして、私は「常磐」という地域に着目することになる。

私が常磐へ急速に接近していったのには、ふたつのきっかけがある。ひとつは、震災後の二〇一五年に書き手の一人として参加した『常磐線中心主義 ジョーバンセントリズム』（河出書房新社）という本である。常磐線は、東京の日暮里駅からはじまり、千葉県、茨城県、福島県を通過し、その後、宮城県の岩沼駅で東北本線と合流し、仙台駅まで走る鉄道路線だ。同書では、その常磐線沿線にゆかりのある書き手がそれぞれの駅の地域性を語りながら、常磐地区特有の役割を炙り出した。キャッチコピーが秀逸だった。常磐とは「東京の下半身」である。そう言い切った。日暮里（都心）から始まり、千葉や茨城のベッドタウン、さらには田園風景や港町を通過し、エネルギー生産地としての福島、さらに福島第一原発のある双葉郡の風景を書き綴った。ここでは産業構造や東京（中央）との距離感によって地域を浮かび上がらせるという考え方を学んだ。

もうひとつは、次章で紹介する芸術家集団カオス＊ラウンジとの出会いである。特にキュレーターである黒瀬陽平の地域へのまなざしは、私の思考にも大きな影響を与えた［★8］。いわきの歴史を紐解こうとするとき、私たちはせいぜい「明治維新」どまりだが、彼らはいとも簡単に数百年の時間を飛び越えていくのだ。時間だけではない。時に「東北」というエリアに意識を拡げ、時に仏教を通じて会津といわきを接続する。彼らは「今ここ」に支配されない。その想像、妄想の力は、現実のリアリティに縛られていた私の視界をクリアにしてくれた。

では、常磐とは何か。それは、常陸と磐城を合わせた地域を表す言葉である。おおまかには、茨城県に、福島県浜通り南部あたりの地域を加えたエリアと考えればいい。常磐という言葉を聞いてすぐに思い出すのは「常磐炭田」である。常磐炭田は、南は茨城県の日立市、北は福島県の富岡町まで存在していた広大な炭田を指す。このエリアを福島県と茨城県で分かれたエリアとして見るのではなく、かりに「常磐県」という領域として見てみよう。すると、この地域の特異性がすぐに見えてくる。

福島第一原発のある大熊町は、常磐県の北端である。さらに、被曝死亡者を出した一九九九年のJCOの臨界事故のあった東海村は、常磐県の南端に位置する。日本の原子力史上最悪とも言えるふたつの事故、その両方が常磐県で起きていたことになるのだ。しかも一五年たらずの期間のうちに二度も。世界を探しても、このような土地は見つかるまい。あまりにも特異な地域なのだ。福島県よりも、もっと過酷な宿命を背負わされた幻の常磐県を、私はもっと知りたいと思うようになった。

常磐県は、現在の経済圏を考えても、生活実態をともなったものだと言うことができる。いわき市で発行されているタウン誌『タウンマガジンいわき』では、いわき市を中心とした「富岡町以南—日立市以北」の地域を「ときわ路」と呼び、この地域を対象にしたショップ情報や観光情報を提供している。実際、北茨城市や高萩市の住民も、双葉郡の住民も、週末などはよくいわきに買い物に来る。

またこのエリアは、「〜だっぺ」という方言が日常的に使われるエリアとも重なる。常磐県＝だっぺ言語圏として考えると、とてもしっくりくる。

この常磐県は、いわきの伝統芸能である「じゃんがら念仏踊り」が伝わっている地区とも大部分がかぶる。じゃんがらの伝承地域は、いわき市を中心として南は茨城県北茨城市、北は双葉郡双葉町あたりといわれる。それより北に行くと「相馬野馬追文化圏」になり、南に行くとじゃんがらは伝わっていない。どうやらこの「茨城県北部―いわき市―双葉郡南部」あたりまでの地域は、非常によく似た文化を持っているようだ。

それもそのはずで、この常磐県エリアの大部分が、かつての戦国大名であった「岩城氏」の領土と重なる。現在のいわき市は、内陸の郡山市や福島市よりも、双葉郡や北茨城市と親和性が高い。なぜ

★8 ［増補版への注］この評価には若干の修正が必要である。黒瀬と彼が代表を務めていたアート・コレクティブ「カオス＊ラウンジ」は、のち紹介するようにいわきで精力的に作品展示を行ない、筆者もそれを支援していたが、本書初版出版後の二〇二〇年八月、女性スタッフが黒瀬によるセクシャル・ハラスメントおよび組織全体からのパワー・ハラスメントを実名で告発し、のち民事訴訟を起こすに至った。被害にあった女性の告発文を読むと、黒瀬をはじめとするカオス＊ラウンジの度重なるハラスメント、およびその後の対応はあまりにも酷いと言わざるを得ない。また、カオス＊ラウンジからいわきでの展示に協力してきた人たちへの連絡、経緯の説明なども一切なかった。一連の出来事はいわきで奔走してきた人たちの期待や思いを裏切るものでもあり、改めて抗議の意を表明したい。被害に遭った女性の感情を考慮し、増補版では黒瀬およびカオス＊ラウンジに関する言及そのものを削除することも検討したが、本書に収録した市街劇「小名浜竜宮」で展示された作品は、組織としてのカオス＊ラウンジに属していない作家によるものも多くあり、彼らの作品や評価まで消去することもまた難しいと考えた。そこでこの増補版では、文章は初版のまま掲載し、このような「注」を書き加えた。また一部作品の写真については、掲載許諾の連絡が難しい状況だったため、再録できなかったことも付け加えておく。

このように南北に長く延びるエリアが形成されたかと言えば、地域の西側を阿武隈山地に遮られているからだ。山を越えるのには大きな労力が要る。陸前浜街道（現在のロッコク）で結ばれていた地域のほうが、断然交信も早く、そこに文化圏が築かれるのも当然の成り行きであったのだろう。震災と原発事故では福島県ばかりが注目されたが、むしろ「常磐県」とも言うべきエリアとしてこの地域を見ていくことで、「福島県」では見えなかったことが浮かび上がってくるのではないだろうか。

想像力の余白を埋める、常磐ツアー

常磐というエリアへ傾倒するうち、私は自分なりの「常磐ツアー」を企画し始めた。特段誰かを案内するというわけではないが、時間があると、日立市あたりからまったりと古い産炭地を訪ね歩き、写真を撮ったり、何かしらの文章のようなものを書くようになった。地元の写真仲間たちと写真撮影ツアーをしたこともある。

思い出されるのが、二〇一五年に、アジアン・カンフー・ジェネレーションのゴッチこと後藤正文と、作家の古川日出男を連れて常磐を見て回ったことだ。二人は後藤が編集長を務める『THE FUTURE TIMES』の取材でやってきた。企画に関わっていた友人の編集者から相談を受け、取材のアテンドをすることになったのだ。話を聞くと、取材テーマは「ＮＩＭＢＹ（ノット・イン・マイ・バックヤード）」だった。二人はすでに、多忙な仕事の合間を縫って沖縄を取材しており、二カ所目の取材地として福島を選んだという。

震災と原発事故後、福島と沖縄を同列に語る人たちが数多く出現した。米軍基地も原発も、敗戦後にアメリカから押し付けられたものであり、国の政策と直結する「迷惑施設」という意味で共通している。軍や核と結びつくものであるがゆえに、その論議は強い党派性を帯び、福島と沖縄という言葉は、自身の政治信条に紐づいて語られる言葉になった。原発事故後、福島県内から「福島と沖縄を同列に語るな」という議論が巻き起こった。放射能デマを容易に信じてしまうような極端な原発反対派を退場させるために必要な呼びかけだったのかもしれない。しかし、施設を受け入れた地元が、国の権力やカネに振り回され、外部からの政治的な関与によって分断されていく様を見ると、福島と沖縄はよく似ていると思うことがしばしばある。

二人を案内するにあたって、私は、福島第一原発よりも、まずは歴史が閉じられた常磐炭田を見て頂くのがよいと考えた。国策によるエネルギー政策の結末を実際に見ることで、現在の福島を考えるための「迂回路」を提示できると考えたからだ。理由はもうひとつある。常磐炭田は、すでにその歴史を終えているがゆえに、想像の余白が残っていたからである。二人は作家でもある。だから、風景のなかに想像力を働かせることができるだけの余白があるほうがいい。双葉郡は当然見るべきものが多いのだが、あまりにも現実の磁場が強く、想像というものを許してくれない。私は、二人の作家としての想像力に賭けたいと思った。そして、二人を車に乗せ、茨城県日立駅から、いわき駅までを案内した。ここで紹介する「常磐ツアー」は、その時の模様を書いたものである。

本書がここまで意識的にツアーを盛り込んできたのも、観光がもたらす想像力こそ福島の復興に欠かせないものだと考えたからだ。ここで紹介する「常磐ツアー」で、常磐を巡るバックヤードツアーは完結する。本書の三つのツアーに通底するのはダークツーリズムの精神にほかならない。そこにある悲しみや絶望の痕跡を辿ることで、私たちはよりよい未来を設計するための希望の種を手に入れることを企図する（その意味では、もはや呼び方はダークでもホープでも構わない）。そう信じるがゆえに、私は皆さんを案内するのだ。といっても、思い詰めて深刻に見るものではないし、別に何かポジティブなものが手に入らなくたっていい。まずは、車に揺られて外の景色を眺めるような気持ちで読み進めて頂ければと思う。

日立駅から始まる常磐ツアー

私の常磐ツアーは、常磐の南端に位置する日立駅から始まる。日立駅は、日立市出身の建築家の妹島和世が設計を監修したことで知られる。工場の町には不釣り合いな美しいガラス張りの駅舎が海沿いの崖の上にせり出し、そこから雄大な太平洋を見下ろすことができる。国際デザインコンペティションである「ブルネル賞」の駅舎部門で優秀賞も獲得している。日立市で見ておくべき代表的な建築のひとつだ。

モダンな駅舎から外を見渡すと、あちこちに工場が見える。日立製作所の関連工場だ。日立市は東側に太平洋、西側に多賀山地が広がっているため、人が住める場所はあまり広くない。しかし、人が住める土地には日立製作所の関連施設が存在しているため、町を見渡すと必ずどこかの工場が視野に入る。市民の多くは山間地を切り開いて造成した住宅地に暮らす。まさに企業城下町である。

この日立駅からの風景、実は双葉郡ともよく似ている。双葉郡も、町の西部に阿武隈山地が広がっており、平地があまり広くないのだ。沿岸部も切り立った崖になっていて、大きな漁港を造成することが難しい。炭鉱や鉱山に始まり、そこから企業が生まれたり、外から誘致したりして、大企業の城下町となっていく。常磐県の類似性を、この景色から感じることができるだろう。

いわき市とて企業城下町であるという構造は同じだ。いわきの観光の柱である「スパリゾートハワイアンズ」を運営する常磐興産という会社は、常磐炭鉱から生まれた企業である。日本に冠たる日立製作所も、常磐炭田の南端にある日立鉱山で使用する機械の修理部門から誕生したと言われているし、双葉郡内の原発もまた、ポスト石炭を担うエネルギー生産拠点として生まれている。たまたまいわきの場合は「観光業」にシフトできたから良かったが、構造的にはどこも変わらない。茨城北部、いわき、そして双葉郡。そのいずれも、常磐炭田からその近代化の歴史が始まっている。ただ、日立製作所と常磐興産が「地元発」の企業であるのに対して、東京電力はあくまで「誘致」である。ルーツが地元にあるか、そうではないか。この違いは大きいかもしれない。

それではツアーに出発しよう。日立駅を出発し、国道六号線を北上すると、ほどなく高萩市に入る。高萩市は、かつては炭鉱で栄えた人口三万人弱の小さな町。ここには、映画の撮影場所などに使われ

写真7（上） 高萩市のロッコク沿いに突如姿を現す日本加工製紙工場跡（2016年撮影）
写真8（下） 工場の内部。廃虚マニア垂涎の風景（2016年撮影）

る大きな廃工場があり、まずはそれを見るために立ち寄る［写真7］［写真8］。

廃工場はかつて「日本加工製紙」という会社の、大きな製紙工場だった。国道六号線沿いの、町の中心部と言っていいところにそれはある。一般に開放されているわけではないが、周囲の道路から中の雰囲気を窺い知ることができる。廃墟マニアにはたまらない光景だろう。ももいろクローバーZの楽曲「Z女戦争」のミュージックビデオの撮影場所としても知られる。

コンクリートが崩れ、鉄骨がむき出しになったかつての工場跡。撮影場所として利用されたので結果オーライかもしれないが、それでも市街地のど真ん中に工場の廃墟があり、整地されることも、解体されることもなく、ただ打ち捨てられるように存在していたという歴史は消しようもない。用が済んだら打ち捨てられてしまう。炭鉱町の過酷な運命が、この廃墟から見えてくるようだ。

この一連の記述を書いたあと、二〇一八年になって、この工場跡が取り壊され、メガソーラーが完成したというニュースが入ってきた。報道写真を見ると、かつてこの地にあったものは取り除かれ、一面の太陽電池パネルに埋めつくされている。五〇年後、一〇〇年後、この場所はどんな風景を見せてくれるだろうか。

北茨城の旧産炭地を巡る

高萩の廃工場から県道を山間部に入っていくと、北茨城市にかけて、かつて一時代を築いた常磐炭

写真9（上）　中郷町の炭住跡。映画『フラガール』のロケ地としても使われた
写真10（下）　こちらも中郷地区。山あいの集落に突如として炭鉱遺構が出現する

鉱の遺構が集積する地区に入っていく。コンクリートで作られた大型の遺構だけでなく、現役の炭住(たんじゅう)（炭鉱の労働者のための住宅）も数多く残っている。見どころの多いポイントだ。

最初のポイントは北茨城市の南部にあたる中郷町だ。山間部の大規模な遺構のほかに、幹部が暮らした一戸建てタイプの住宅や、長屋タイプの住宅も残り、映画『フラガール』のロケ地としても使われたそうだ。現在も、ほぼすべての家に人が住んでいる。都市部から来た人たちは、そこがまさに映画のセットのように見えるかもしれない。そこだけ歴史が止まったような錯覚を覚えることだろう［写真9］［写真10］。

北茨城市磯原町の旧重内地区には、石炭を運んだ列車の線路がまだ残っていた。街道と平行するように走っていて、線路のところだけ少し高くなっているのが分かる。地区内のかつての炭住跡地に神社の跡を見つけた［写真11］。現在は廃され、鳥居しか残っていない。階段を上った先にはお社があったはずだが、もはや雑草が生い茂るだけである。神社すら、こうして用なしになってしまう。同じように過疎化が叫ばれていても、地域の文化拠点として生き長らえている農村部の神社とはまったく異なる光景だ。産炭地では、神すらも「仮設」なのである。

北茨城市関本地区にある「神の山住宅」には炭住が集積している。足を踏み入れた瞬間、空気が変わるのを感じた。映画のセットではない。現実の暮らしが未だに営まれている場所だ。高齢者ばかりかと思ったら、若い世帯も多く暮らしているようだ。この五〇年変わらない光景。ゆるやかな丘陵に並ぶ炭住は壮観ですらある。なんとかこの場所を「産業遺産」として残して欲しいものだ［写真12］。

炭鉱町の多くは、炭鉱の歴史と一緒に終わりを迎える。だからだろうか、町全体が仮設的に見えた。

写真11（上） 重内地区で見つけた神社跡。帰還困難区域の風景にも似ている
写真12（下） 炭鉱時代の住居がそのまま使われている神の山住宅。50年近く変わらない景色。とても美しいと私は思う

労働者の「いずれはどこかに流れていく」という性質を見透かしたような簡易なつくりになっているのだ。例えば、山形や新潟の山間部にあるような、定住を前提にした古き良き日本家屋とはまったく性質が異なる。効率よく仕事に出られ、労働者がまとまって集住し、いつでも次の土地に向かうことができる。そんなライフスタイルに最適化されているのである。

そして、その炭住の光景は、被災地の仮設住宅村にもよく似ていた。震災後、はじめて炭住の集積地を見た時、私は、目の前の炭住が、どう見ても仮設住宅にしか見えなかった。そして「歴史は繰り返されるのかもしれない」ということだけが、ぐるぐると頭のなかを回っていた。北茨城のかつての産炭地を、一〇〇年後の双葉郡と考えることもできるだろう。エネルギー生産地は、役目を終えたら、こうして打ち捨てられる運命にある。目の前に広がっているのは、廃炉を見届けたあとの双葉郡の未来かもしれない［写真13］［写真14］。

フィクションは、福島でどれほどの力を持ち得るか

北茨城の産炭地を見終わると国道六号線に戻る。しばらく走るといわき市勿来町だ。このあとは、本書の第二部で紹介した「ロッコクツアー」に接続される。そのままロッコクを双葉郡まで北上してもいいし、内陸の湯本や内郷、いわき駅方面へと向かい、第一部で紹介した「裏観光ツアー」に接続してもよい。私が後藤と古川を案内したときには、旧産炭地つながりということで、いわき市内郷地

区の遺構を巡り、案内を終えた。

このツアーで改めて考えたいのは、想像力と、その想像力がもたらすフィクションについてである。私はさきほど、双葉郡ではあまりにも現実の磁場が強いと書いた。被災地として関わると、課題先進地区のリアリティばかりに目が行ってしまい、フィクションではなく、数値やデータ、事実を学ばなければいけないと感じるかもしれない。私自身もそうだった。しかし、常磐炭鉱の跡地を観光してみて、想像力やフィクションこそ必要だと感じるようになったのだ。

写真13（上） いわき市中央台の木造仮設住宅群。炭住と形状や間取りが似ている
写真14（下） 中郷地区の炭住。仮設住宅にもよく似た簡易な設計になっている

なぜなら、データや数値は福島を正しく伝えてきたかもしれないが、それだけでは、そこに暮らし

てきた人たちの喪失感や、その地域で脈々と受け継がれてきた文化を、語ることができないからだ。数値やデータは議論の大前提としては非常に重要だが、それが語れるものは、ほんの一部に過ぎないのだ。それだけではない。数値やデータは、「理解できない人間は馬鹿だ」というように、排除の道具として使われた面もある。それを反省しながら、私たちはそろそろ数値やデータでは伝えられない福島にも目を向けねばならない。

それを古川にぶつけると、だからこそフィクションが必要なのだと、彼は語った。古川は、郡山市で「ただようまなびや」という文学講座を開催している。フィクションの力、表現の力を福島の地で取り戻したい、そのような思いもあったのだろう。古川を案内した後、彼が二〇一一年に発表した『馬たちよ、それでも光は無垢で』(新潮社)を初めて読んだ。うみラボの活動などを通じて「データや数値」で福島を語ろうとしていた時期だっただけに、雷に打たれるようなショックを受けて茫然としたのを覚えている。あの時期に、あの小説を書けるということの凄まじさ。フィクションの想像力でしか伝えられないものがあるのだと、その時に確信した。

その古川とは、二〇一七年に再会することになる。シアターコモンズ・ラボが主催する「みちのくアート巡礼キャンプ」というツアーに参加した時に、講師として古川が登場したのだ。その講座で古川が語った言葉は、今も私の脳裏に深く刻みこまれている。「アーティストは事実を伝えるのではなく、真実を翻訳するのだ」と、古川は熱のこもった口調で語った。翻訳された真実と、伝えられた事実。私たちは、後者の声だけを、被災地の声として取り上げ過ぎたのではないか。私たちは、まだ真実の声を聞いていない。古川は、そんなことを問いかけているように思えた。

古川の話を聞きながら、私は、東北の被災地で、幽霊の姿が目撃されたという数々のニュースを思い出していた。タクシーに乗って自宅を目指した幽霊。あるいは、浜辺で出会うことのできる幽霊。震災で大切なものを失い、心に深い傷を受けた人たちが求めたのは、数値やデータではなく死者の声であった。古川も、死者の声を翻訳すること、それこそがアーティストの役割であり、被災地に求められることなのではないかと語った。福島の地で、フィクションはいかなる力を持つことができるだろうか。フィクションは想像力の産物だ。ならばこう言ってもいい。想像力は、福島でいかなる力を持ち得るか。

福島では、差別やデマを排除したいと考えるがあまり、想像力そのものを拒絶し、福島が誰かの作品になることを拒んできた。自分自身、数値やデータと深く関わり、科学的に理解できない人を排除しようとした時期があったただけに自省の念は強い。震災から七年。これからは、数値やデータで語られるものだけではなく、むしろ数値やデータを重んじるあまり見逃されてきた小さなナラティブや、震災で亡くなった人たちの声、かつてここに暮らしてきた先祖たちや霊、すなわち死者の声を、文学や芸術、そして観光がもたらす想像力によって翻訳していく。そのような試みを起動させなければいけない。古川との出会いを通じて、私はそんな考えを持つようになった。

確かに、一口にアートや芸術と言っても、様々な作品やアーティストのスタンスがある。あからさまに私たちを足蹴にするようなものもあるだろう。しかし芸術それ自体を拒絶することは、むしろ福島の真実を伝えることから離れてしまう。唾棄すべき作品でも自由に発表できる土壌があるからこそ、優れた批評性を持った作品もまた生まれ得るのだ。

二〇一五年だったか、UDOK.に、いきなり中国語を話す人たちが訪ねてきたことがある。聞けば、北京在住のアーティストなのだという。どうせまた放射能をネタに作品を作りにきたのだろうと思ったのだが、よく話を聞くと様子が違う。自分たちはNIMBYをテーマに作品を作っていて、その文脈で、福島のアーティストたちと連帯できると思ってここまでやって来た、と言うのだ。彼らはフェイスブックでここを見つけたらしく、普段は中国の青海省で作品を作っているそうだ。内陸部にある青海省は、豊かな自然を持つ一方で、様々な鉱物、石油などが埋蔵されているため、中国の資源供給地として大規模な開発が進んでいる。大都市の発展のために地方に負担が押し付けられ、搾取され、かつてあった美しい自然や財産が傷つけられている。そういう社会システムにノーを突きつけたいんだと彼らは語っていた。

芸術がもたらすゆるやかな連帯というものを感じずにいられない瞬間だった。数値やデータが語られていた頃に、何の遠慮もない外国人が、やむにやまれぬ心をどうすることもできず、あてもないのに小名浜を訪れてくれる。そのことに、私は希望を感じずにいられなかった。

批評誌『ゲンロン1』（ゲンロン、二〇一五年）での対談において、演出家の鈴木忠志は、芸術家は「方法的差別」を選んで世界の様々な国で戦っている人と連帯せよ、という旨の発言をしている。これに対して東浩紀は福島は「負の遺産を背負って世界と連帯するべきだ」と返した。ここで交わされているやりとりが、私の目の前でも繰り広げられたのだ。やはり私たちは「方法的差別」の道を探る必要があるのではないだろうか。

方法的に、敢えて、差別される側になる。そのことで福島県は、いわゆる「マレビト」的な存在になり、「事実」のみならず「真実」をも世界に訴えることができる。それによって、同じような課題や同じような構造を抱える人たちとともに連帯することができる。鈴木・東による対談と、古川の言葉が、するするとつながっていく。

差別される側に立つということは、「障害を持つ」ということとも接続される。福島県猪苗代町にあるアールブリュットの美術館「はじまりの美術館」の岡部兼芳館長にインタビューしたとき、彼は「福島県は原発事故という障害を持ってしまった」と語った。原発事故を、回復可能な怪我として捉えるのではなく、運命をともにすべき障害として捉えてみる。すると、私たちが陥っている思想的なジレンマにもうまく対応できるような気がするのだ。

どういうことだろうか。原発事故を怪我として捉えると、いずれ自分たちも回復して健常者の立場に戻れると考えてしまう。原発事故は、極めてネガティブなものとして捉えられてしまうだろう。福島に対するネガティブな意見に強く反論したくなることもそれが理由かもしれない。しかし、原発事故を障害として捉えると、考えはだいぶ変わる。治すことを目指すのではなく、これから一生付き合っていくべきものとして受け入れるというスタンスになるからだ。それは、広島や長崎、水俣と同じ立場になるということかもしれない。

原発事故後、やはり「福島を広島や長崎、水俣と同列に語るな」という言説が多く聞こえた。それは今もある。もちろん「間違った情報で被災者を差別してはならない」「子どもたち孫たちに差別を残してはいけない」という意味で、その言説は極めて正しい。しかし、戦災や公害という厳然たる負の歴史を持ってしまったという事実を変えることはできないし、被害を受けてしまった私たちだからこそ語れる言葉があるという意味で、私たちは水俣や広島、長崎と連帯できるはずだ。私たちだからこそ持てるメッセージがあるということは、むしろ希望なのではないだろうか。

障害福祉の世界でも、福島にまつわる言論状況と似たようなことが起きている。障害のある人のなかには、自分の障害を隠さずに、敢えてメディアなどにも露出しながら問題を訴えたり、当たり前に存在する個性の違いや特性として障害を考えていこうという人もいる。しかし、そうした露出を快く思わない人もいれば、不謹慎だ、ネタにするなという声も上がるだろう。福島もそれに似ていると感じることがよくある。

私は、原発事故が起きたという事実は変えられないし、より多くの人たちと共に、原発事故という障害について考えていきたいと思っている。だから、原発事故という障害を、むしろ価値と考え、多くの人たちが学びを得られるような地域になって欲しい。そうでなければ、原発事故によって奪われたもの、あの膨大な喪失は何だったのだ。だから今は、方法的差別の道を探るべきだと考えている。同じマレビト的な存在である表現者や芸術家、様々な生きにくさを抱える人たちと、アートや文学、音楽など多様な表現を通じて連帯していくのだ。まるで一本の戯曲のように、多様な表現と多くの学び、そして衝撃を内包している。そのような福島を起動しなければ、原発事故という障害を外部にいる人たちと共有することはできないのではないか。私たちは、ただ奪われたままではいけないのだ。

いわき一度目の敗戦、関ヶ原

したがってここからは、少し常磐の歴史を遡りたい。福島ではなく常磐の歴史を迂回することで、この地が抱えてきた歴史や宿命、言い換えれば障害の根源のようなものが見えてくると思うからだ。歴史を遡ると分かるもの。それは、そもそも、いわきが「敗戦」を繰り返してきた土地だったということだ。

いわき市の表玄関、JRいわき駅。その駅の裏山に、一時期、怪しげなお城が建てられていた。お城といっても、「磐城平(いわきたいら)城一夜城プロジェクト」というもので、かつてここに建ち、磐城平城の名物とうたわれた三階櫓をハリボテで再現したものだ[写真15]。

いわき市制五〇周年を記念した事業で、地元の高校生がベニヤ板を使って櫓を作成した。塗装が施されているので、遠くから見るとたしかに櫓に見えるが実際には単なるハリボテだ。いわき市はこのような文化事業しかできないのかと腹を立てたこともあった。しかし考えてみれば、自分でも磐城平城のことをよく知らないのだった。歴史を知らずにハリボテを批判することはできまいと、磐城平城の歴史を調べるようになった。

かつてこの山にあった磐城平城は、戊辰戦争で焼失した。磐城平藩は、戊辰戦争で奥羽越列藩同盟に加わり、会津藩とともに幕府軍として新政府軍と戦っている。平城での攻防戦は激戦だった。多くの犠牲者を出した末、磐城平藩の家老が火を放ち、平城は落城する。焼失の後は、紆余曲折を経て民間に払い下げられ、個人所有の土地となった。現在のいわき市長である清水敏男は磐城平城の復活プロジェクトを掲げて二期目に入っている。いつか、この土地に城が再建されるのかもしれ

写真15　ハリボテの磐城平城。遠くから見ると櫓に見えなくもない

ない。

　磐城平城が完成したのは、関ヶ原の戦いの後の一六一五年。それまで大館城を居城としていた岩城氏が関ヶ原の戦後処理で改易されたことに伴い、一六〇二年に徳川の重臣である鳥居忠政が築城を命じたものだ。忠政はいわきに入ると、地名を「飯野平」から「磐城平」に改め、磐城平藩を樹立し、磐城平城の建設を命じた［★9］。主な役目は、仙台の伊達政宗の牽制である。要するに軍事上の役割、中央の都合で築城されたのだ。

　関ヶ原以前、この地の中心は大館城であった。今の磐城平城跡から数キロほど内陸に入った、現在のいわき市好間町に位置する。その大館城を居城としてきたのが岩城氏である［★10］［図1］。

　関ヶ原の戦いが起こったのは一八代の岩城貞隆の時代である。貞隆は、兄である佐竹義宣の命に従い

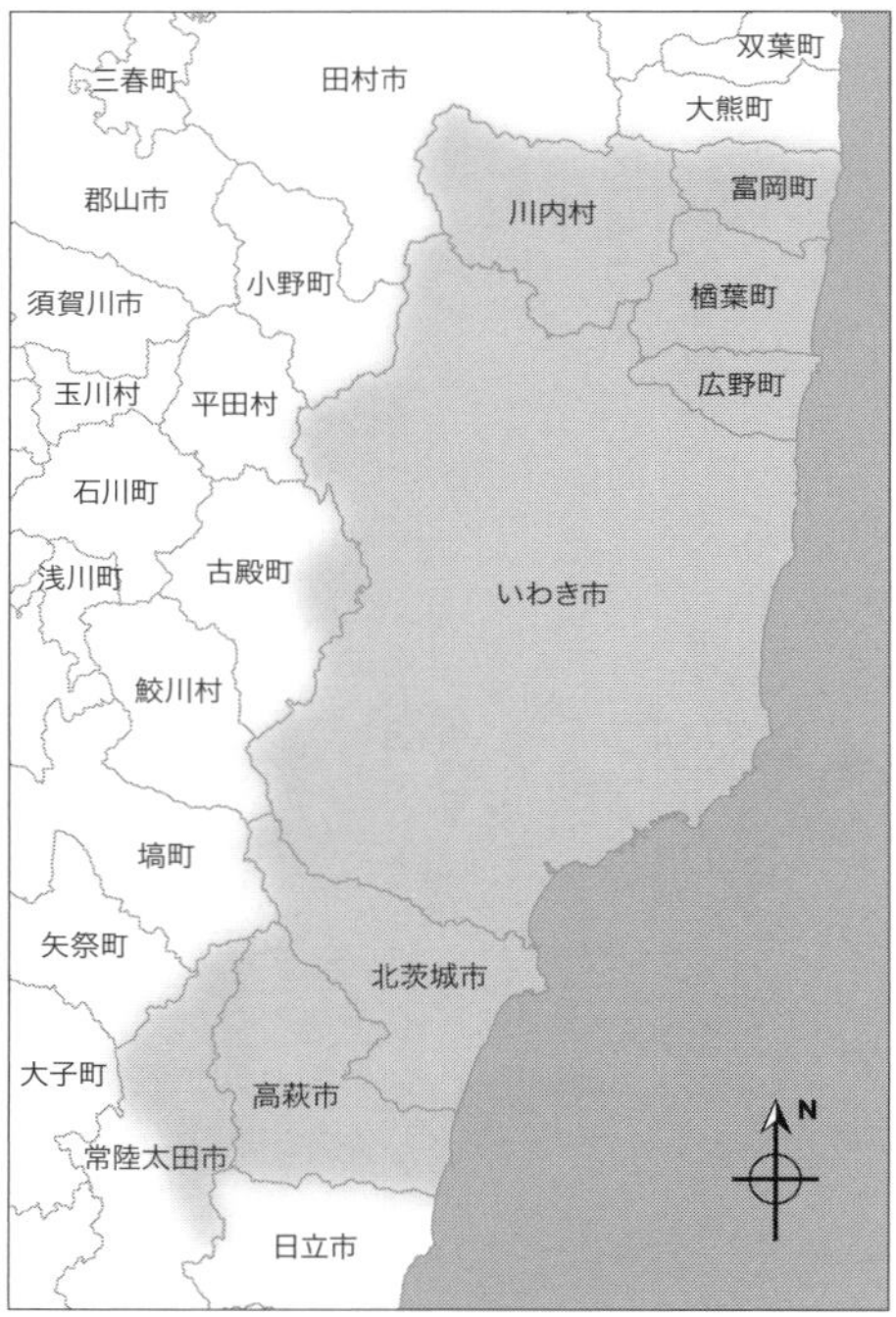

図1　岩城家の最大版図（1595年の「岩城領検地高目録」に準拠）と現在の自治体を重ねた図。『いわき市史』、『北茨城市史』を参考に作成　作成協力＝江尻浩二郎

参戦の態度を保留し、上杉景勝を討つ会津征伐には赴かなかった（義宣と景勝との間には、家康を討つ密約があったと言われる）。戦後処理で岩城家が改易されたのもこのためだ。その後、徳川の手によって、鳥居忠政が送り込まれ、磐城平城の築城が始まる。

しかし、もともとの岩城の民からすれば、鳥居は自分たちの領主を追い出した徳川の重臣だ。岩城の民は、複雑な思いで築城工事にあたったに違いない。岩城家の古参の武将たちのなかには、当然、自分たちの主を追放した徳川による治世を苦々しく思っていた者もいただろう。

★9　磐城平城の築城は困難を極めた。夏井川を堰き止めて工事を行う必要があったため、大雨のたびに川が氾濫し、まともに工事が進まなかったのだ。完成まで一二年もかかっているのも、それが理由だ。忠政にとっては、早く築城しなければ家康の命に背くことになる。しかし、あまり過酷な労役を課せば、今度は領内の旧岩城家家臣たちの反発を招く。難しい局面が続いた。そんな折、築城の無事を祈って人柱を立ててはどうかと進言する者がおり、忠政はその話に乗ってしまう。領内に触れを出して回り、人柱とは伏せて「工事責任者」を任せられる老人を探して回った。そこで名乗りを上げたのが、平城の北部にある菅波村の丹後という老人である。丹後は工事責任者が「人柱」であることを承知し、その上で名乗りを上げた。丹後は、「自分の名を残すために、自分の埋まった沢を丹後沢と名付けて欲しい」と忠政に願い出たうえで、命令の通り夏井川の堤防へと降り人柱となった。すると、不思議と工事は順調に進み、一六一五年に完成した。望み通り、その沢には「丹後沢」の名前がついた。丹後沢の人柱伝説である。

★10　岩城氏が日本史のメジャーシーンに登場するのは、第一五代の岩城重隆の時代である。重隆は、近隣の戦国大名である相馬氏や田村氏、伊達氏や佐竹氏などに挟まれ、苦境に陥る。そこで、生き残りために、絶世の美女と言われた娘の久保姫を伊達晴宗に嫁がせ、さらに晴宗の嫡男である伊達親隆を養子として迎え、伊達氏との関係を築いた。この久保姫、要するに伊達政宗のばあちゃんだ。政宗は実母から酷い仕打ちを受けていた逸話が知られているが、反対に、ばあちゃんの久保姫は政宗をとても可愛がったという。久保姫の活躍で、岩城と伊達の関係は強まったものの、一六代の親隆が当主になる頃には南の佐竹の勢力に悩まされることになる。このため親隆は、佐竹義昭の娘を娶ることになる。ただ、親隆は若くして病に倒れ、お嫁さんとその兄、佐竹義重に実権を握られてしまうのだった。一七代の岩城常隆の頃には、岩城氏は完全に佐竹の影響下に置かれる。常隆には政隆という長男がいたが、豊臣政権の干渉を受け、佐竹義重の三男である貞隆を養子に迎えた。岩城氏は佐竹氏の与力大名となったのである。

一方、飯野平を追われ浪人となった岩城貞隆は、江戸に上り岩城家再興のために奔走した。家康に再興を嘆願し、大坂夏の陣で目覚ましい戦功を上げ、信濃国に一万石を与えられて信濃中村藩を立藩した。大名への返り咲きである。

日本各地に点在する城は、言わずもがな、多くが戦災遺構である。そこでは何千もの人が死んでいる。敵と味方に分かれ、殺し合いをした場所なのだ。戦は、勝った国と負けた国を作る。負けた国は、ほとんど一方的に土地や人を収奪される。殺し合いが終わり、一見平和になったように見えても、目に見えない収奪や分断は長く続くものだ。藩主が替われば、それまでに作り上げられてきた文化も途切れてしまう。外から人がやってきて、守られてきたものが変わったり、土地を分割されたり。いわきの歴史もまたそうであった。中央の論理に振り回され、いわきの地は次々に細切れにされてしまったのだ。

もともとはすべて岩城家の領地だった土地が、時の政権や領主の都合で切り分けられ、磐城平藩、湯長谷藩、泉藩、棚倉藩、笠間藩、幕府直轄地などに分割されてしまった。それは、現在の双葉郡が様々に土地を切り取られているのにも似ている。ご先祖が守り続けてきた土地は、国有地になったり、企業に買収されたり、あるいは中間貯蔵施設のために買い取られたりしている。復興という名のもと、その地域本来の財産が中央の論理で分割されていくのだとしたら、福島にとって原発事故とは敗戦であり、復興とは敗戦処理ではないか。

二度目の敗戦、戊辰戦争

敗戦の歴史は繰り返される。鳥居家の後、磐城平藩は内藤家、安藤家といった藩主が治めてきた。江戸末期の安藤家は、老中を務めた安藤信正を輩出している。信正は、孝明天皇の妹の和宮を第一四代将軍・徳川家茂に降嫁させるなど、いわゆる公武合体を進めた政治家だ。降嫁とは、皇族の女性が臣下に嫁ぐことを指す。このため、これを屈辱と捉えた水戸藩士の襲撃に遭い失脚する（坂下門外の変）。そして時代は混迷の度合いを増し、倒幕へと動いていくことになる。

その後信正の甥、信勇が磐城平藩の藩主となる。信勇は当初から明治新政府に恭順の意を示していた。しかし伯父である信正が強硬な態度を取ったこともあり、ついには奥羽越列藩同盟に名を連ねることとなる。結果は、すでに紹介した通りの敗戦だ。

岩城という本来の領主を徳川に追い出されながらも、その徳川に忠誠を誓い、徳川を支えんとしてきた磐城平藩の武士たち。しかし今度は朝敵となって新政府軍に攻撃されてしまう。「会津の悲劇」どころではないのかもしれない。大河ドラマになることもない。中央に、そして佐竹や会津にも翻弄され、その結果、名を残すこともなく、語られる歴史もないまま、ただただ犠牲となって捨てられる。そんないわきの敗戦の歴史が見えてくるようだ。

関ヶ原、そして戊辰、二度の内戦の両方で敗戦を経験している地域は、いわきと会津くらいのものだろう。とはいえ、会津は戊辰戦争では酷い仕打ちを受けたものの、上杉景勝が領主だった関ヶ原では米沢への減封で済み、改易は免れているので、いわきほどの完敗ではない。近世以降の「福島県」の扱いは、本州のなかでもとりわけ酷いものだったが、なかでもいわきの二度の敗戦は、語られることはないが、極めて悲惨なものだったと言わざるを得ない[★11]。

戊辰戦争後のいわきの歴史は、これまで何度か紹介してきたように、常磐炭鉱の歴史そのものといっていい。幕末に発見された常磐炭田の富を、明治政府は当然のように収奪していく。いわきと東京をつなぐ鉄道「常磐線」は、いわきから京浜工業地帯へ石炭を運ぶために整えられたものだ。炭鉱が斜陽になれば、今度は法律で町の合併を促し、大工場の誘致を手助けし、やがてそれはエネルギー、原子力産業へと結びついていく。

そして3・11である。放射能汚染によって土地を奪われただけではない。中間処理施設や、おそらく議論になるだろう最終処分場、あるいは廃炉作業のための土地の買い上げなど、祖先が受け継いできた土地が、政府や企業によって収奪されている。「買い取り」「買い上げ」などという言葉では実態を表すことはできない。これはまさに戦勝国による「収奪」そのものではないか。

地方振興のために巨大な予算を投じ、ハコモノを作るというのは地方ではよくあることだろう。しかし、得てしてハコモノは長くは続かない。さらなる予算を投じて、起爆剤となる大型事業が行われる。そのたびに、その土地古来のものは奪われ、中央から挿入される新事業にすがり、それを地域の誇りとしてしまうようになる。美少女図鑑の少女は「カハツ」を撮影場所に選び、私の自宅が旧来の松之中という地名ではなく「スイソマエ」になったことも同じだろう。原発事故後のいわき市では、蓄電や自然エネルギーが産業の軸になるそうだ。経営者たちが「これからは蓄電だ！」と血気盛んに語る様は、今から五〇年前に原発を受け入れ「これからは原発の時代だ」と語っていた当時の経営者の姿を彷彿とさせる。一〇〇年前には「これからは石炭だ」と言っていただろうし、一五〇年前には「これから明治だ」と言っていただろう。やはり、敗戦の歴史は繰り返されるのかもしれない。

これから国や企業の資本が集中的に投下され、いろいろなビッグプロジェクトが進められるのだろう。それは果たして私たちに富をもたらすのか、あるいは文化を奪っていくのか、私には分からない。その富を虎視眈々と待ち受け、利用することもできるだろう。しかし、自分たちの領主を追い出した徳川に忠誠を誓い、徳川の身代わりになって敗戦したいわきの歴史は、中央の富に対する「敢えての依存」が、すぐに忘れ去られ、「無意識の依存」に変質していくことを今に伝えている。

最初の世代は、敢えてそれを受け入れるのだ。しかしそれが孫の代あたりになると、「敢えて」の

★11 関ヶ原と戊辰の「連敗」を語るとき、もうひとつ触れておきたい歴史がある。秋田の亀田藩のことだ。関ヶ原後に所領を取り上げられた岩城貞隆が大坂夏の陣で戦功を上げ、信濃国に信濃中村藩を立藩したことを本文で紹介した。その後岩城家は、貞隆の長男、岩城吉隆の代に出羽国由利郡に一万石を加増され秋田の地に亀田藩を立藩。同じ秋田には親戚関係にあった佐竹家の久保田藩があるため、岩城家と佐竹家は秋田で共存するかに思えた。しかし、戊辰戦争に呼応して勃発した秋田戦争（一八六八年）では、久保田藩と亀田藩は袂を分かつ。当初は両藩が新政府軍として参戦したものの、新政府軍の先鋒として酷使されたことに不満を持った亀田藩が、敵方の奥羽越列藩同盟に合流したのだ。その亀田藩は、新政府軍の支援を受けた久保田藩兵の攻撃で壊滅する。戊辰戦争に呼応する形で繰り広げられた秋田戦争。中央ではほとんど語られることのない歴史だが、佐竹と岩城、親戚同士の争いであった。そして、その歴史にも、岩城は敗者として名を連ねる。中世以降、岩城（磐城／いわき）は負け続けているのだ。

精神は失われ、依存は常態化する。福島第一原発に計画されていた七号機と八号機、さらには小高町に予定されていた浪江・小高原発。幻に終わった原発は、「敢えて」が機能しなくなることを表しているようにも見える。

シルクロードの最果てとしてのいわき

先人たちは、敢えての依存が、無意識の依存に変わってしまうことを知っていた。だから、未来の私たちのために種を蒔いていた。最近、いわきで文化に関わる人たちの話を聞くにつけ、そんなことを感じるようになった。いわきという土地が、どうしようもない時代の渦に巻き込まれてしまうことを、彼らは予感していたのだ。武力で抵抗するのではない。文化の力で抵抗し、世界と連帯しようとしていたのではないか。

「福島藝術計画×Art Support Tohoku-Tokyo」というアートプロジェクト［★12］の報告書『潮目のまちから』［写真16］のなかで、いわき市の民俗学者、夏井芳徳は、いわきを「シルクロード最果ての地」と位置づけ、独自の研究を続けていることを語っている。

写真16 福島藝術計画×Art Support Tohoku-Tokyoの報告書『潮目のまちから』

夏井は、いわきに伝わる「獅子舞」に注目する。いわきの獅子舞は、東日本の各地に点在する「風流」の獅子舞だ。一人ひとりがそれぞれ獅子頭をかぶって舞うのが特徴である。これに対し、西日本の獅子舞は大陸の影響を受けた伎楽系の系譜である。こちらは、二人や三人で獅子頭をかぶって舞うというスタイルだ。東日本の獅子舞は大陸の影響を受けていない日本古来の系譜であり、いわきには、この風流の獅子舞が伝わっている。しかも、同じ市内に複数の系統が並在するなど独自の発達を見せているそうだ。

大陸の文化は、海路によって東北に伝わった。京都から日本海沿岸を経由するルートでは、新潟や秋田、津軽を回って三陸北部、宮古あたりまで伝わってくる。宮古の地名が「京（みやこ）」から取られているのは有名な話だ。逆周りの海路も、江戸、銚子あたりまでは次々と文化が伝播する。しかし、それ以北は難所の鹿島灘があり、海路が発達していないため、伝わりにくかったと夏井はいう。つまり、茨城北部から福島、宮城南部に至る土地だ。このためいわきを中心としたエリアには大陸系の文

★12 「福島藝術計画×Art Support Tohoku-Tokyo」は、震災後の福島県で開催されたアートプロジェクト。二〇一八年現在も続けられているプロジェクトで、さまざまなワークショップやリサーチのプログラムに加え、これから起動されるべき文化を考えるため、文化事業や芸術に関わる人たちへのインタビューのプログラムも実施された。『潮目のまちから』は、その成果物であり、取材と執筆、編集は私の担当だった。本文で紹介した夏井だけでなく、いわき市立美術館館長の佐々木吉晴、いわき芸術文化交流館アリオス副館長の大石時雄、本書の第一部で紹介した「うみラボ」に協力頂いていた、水族館「アクアマリンふくしま」の富原聖一獣医などにインタビューを行った。彼らの言葉から導き出されたのが、いわきの文化の特異点「潮目」である。そこで発見された「潮目」は、本章で言及した「いわき潮目文化共創都市づくり」に強く引き継がれている。

化が伝わらず、風流の獅子舞が残り、地域内で独自の発達を見せたのではないか。夏井の話はそのようなものだった。

つまり、いわきとはシルクロードの最果てである。大陸の影響を受けなかったために、日本古来のものが残ったということだ。経済的には発達が遅れた土地と言えるかもしれない。しかし、そのような土地だからこそ、文化的にはとても豊かなものが残った。ところが、現実には経済発展ばかりを目指し、中央への依存を繰り返してきてしまった。文化の豊かさに注目することなく、再評価を促すこともなく、むしろ文化的なアプローチは軽視され、経済発展のためにさまざまなものを無自覚に受け入れた。中央への憧れがあったのかもしれない。

最果てにある希望

シルクロード最果ての地で希望を見出した人たちもいた。いわき市立美術館は、日本で最初期の現代美術に特化した美術館だと言われている。面白いのは、その美術館が、行政ではなく地元の市民ギャラリーが母体になって誕生したことだ。美術館の誕生に寄与したのは、さきほど言及した、画家の若松光一郎、松田松雄、陶芸家の緑川宏樹らだ。当時のことを深く知る、いわき市立美術館の館長佐々木吉晴は、『潮目のまちから』において、彼らは美術館に自分たちの作品ではなく、現代美術を展示しろと言ったと振り返る。自分たちですらよくわからないものを受け入れろと言ったのは、それがいわきに必要だと確信していたからだろうと佐々木は話している。

辺境のこの地で新しいものを興す。現代美術の価値を信じた彼らにとって「シルクロードの最果て」は、むしろ誇るべきものだったのかもしれない。いわき市立美術館は、その後、まだ無名だった蔡國強を発見する。シルクロードの申し子のような蔡は、その最果ての地にある現代美術館で、住民とともに自らの世界的価値を発信した。いわきの海に、数キロにわたる導火線を浮かべ、そこに火をつけて地平線を示した「地平線プロジェクト」などは、まさに最果ての線を明示するものではなかったか。このようなことが起きることを、若松や松田、緑川らは予見していたに違いない。最果ての地だからこそ、マレビトが力を持ち、現代美術が花開くであろうということを彼らは信じていたのだ。

この地は、やはり大きな流れに翻弄される宿命にある。それは抗いようのない流れであるだろう。西からやってくる文化はいわきに流れ着き、この地で終焉を迎える。中世の終焉としての関ヶ原、近世の終焉としての戊辰、そして原子力をもとに発展してきた戦後日本も、この地で終わった。まさに「シルクロードの最果て」である。

二度の敗戦の記憶を留めるいわき。そこには、目に見えない分断線が残されている。かつては戦によって、そして今は放射能によって生まれた分断の線だ。そこには悲しみが、そして怒りがある。私は、いわきをずっと文化不毛の土地だと思っていた。しかしそうではなかった。私たちの土地には、抵抗の歴史がある。そして、様々なものを受け止めてきた「潮目の文化」ともいうべき土壌がある。東北の最果てでも、関東の最果てでもない、むしろ現代日本の最前線として、いわきを再定義することもできるかもしれない。そのようなアクロバチックな解釈を、文化やアートなら提示できる。上からの復興など意に介さず、大胆な仮説と妄想によって、いわきという土地の価値を再構築する。文化や芸術に求められているのは、そのような役割であるだろう。

いわきに現代美術館を作った有志たちや蔡國強がこの地で思い描いてきたものを、私たちは再生しなければならない。

第8章　被災地と地域アート

震災と原発事故から七年を迎えた福島県。原発事故によってもたらされた特有の問題、震災前から地続きの問題が複雑に根を張り、相変わらずややこしい状態は続いている。その面倒臭さをポジティブに変換した言葉に「課題先進地区」というものがある。特に、福島第一原発のあった双葉郡からの移住者、避難者を数多く抱えるいわき市では、大変よく使われてきた言葉だ。課題先進、つまり、全国の自治体が将来的に抱えるであろう数多くの問題が先行して発生しているというわけである。福島でその課題が解決できれば、その処方箋は他県でも有効になり得るはずだからみんな関心を持って欲しい、という含意もあろう。

本書も、その「課題先進地区」という概念を大切にしたい。私たちが対峙する課題は、いずれは他県でも起こり得ることであり、その意味で、他県にも関わりのある話として考えることができるからだ。つまり、課題先進地区とは、本来は外部を意識した言葉なのである。しかし実際には、外部や想像力を閉め出し、そこにいる人たちだけで物事を決めてしまうような、あまりに現実のリアリティが強い地区になっている。外部に開かれるはずの課題先進地区が、内部に閉じこもった課題先進地区になっているのだ。第八章では、そのねじれに切り込みながら、課題先進地区で企画されるアートプロジェクトについて考えてみたい。

さて、私は二〇一四年ごろから、地元で開催されているアートプロジェクトの仕事を間接的に手伝うようになった。主に、プロジェクトの担い手に話を聞き、報告書としてまとめるという仕事である。前章の最後で紹介した「福島藝術計画×Art Support Tohoku-Tokyo」というプロジェクトも、そのうちのひとつだ。アーカイブをまとめる仕事は単純に面白い。自分が参加したわけではないが、誰かの報告を読んだり、関わった人たちに話を聞くうち、全体のコンセプトや通底する理念、そこに関わる人たちの思い、さらには、なぜこのプログラムが選ばれたのかという狙いにもアクセスできる。福島の地域アートプロジェクトを見れば、もしかすると、全国の地域アートの近未来を先取りできるかもしれない。自分の今後の活動の肥やしにすることもできるし、少し離れた立場から批評的に分析することもできる。

全体を見回すと、福島県内で開催されているアートプロジェクト、特に自治体の助成金が出されるようなものの多くに、「コミュニティ」や「子ども」といったワードが頻出する。特に「コミュニティの再生」を目指したプロジェクトが数多く開催されているようだ。震災直後、東北の被災地では、多くの人たちが仮設住宅での生活を余儀なくされた。そこには娯楽がない。人と人との心を通じ合わせるものもない。そこで、仮設住宅の住人たちとともに何かの作品を作ったり、例えば瓦礫に何かの絵を描いてみたり、詩のワークショップをしたり、何かの映像作品を残してみたりと、人と人との心をつなげる手段としてのアートが推奨されたのだろう。

特に福島県では、地震や津波の被災だけでなく、原発事故によって数多くの人たちが移住や避難を迫られたため、「コミュニティの再生」は大きなテーマになっている。第四章で見たいわき市民と双葉郡民との分断だけでなく、双葉郡内でも町村が違えば立場は異なり、出自を隠したり、子どもたちが親の職業を秘密にしたり、賠償金の多い少ないで軋轢が生まれたりと、かなり複雑な状況が生まれてしまった。これもまた「コミュニティの分断」というものであろう。ほんの隣町の住民同士なのに、心のモヤモヤはなかなか晴れることがない。

コミュニティの再構築の役割を期待されているのがアートプロジェクトである。人と人の心を通わせる、地域の住民と被災者の心をひとつにする、バラバラになってしまった地域コミュニティをつなぎ合わせる、というような課題と目的が先に設定され、そこにアートプロジェクトなどの文化事業が挿入されるという形だ。特に震災後は潤沢な復興予算がある。自治体としては、それを使って地域に様々な文化事業を提供しよう、あわよくば、それらの課題を改善させようという狙いがあったことだろう。

しかし、そこにこそ問題があると私は考えている。人々の心を癒そうとするあまり、アートが持つべき批評性が去勢され、あくまで業務としてプロジェクトが進められることになるからだ。そこには、いわき回廊美術館にあるような担い手たちの情念がない。本来アートにあるようなマジョリティとマイノリティの逆転もない。バカバカしさや意味のなさもない。そこには、困っている人が、困り続けたままで、何かに搾取され、動員されている構図しかないのである。

プログラムは、自治体の下請け業務のように進行していく。これなら、これまでアートプロジェクトを手がけてこなかった自治体も、その他の文化事業のように処理することができる。過激なアートを展開されて市民から苦情がくる心配もない。困っている人たちを助けるためのアートだから一見すると大義もある。かくして福島では復興予算を使った「半官製アートプロジェクト」があちこちで行われてきた。第二部では復興予算や助成金の負の部分を書いた。地域の文化事業にも同じような問題があったのである。

課題先進地区のアート？

二〇一六年に、いわき市内の復興公営団地で行われたアートプロジェクトの報告書を書いたことがある。そのエピソードを紹介しよう。プロジェクトは、団地の皆さんと「ちぎり絵」を作成したり、みんなで屋台を作っておでんを振る舞ったり、地域のお祭りに出す飾りを団地の住民たちで作る、というようなものだった。関わったアーティストや、団地に暮らす皆さん、さらには、アートプロジェクトの専門家などにも話を聞き、プロジェクトで得られた経験を「提言」としてまとめるという構成にした。このプロジェクトには東京都からの出資も入っていた。だから、ただ単に福島の話を書くのではなく、福島で起きていることはいずれ東京にも役に立つのだというスタンスを意識的に取るようにしたわけだ。

福島とは距離のある東京が、被災地でのアートプロジェクトに何を期待しているのかというと、思いつくのが高齢者福祉への転用だった。復興公営住宅は、住民のほとんどが高齢者である。「老人ばかりの団地対策」という意味で、福島と東京は共通の地域課題を持っていると言える。多摩方面などでは団地の超高齢化も進んでいるし、福島の知見は何かしら東京にも役立つかもしれない。私は、その報告書に「来たるべき超高齢化社会に向けてアートは何をなし得るのか、被災地いわきからの提言」というような副題をつけて提出した。まさに課題先進地区として、東京にも関わりのある話だというように、報告書をまとめたのである。

報告書を書いていて思ったのは、これはアートプロジェクトではなくて「コミュニティデザイン」なのではないか、ということだった。受けてしまった仕事なので「アートは何をなし得るのか」などと大逸れた副題をつけてしまったが、読み返すと、やはりコミュニティデザインの報告書といったほうがいい内容になっている。プロジェクト自体はとても素晴らしいし、メソッドも有用なものだと思えた。しかし、アートプロジェクトとして紹介することには少し違和感を覚えた。これがアートである必要性はどこにあるのだろう、という疑問が捨てきれなかったのだ。課題先進地区では必ずしもアートが必要とされているわけではない。必要とされているのは、課題を解決できる文化的なアプローチである。

ただ、アートを推進したい側は、コミュニティデザインではなく、アートが必要とされていると言い続けないといけないだろう。課題解決のプロセスに自分たちの存在を寄せていかなければ、社会的な意義を知ってもらうことも、予算を取ることもできないからだ。だからこそ、アートが持つ「コミュニティをつなぎ合わせる力」を必要以上に喧伝する必要があるのかもしれない。そうした力が実際にあるということはよくわかる。しかしアートは、アートにしかできないことをやるべきなのではないだろうか。そんなことをもやもやと考えながら報告書をまとめた記憶がある。

課題解決のためのアートプロジェクト。課題先進地区であるがゆえに、福島ではそれが主流になりつつある。これから課題が山積していく日本の地方でも、おそらく同じ現象が起こるだろう。課題を提示するアートではなく、解決するアート。アートとデザインの融合と言ってもいいかもしれない。

これは私見だが、課題解決型アートプロジェクトは、プロジェクト単体の予算はそこまで多くなく、数十万、多くとも数百万円規模で収まる。だから、自治体側も担い手側も比較的手が出しやすい。高齢者福祉の文脈であれば地域のＮＰＯなども手を挙げやすいし、課題が解決する方向に動くのであれば、自治体側としてもどんどん推進したいはずだ。文化行政と福祉行政が連携を取れるというメリットもある。課題解決型アートプロジェクトは、今後ますます増えていくのではないかと思う。

ただ、やはり違和感が残る。アーティストは他にやることがあるはずだ。私はアーティストに介護をしてもらいたいわけではない。コミュニティ支援員をやってもらいたいわけでもない。もっと別の何か、さきほど紹介した古川日出男の言葉を借りれば、「事実を語るのではなく真実を翻訳する」ようなことをやってもらいたい。現実のリアリティから解き放ってくれるような作品を、私たちの暮らす地域のなかに提示してもらいたいのだ。徹底して馬鹿げたことをしてくれてもいい。確かにアートには人と人とをつなぎ合わせる力はあるのだろう。しかし、それのみが、補助金を獲得する、あるいはアーティストと文化行政が強固な関係を作るために、その効能のみが強調され過ぎているのではないか、ということをしばしば感じるのだ。

アートの行政サービス化が進めば、文化や芸術を自治体や国がコントロールしていく社会にもつながりかねない。食べていくことは重要だが、その食い扶持を行政に握られてしまっては表現の自由にも関わる。食べていくために自分たちの自立や理念を曲げなければいけないという社会は、食べていくために原発に依存する社会と何ら変わりがないではないか。アート、とりわけ地域で繰り広げられるアートに求められるのは、知らないうちに生まれてしまうその依存の構造を、それが当たり前になってしまった社会に突きつけるような批評性なのではないか。

みんなでがんばろうの危うさ

被災地特有の動きとして、もうひとつ気になるのが、愛郷心と紐づけた「官民一体」の動きだ。確かに、課題先進地区では、行政がやれ、民間は関わらない、などと言っている暇はない。皆で取り組まないと解決しない課題ばかりである。それは私も同感である。

しかし「復興」の御旗を掲げ、皆にまじめさが押し付けられるような風潮には反旗を翻したい。それが愛郷心の搾取になりかねないからだ。復興のためと言われると、なんとなく手伝わなければいけないような雰囲気になる。なんとなくみんなが顔色をうかがいながら、いやいや付き合わされる。そんなことをあちこちで目にする。

愛郷心搾取は、課題解決型アートの「食い扶持を行政につかまれる」のと同じ構造だ。地域で活動したい、復興の役に立ちたい、これからは地方暮らしだ、などと考えている若者たちが、いつの間にか行政の企画に加わり、プロジェクトを進めていくうちに、愛郷心や復興への思いを過剰に喚起され、次第に行政に取り込まれてしまうのだ。行政とともにプロジェクトを進めることを批判したいのではない。無自覚になることは危険だ、と言いたいのだ。愛する地元ではあるだろう。しかし、愛だけが暴走し、適切な距離感を取れないような関わりは、排除の論理を生み出しかねない。

助成金の魔法は怖い。助成金の申請や行政との協働ばかりを続けていると、いつの間にか行政のニーズを先取りしてしまうようになる。地元の「助成金錬金術士」の人たちの言葉を聞いていると、彼らは鑑賞者やお客によいものを届けたいのではなく、助成金を取るための企画を作りたいのだ、と感じてしまう。以前は意気揚々とプロジェクトを進めていたのに、いつの間にか、行政の人間のようにリスクを過剰に取り除き、当たり障りのない役所文学で企画書を書き、立ち居振る舞いまで行政の人のようになってしまった人たちをよく知っている。

行政の手の届かない課題、例えば子育て、介護や福祉、起業支援など、様々な領域で助成金は有効に活用されているのかもしれない。しかし、課題解決や復興の名の下に、文化事業が行政と急接近していくと、アートが持つ批評性は去勢され、短期的な評価、定量的な評価ばかりが下されるようなってしまう。アーティストたちは、この構造に自覚的でいられるだろうか。最初は敢えての依存だった原発が、いずれは無意識の依存になってしまったようなことが、表現者に起こらないという保証はどこにもない。

みんなでやろう、みんなの話を聞こう。これは、地域づくりには欠かすことのできない心構えでありながら、同時に危うい面もある。本書がたびたび言及している「現実のリアリティ」に押し切られてしまうからだ。表現者は、発注があってそれに合わせて表現するのではなく、やむにやまれぬ情念を抱えて表現する生き物なのではないだろうか。だからこそアートには救済がある。それなのに、現実のリアリティに縛られていたら、そのような作品はできない。私たち現場の人間は、どうしてもリアリティに縛られてしまう。だから、アーティストくらいは私たちを束縛から解放してくれるような、遠いところにあるものを示して欲しいと思うのだ。

私が求めている地域アートとは、時間的・空間的な外部の視座を私たちに挿入してくれるものである。現代に死者の声を届けることによって「今ここ」のリアリティから私たちを解放するとともに、喪失感を癒し、そしてまた同時に、死者や外部の声を通じて、今私たちが生きる社会の課題を提示するものでもある。莫大な経済効果をもたらすわけでもなく、課題を解決するわけでもないが、私たち現場に生きる人間が、数百年後の未来を考える思想をつかむための、その端緒となるような体験を、マレビトたる彼らに提示してもらいたいと思っている。アーティストとは、やはり課題を提示する人たちだ。課題を解決するのはアーティストではない。私たちの仕事である。

カオス*ラウンジと小名浜

もう少し、地域アートについて話を深めたい。以下では、二〇一六年にいわき市で開催されたカオス*ラウンジの「市街劇『小名浜竜宮』」を、地域アートのひとつの理想型として紹介していく。間接的にではあるが、私自身が関わったものであり、その関わりによって、私の地域に対するまなざしが大きく変わってしまうほどの体験をした。その体験を詳細に語りたいので、ひとつひとつの作品を含めて企画を紹介していくことにする。そしてそのあとで、美術ではなく地域づくりの観点から、地域アートの効能や、地域アートのあるべき姿などについて思いを馳せてみたい。

市街劇「小名浜竜宮」は、いわき市小名浜地区を中心に開催された、カオス*ラウンジによるグループ展である。これと並行して、平地区では「市街劇『地獄の門』」が企画されており、こちらは、若手芸術家集団「パープルーム」のメンバーが主に展示を担った。いずれもカオス*ラウンジの主催である。

カオス*ラウンジがいわきで展示を行うのは、これが初めてではない。二〇一五年に、第一弾として、「市街劇『怒りの日』」を開催し、大変な好評を博していた。「地獄の門」と「小名浜竜宮」は、その第二弾という位置づけである。なお、二〇一七年の年末には第三弾の「市街劇『百五〇年の孤独』」が泉地区で開催され、カオス*ラウンジによる三部作が完結した。

「小名浜竜宮」は、市街劇という名の通り、まるでツアー演劇のような鑑賞経験を味わえる。個々の作品だけでなく、作品が置かれている場所にも意味があるし、会場間の移動、食事や休憩、天候などの自然条件、あるいは在廊者や地元の人たちとの触れ合い、土地の持つ特有の歴史や、平と小名浜の関係性なども大きく関与してくる。そう書くと、この企画は非常に「地域アート」的であるようにも見えるけれども、実際には、一般の地域アートとは似て非なるものであった。

なぜ彼らを小名浜に呼んだのか。まず最初に触れなければならないのは、「小名浜竜宮」は、いわき市の「まち・未来創造支援事業補助金」という補助金を活用したということだ。そこまでしてカオス＊ラウンジとプロジェクトを行ったのは、一言で言えば、かき回したかったからだ。震災復興や地域づくりの担い手はいつも顔ぶれが同じで、学級委員が先導する学園祭のような、何とも味気のない企画ばかりが続いていた。だからこそ、東京を拠点に独自の活動をし、復興や地域といったワードから遠い所にいるカオス＊ラウンジに主催を依頼した。彼らがどのように平を、そして小名浜を描き出し、新しい視座を私たちに与えてくれるのかに興味があったのだ。

被災地に「不謹慎」を招き入れること。それはまさに外患誘致であろう。しかし、一見すれば不謹慎と思われるような作品のなかにこそ、批評性や先見性が隠されているものだ。そして現場のリアリティから這い出て作品の批評性を読み取ろうとする態度そのものが、極度に陣営化した議論によって二分化された土地では救済になり得るのではないかと感じていた。面倒なところから這い出ること。その体験は個人を癒すだけでなく、最終的には復興に寄与するはずだと直感した。だからこそ、私はいわき市の募集に企画を持ち込み、予算を割いて頂いたのである。

異界との出会い

展示について詳しく見ていこう。本来ならば全ての作品を紹介したいところだが、本書では、特に印象に残った作品を紹介する。美術的評価ではなく、その作品が地域とどのように接続され、私たちが何を受け取ったか。それを中心に企画を振り返っていく。

ガイドマップによれば、「小名浜竜宮」は、第一会場であるオルタナティブスペースＵＤＯＫ.から出発する。ここには、山内祥太による映像作品と、ＫＯＵＲＹＯＵとサイト制作チームによるゲーム作品が展示された［写真1］。

山内の作品は、当初、ゲーム『ポケモンＧＯ』を題材にした映像作品《アキレスは亀には追いつけない》が展示されるはずだったのだが、開始日の三日ほど前だったか、事前のチェックにやってきたいわき市の市民協働課の職員から「著作権違反になる可能性がある」と指摘され、展示ができなくなった。結果として会期が始まった後に、平地区にある別の会場で展示されることになるのだが、その新作がなかなかの好評だったことが非常に悔まれる。あれは、小名浜に展示されるべき作品だったのだ。

写真1　KOURYOUとサイト制作チームによる作品《キツネ事件簿》。第1会場でプレイできるようになっていた

山内の作品は、３Ｄスキャンとクロマキー合成によって組み立てられている。スマホゲーム『ポケモンＧＯ』を参照し、ゲームのなかの山内（山内だけは２Ｄで描かれていて薄っぺらい）が３Ｄスキャンで圧縮された架空の被災地を歩いていくような構成になっている。実際に撮影された映像をもとにしているので、どこか見覚えがあるのだが、映像は不鮮明であり造形はぐちゃぐちゃ。いわきの被災地のどこかのように見えて、どこでもない。そんな場所を山内は歩いていく。

現地で撮影されたはずの３Ｄ映像、画面上に表現される被災地のような場所、そこに出現するモンスター。すべてデータで構築されているのに、すべてが作り物とは思えない。その「不気味な感じ」が、ウイルスのように鑑賞者に感染し、鑑賞者は、山内が描き出す異界に引きずり込まれていく。私たちは、あの日のことを明確に覚えているように感じている。けれども、実際には、その記憶は断片的で、特定の部分が強調されて記憶されていることに気づく。輪郭が少し崩れ、しかし特定の部分だけがデフォルメ化された記憶。それはまさに山内の描いた世界にも重なる。

山内の作品に登場するポケモン、コイキングは進化して「ギャラドス／龍」になる。被災者たちも、龍となって私たちを見守ってくれているのかもしれない。小名浜「竜」宮の最初を飾るに相応しい作品であった。

ＫＯＵＲＹＯＵのウェブサイト《キツネ事件簿》もまた、怪物／異界に関する作品だ。いわき市内の膨大な伝承や民話、昔話などをマッピングし、ウェブサイト上で鑑賞できるというものだ。ページ

写真2　いわき市沼の内の餓鬼堂、その「異間」をクリックすると表示される作品。筆者のパソコン画面をキャプチャ

を開くと、いわき市内の全体図や名勝古跡が絵画で表現されていて、それぞれのスポットをクリックすると、その場所を描いた作品と観光案内を読むことができる。さらに、そのマップが現実、異間、時間の三層に分けられており、それぞれのレイヤーで違った作品を鑑賞することができる。

例えば、現実のマップで「どうくつがある」というポイントをクリックすると、いわき市沼の内にある餓鬼堂のイラストが画面上に表示され、餓鬼堂の簡単な案内が読める。さらに、別のレイヤー、例えば異間をクリックすると、餓鬼堂に祀られた子どもたちだろうか、元気そうな子どもたちを描いたイラストが表示される［写真2］。

単純に、いわきの伝承や昔話、観光名所を知ることができるだけでない。アーティストが描き出す異界の圧倒的な迫力。今まではただの古い寺だった建物が、作家たちの手によって別の建物に生まれ変わっている。そしてその異界では、この世のものとは思えない、しかしどこか私たちと通ずるようなキャラクターたちが躍動している。存在しないはずなのに、存在しているとしか思えない。いないはずなのに、いるとしか思えない。その不気味さは、「霊」のような存在を浮かび上がらせていた。

現実を疑うまなざし

UDOK.を皮切りに、異界へ半分足を突っ込んだ私たちは、UDOK.のすぐ裏手にある古民家「旧萬宝屋」へと向かうことになる。ここは、かつて馬を使った運送業で栄えた家だ。UDOK.メンバーの親類の旧宅で、現在は盆と正月に親戚が線香を上げに来るくらいで住む人はいない。その古民家には、藤城嘘と中島晴矢の作品が展示された。

実はこの会場、公式のガイドマップには記載されておらず、小名浜地区にある会場でありながら「地獄の門」のサテライト会場という扱いになっている。本来はここが第二会場となるはずだったのだが、「小名浜竜宮」の会場から外されてしまったのだ。助成金をもらったことでふたつ目のトラブルが起きたことになる。

排除の理由は、中島の作品が、小名浜のソープランドを題材としており、それが自治体から問題ありと指摘されたからだ。実際にソープランドが存在しているのに、そのソープランドを題材にした作品が展示できないというのはおかしな話だ。しかし、この展示にはいわき市の公金が使われている。

風俗店をあからさまにネタに使うような作品に市の予算が使われていたとなると、大きな問題に発展しかねない。職員はそう考えたのだろう。

しかし、かといって「はいそうですか」と中島の作品を撤去するわけにはいかない。この萬宝屋会場そのものを、市の助成事業である「小名浜竜宮」の会場から外し、あくまで個人企画である平の「地獄の門」の会場だということにした。その判断が下されたのはオープン前日。私たちは会場準備を後回しにし、すでに発行していたビラの回収や、新しいガイドマップの作成に奔走することになった。

このような混乱により、いわば「幻の第二会場」となってしまった萬宝屋だが、展示は小名浜竜宮のメイン会場と言ってもよいほどの強度があった。まず印象的だったのは藤城の絵画作品だ。捕鯨を題材にした絵画で、地元の人の反応がすこぶるよかった。かつて小名浜で捕鯨が行われていたことを知る世代の人たちは、この絵から小名浜の往時の賑わいや、幼少時代の小名浜の海を想起したことだろう。絵そのものの技巧やコンセプトではなく、作品の外側の物語を楽しんでいたように見えた。私も会場の留守番を何度かしたのだが、絵を見ながら楽しそうに昔話をするおばあちゃんが印象的だった。地元生活者目線で見れば、このように地元の人も楽しめる作品を描いてくれたことは素直にありがたい。

しかしながら、藤城は地元民におもねってこの作品を作ったわけではない。現地の人たちに寄り添うような作品に見えるが、復興のあり方に対する藤城の批判的なまなざしを感じさせるものでもあった。

鯨は一般的に「捨てるところがない」と言われるほど恵みの多い生物だ。肉も内臓も脂も皮も、何かしら人々の暮らしのために活用されてきた。現在は、食用としての「鯨肉」を確保するための鯨漁が主流になっているが、江戸時代などは、主に「鯨油（げいゆ）」を採取するために捕鯨が行われていたそうだ。鯨油の用途は「灯り」。つまり鯨油とは、油を燃やして「灯り」として使うための燃料であった。そしてその「灯り」は、小名浜竜宮において絶対に欠かすことのできない重要な要素になっている。いわゆる「龍燈伝説」である。

いわきには奇妙な「浦島伝説」が残っている。浦島と乙姫が結婚し、ふたりは子どもを授かるが、乙姫は難産に苦しむ。そこで、いわき市平の西部にある閼伽井嶽薬師の力を借り、無事出産することができた。それからというもの、毎年、乙姫が火の玉となって夏井川を遡り、閼伽井嶽薬師までお礼参りに来る、というものだ。これをいわきでは「龍燈伝説」と呼ぶ。小名浜地区を流れる藤原川水系、さらにその西にある鮫川にも、火の玉が川を遡る龍燈伝説が無数に残っている。（市街劇「小名浜竜宮」ガイドマップより）

小名浜竜宮は、この龍燈伝説を含む「浦島伝説」と、いわき各地に祀られている八大龍王を題材にしている［★1］。いずれも龍に関係する伝説や伝承である。

じつは江戸時代のいわきには、この龍燈を見るための小屋があったそうだ。磐城国内の景勝地をまとめた鍋田三善の『陸奥国磐城名勝略記』には、現在もある賢沼や奈古曽関と並んで龍燈が磐城名物として紹介されている。当時の人には、きっと実際に龍燈が見えていたのだろう。現代から振り返って考えれば、龍燈とはおそらくは岬の位置を船に知らせるための焚き火であったり、修験者の掲げる松明だったと推察される。いわき沿岸部には、北部から南部まで小高い丘のような岬が点在する。その代表的なものが観光名所塩屋埼灯台だが、おそらくは丘の上には焚き火の番がいただろうし、そのような岬には神社や寺が建立されている場合が多く、修験者も多く訪れたと想像できる。そこに灯された火のゆらめきを遠くから眺めた人が、それを龍燈と呼んだのであろう。龍燈は、鯨油がなければ生まれない。鯨の恵みが、龍燈を灯していたのだ。

鯨は肉から油まで、いわきの人たちの生活を支えていた。しかし、決して人間にとって都合のいい存在ではなかった。数多くの船が沈められたことだろう。鯨が「魚」＋「京」なのは、「京（けい）」つまり、万億兆を超える「大きなもの」としての「京」に由来するそうだ。それゆえ、日本の多くの地域で、鯨は人間に禍をもたらす海の神として祀られている。鯨もまた龍の亜種なのである。人間の理解を超えた超越的なものとしての鯨。

だから私は、藤城の描く鯨が、事故直後の福島第一原子力発電所に重なって見えた。人はどのようにエネルギーと関わるべきなのか。藤城の作品には、福島に暮らす私たちへの重い問いが込められていた。

萬宝屋会場を二階に上がっていくと、中島晴矢の作品が展示されていた。主には映像作品であり、中島扮する浦島太郎が現代に甦り、ふらふらと小名浜の町を放浪しながら、愛する乙姫の姿を追い求めてソープランド街に迷い込むという構成になっている［写真3］。

中島の作品で興味深かったのは、復興政策への疑義である。小名浜の市街地に辿り着いた浦島が「イオンモールいわき小名浜」の建設予定地を訪れるシーンがある。たびたび触れてきたこのイオンモール、小名浜地区の復興プロジェクトの柱として建設されている。買い物スポットであるだけでなく、津波の際には防災拠点として、買い物客や地元の人たちを守ることが期待されているのだ。中島がそのことを知っていたかはどうかわからないが、中島の映像には、防災／土木／復興の象徴として、イオンモール／防潮堤が炙り出されていた。浦島太郎が防潮堤を小馬鹿にしたようにヨタヨタ歩く様は、復興政策への冷笑にも感じる。

防潮堤を海側から見たことがある人はいるだろうか。防潮堤は、陸側から見るとただの壁のように見えるが、海側から振り返って見ると上部構造が波返しになっていて反り返っている。このため、防潮堤そのものが波のモニュメントのように見える。つまり防潮堤とは陸から海に押し寄せる「コンク

★1　八大龍王とは、仏法を守護する八体の龍神のこと。龍は日本では水や雨、海にまつわる神ともされ、全国各地に「八大龍王神社」や「龍王神社」、「八大龍王尊」などがある。いわき市沿岸部にも、それぞれの港町に龍を祀る神社や石碑が建てられているほか、竜宮城や浦島太郎の伝承が残っている。

写真3　中島晴矢の映像作品《浦島現代徘徊譚》。撮影に使った衣装や写真なども展示されている
撮影＝中川周

リートの津波」なのだ。かつてのいわき人は、龍を祀る神社を建立し、神仏や怨霊と対話しつつ海と共存してきた。沿岸部に残る複数の八大龍王碑はその痕跡である。しかし、現代のいわき人は、海と陸を遮断し「コンクリートの津波」で災害に応対しようとしている。私には、どちらが先進的か、どちらが防災として相応しいのか、よく分からなくなってしまった。

死と再生

本来の順路とは異なる順番で紹介するが、この浦島を待ち受けるのが、第四会場の「泡之内庵」である。泡之内庵は、UDOK.共同主宰でもある丹洋祐（たんようすけ）の自宅で、小名浜のソープ街の中にあった（現在はリフォームされている）。その離れにあたる建物の中に、パルコキノシタの作品

《浦嶋兒竜神降誕図》が展示されていた。乙姫とおぼしき女性と赤子の絵が描かれたものだ。

絵の中の女性をよく見ると、津波に飲み込まれる寸前の母親が、赤子を生かそうと空に向かって放り投げているようにも見える。生と死が交錯する被災地小名浜は、日々セックスが消費されている色街でもある。パルコキノシタの描く繊細な線には、したたかに繰り返される性の営みと命の儚さ、そして輪廻が凝縮されているように感じた。おまけに、泡之内庵の持ち主である丹には、会期中に第一子が生まれている。絵の中の赤子は、まさに丹の子どもでもあったのだ。友人の子どもが生まれるという不測の事態もまた、私にとって強烈な鑑賞体験になっている。

小名浜の住宅地にある地蔵堂もまた展示会場になっていた。いわきの郷土史家、小野佳秀によれば、お堂に安置されていた地蔵は、一八四七年の高波で犠牲になった水夫たちを供養するために建立されたもので、地蔵の下には犠牲者が埋葬されているという。地蔵はすでに町内の別の寺院に移送されており、お堂の中に地蔵はない。それどころか、このお堂は、二〇一六年の夏のうちに解体されることが決まっていたのだった。それを、土地の持ち主に無理を言って解体作業を延期してもらい、展示会場として借り受けたのである。

壊される運命にあった地蔵堂を修復したのが秋山佑太だ。修繕した地蔵堂そのものを作品として展示しているほか、地蔵堂の中には、井田大介の制作した《photo sculpture「地獄の門」》が展示されている。これが第三会場である。ここでは秋山の作品を紹介するにとどめる。秋山による修繕作業が始まったとき、この地蔵堂は大きく傾いていた。修繕は、まずこの建物の歪みを矯正し、水平を保つ位置にまで戻すことから始まった。男たち数人で柱に引っ掛けたワイヤーを引っ張り、元の位置に戻ったときには歓声が沸いた。修繕作業の途中には、作業を気にかけた住民たちがやってきて、かつてこの地蔵堂でお祭りが開かれていたこと、地蔵堂が壊されることを知って悲しんでいたことなどを話してくれた。地蔵堂の修繕により、そこには人が集まってきた。その時間は、この地蔵堂の歴史から見れば一瞬だったかもしれないが、一瞬だけでもかつての賑わいが戻ってきたことは、地蔵堂にとっては幸せだったかもしれない。秋山の作品もまた、建物の「生死」と慰霊のあり方を問いかけている［写真4］。

写真4　秋山佑太が作品とした地蔵堂。船に使う青い塗料を使って、地蔵堂を支える筋交いをしつらえている

未来へのまなざし

小名浜の四会場を後にすると、六キロほど離れた中之作地区にある第五会場「清航館」に向かう。小名浜の中心部からは車で一〇分ほど。清航館には、村井祐希、今井新、弓場勇作、荒木佑介、岸井大輔の五名の作品が展示されていた。まず私たちを出迎えてくれるのが村井の作品だ。夥しい量の絵具を混ぜたシリコン樹脂で着色されているインスタレーションと言えばよいだろうか。震

災のカタストロフ感そのままに、濁流のような破壊力のある作品になっていた［写真5］［写真6］。村井はこの作品の着想を防潮堤から得たという。防潮堤を上空から見たときの形状をイメージして欲しい。海岸線に沿ってうねうねと曲がる形状は龍が這う姿そのものではないか。津波を食い止めるために、私たちは「コンクリートの龍」を作った。村井の作品は、そのコンクリートの龍の死骸にも見えた。どれほど高い防潮堤を作ったとしても、人間が想定し得ない津波はきっと起こる。今回の3・11だってそうだったのだ。村井の作品はそれを暗示する。龍の残骸が横たわる姿は、日本の未来そのものかもしれない。

清航館の二階の和室には、岸井大輔の作品《龍燈祭文》の一部が展示されていた。岸井の作品は「お経」だ。海の見える美しい和室に、そのお経を印刷したタペストリーのような布が置かれ、同時に、僧侶による読経が再生されている。お経だけに読解するのは難しいが、現代語訳もついていて、それを読めば「小名浜竜宮」の戯曲の一部であることが確認できるだろう［写真7］。この会場は「小名浜竜宮」の最後の展示場所だ。多くの観覧者が、岸井作品を見て、それぞれの作品に通底する源流に触れたことだろう。個々の物語に血が通い、これまでのストーリーがひとつの大きな流れとなって脳内で再生される。

ＵＤＯＫ．から始まった旅。モンスターや妖怪、さまざまな伝承の世界に触れた私たちは、現代に甦った浦島太郎とともに、小名浜の歴史を辿りながら、この地に封印された龍の物語に触れる。浦島が会いたいと願った乙姫は、深い海の竜宮城の中。その竜宮城に帰るためには、目の前に屹立する防潮堤

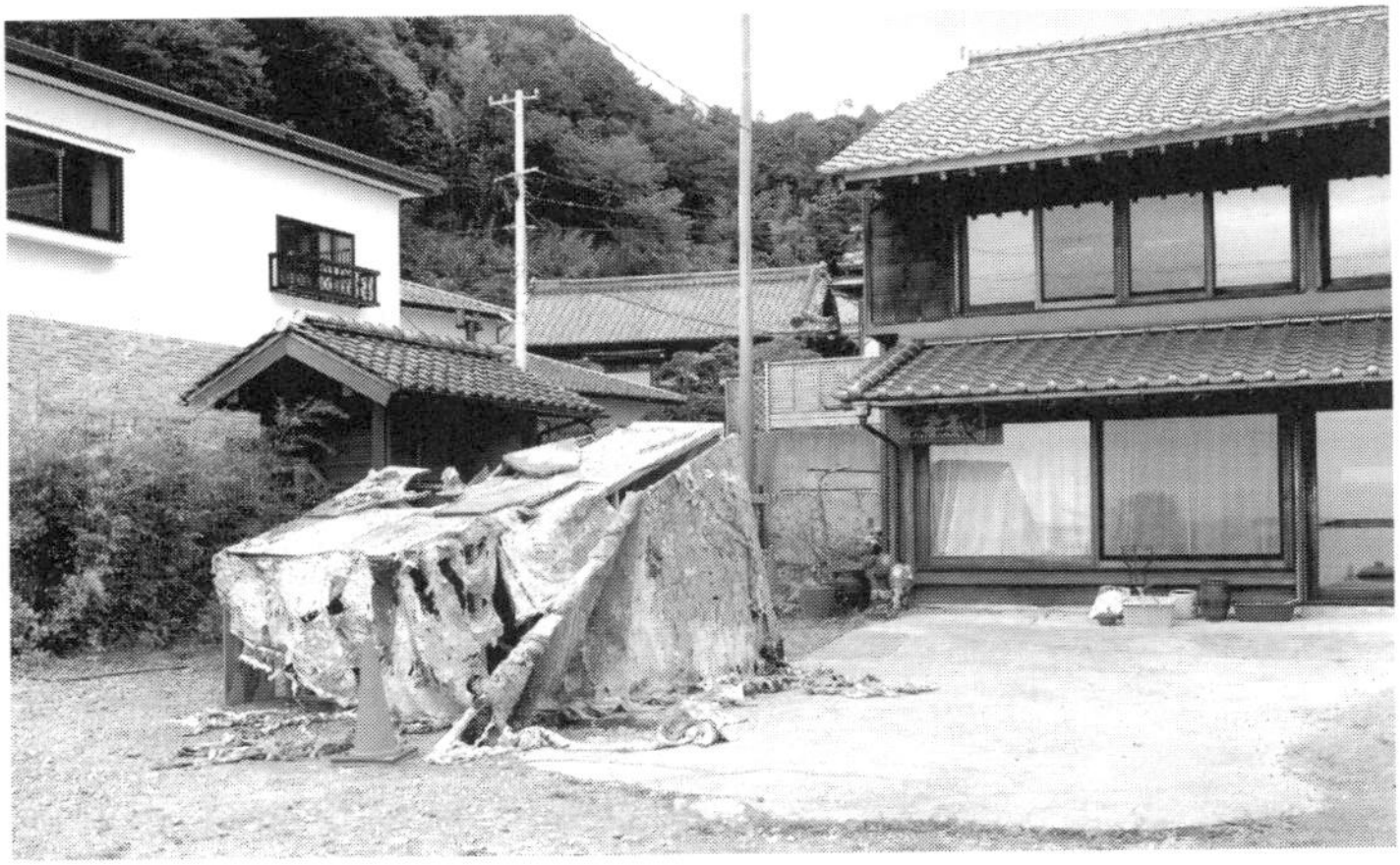

写真5（上） 村井祐希の《Omelet Embankment Section》が展示された中之作「清航館」。歴史ある古民家の目の前に防潮堤をモチーフにした作品が展示されていた
写真6（下） 村井の作品の一部を接写すると、絵具の濁流がそのまま固形化されたように見える

写真7（上） 岸井大輔の作品《龍燈祭文》の一部。震災の犠牲者を慰霊するため書き下ろされたお経
写真8（下） 本文では触れられなかったが、小名浜のショッピングモールリスポにあるおもちゃ屋には柳本悠花の《私の知らない街〜亀と蛇が街を攫う》が展示された。小名浜諏訪神社に残る伝承のモチーフを生地で再現するというもの。一見するとぬいぐるみのようにかわいい造形をしているが、そのかわいらしさがかえって現実味を際立たせる。私たちの日常に埋れ、忘れられてしまった伝承を、ぬいぐるみという柔らかなもので鋭く抉り取り、その意味を問い直すことを私たちに課す。大変印象に残る作品だった

が邪魔になる。浦島は、乙姫と会うために、防潮堤を破壊する津波を望む。そして、津波（龍）と防潮堤（コンクリートの龍）の戦い。戦いで失われる命と、浦島と乙姫の再会によって生まれる新しい命。生殖と生と死と、そして輪廻の物語が脳内に浮かび上がってくるようだった［写真8］。

地域アートの理想

長くなってしまったが、私が体験した「小名浜竜宮」とは、そのような物語であった。しかし、もうひとつ書き加えたい。作品をただ鑑賞しただけでは、ここまで自分のなかでストーリーを構築することはできなかっただろう。私の鑑賞体験に大きく影響したのが、岸井大輔による鑑賞ツアーだ。

これは市街劇の最終日とその前日、二〇一六年一〇月九日、一〇日の二回行われたものである。平の地獄の門から見始め、市内の沿岸部に移動。中之作会場に加え、沼ノ内地区の「賽の河原」など、小名浜竜宮の会場やチェックポイントから外れてしまった史跡も巡りつつ、数カ所の八大龍王碑を経て、最終的に北茨城市の五浦にある八大龍王碑でツアーを終え、平へ戻るというものだ［写真9］。

このツアーが非常に刺激的だった。いわきに点在する八大龍王碑を巡りながら、龍燈伝説とは何だったのか、龍や蛇、鯨といった動物がなぜ信仰の対象になったのかなど、岸井による解説がある。そのおかげで、モンスターと私たち人間が共存していた時代の姿が、少しずつ浮かび上がってくるのだった。

写真9　展示の最終盤に開催された岸井大輔によるツアー。写真は、いわき市沼の内にある餓鬼堂

作家たちが提示した異界の生き物や、それらの伝承は、当時は普通に存在したのだろう。何しろ龍燈を見るために、実際に物見小屋まで作られていたのだ。その時代の人たちの想像力を私はとても羨ましく感じる。その時代、津波はまさに龍であり鯨だった。恵みを与えてくれるものでもあれば、禍を起こすものでもあったのだ。だからこそ、当時の人たちは八大龍王の碑を作り、神々を祀り畏れた。龍が怒り狂い、津波や高波が押し寄せ、犠牲者が生まれても、死者を弔うための地蔵堂を建て、繰り返しお祭りをし、死者の存在を忘れず、教訓を石に記して防災の礎とした。震災後の日本人よりも圧倒的な想像力で、地域の防災と慰霊を実現できていたという事実を知った。

そのようないわきの文化の奥深さを、私はほとんど知らなかった。私は、いわきにはバックヤードしかないと思って絶望していたのだ。しかし、

写真10　勿来の関。奥州勿来関跡という石碑が目印　撮影＝江尻浩二郎

龍がいた。そしてその龍には、防災も、慰霊も、信仰も、芸術も、想像力も込められている。龍という思想を、私たちは震災後のいわきにおいて、もう一度実装していかなければならないのではないか。そんな気になった。興奮する私に、ツアーを終えた岸井がこんなことを言ってくれた。「いわき回廊美術館もコンセプトが龍でしょう? 蔡國強も、いわきが龍だっていうことを分かっていたんじゃないかな?」。やはり、いわきは龍の国だったのだ。

求められる文化と復興

実際、想像力の産物が文化として三〇〇年以上残った例がある。いわき市南部にある「勿来の関」それだ。来ル勿レ。ここを超えればエミシの国だということを示す関所である［**写真10**］。白河の関と並んで奥州の名関として知られているが、この勿来の関、後世に入ってから作られた文化施設だということはあまり知られていない。

いわき市のサイトは、この関所を以下のように紹介している［★2］。「なこそ」という地名が一躍有名になったのは、今から一二〇〇年ほど前のことである。八四八年、鹿島神宮の宮司が、常陸国司の公文書を受け、神にたてまつるための供物を携えて関を通過しようとしたところ、関所で「前例がない」として拒絶されたという。怒り狂った宮司は、その供物を捨てて帰国したが、その後、疫病が流行。自分の行いを許して欲しいと懇願したそうだ。そのことが京の都に大きな事件として伝わり、鹿島の威光が通じない異国の地としての「なこそ」が定着したそうだ。やがてそれは王朝文学を多いに刺激し、小野小町をはじめ、著名な歌人が「なこそ」を歌に詠むようになった。なこそと王朝文学との出会いは、その後の「勿来の関＝詩歌」というイメージにつながっている。

しかし、その関所の実際の場所は、実はほとんど明らかになっていない。少なくとも現在の勿来の関は、江戸時代になってから作られたものであり、本当の勿来の関はどこにあったのか、未だによく分からないのだ。現在の勿来の関は、磐城平藩主の内藤忠興（ただおき）が、一六五〇年頃に、藩内の飛び地であった現在の関跡一帯を関と見立てたことが始まりである。海岸を見下ろすことのできる風光明媚な地であったことから、文化事業として、ここに桜を植樹し、関と定めたのだ。シミュラークルとしての勿

★2　「いわきの『今むがし』Vol.77」URL=http://www.city.iwaki.lg.jp/www/contents/1504742388316/index.html

来の関、誕生の瞬間であった。

その後、三〇〇年以上、勿来の関は、いわきの人たちの心を支え続けてきた。風光明媚な景色は多くの人たちを魅了し、観光名所としても大きな役割を果たしている。始まりはニセモノだとしても、三〇〇年通用するものを作れば、それは文化になり、地域の資産になるということを、内藤忠興は自らの公共文化事業によって証明したのである。復興事業とは、まさにこのような事業のことをいうのではないだろうか。私たちは、この三〇〇年の間、勿来の関を超えるような文化事業を行うことができていない。スパリゾートハワイアンズは、三〇〇年続くだろうか。

忠興の先代にあたる、内藤家初代の内藤政長もまた、現代に残る公共事業を行っている。いわき市四倉町から、平沼ノ内までの新舞子浜に約一〇キロ続くクロマツの林がある。潮害から田畑を守るために、政長が植林させたものだといわれる。地元の人たちは感謝の気持ちから、このクロマツ林を内藤政長の法名に由来する「道山林（どうざんばやし）」と呼んできた。クロマツは三〇〇年にわたり地域の宝として愛され、いわき市誕生の折には「市の木」として認定された。この林が群生するおかげでこの地区では東日本大震災の津波被害が最小限に食い止められたともいわれる。本書の第一章で、私が生まれた小名浜松之中を紹介した。松之中という地名も、私の祖先が「小松」を名乗ったのも、そこにクロマツがあったからだろう。私と政長も、どこかでつながっているのだ。

ここでもういちど思い出されるのが、「いわき万本桜プロジェクト」である。プロジェクトは、二〇〇〇年かけて九万九〇〇〇本の桜を植えることを目標としている。かつての藩主たちのような絶大な権力を持っているわけではない志賀や、ボランティアの皆さんによって運営されているにもかかわらず、そこには思想があり、ビジョンがあり、記憶の承継と慰霊を図ろうという思いがある。蔡國強という芸術家が、そこに関わっているからだろう。そして、芸術家が示す思想を、志賀たちが現場に実装しているからだろう。そんな場所が、補助金を使うわけではなく、民間の寄付の力だけで持続していること。それこそが希望であり、現代社会に対する鋭い批評にもなっている。いわき万本桜プロジェクトもまた、理想の地域アートプロジェクトとして語ることができるだろう。

震災後、いわき市には莫大な復興予算が投じられた。その予算の用途が適正なものだったのか、検証はされていない。助成金や復興予算、賠償の負の部分は本書の第二部で紹介した。沿岸部には、防潮堤ができ、風景は破壊され、陸と海が寸断され、里山が削られて新しい住宅地が造成された。私たちは、三〇〇年後に地域の誇りとなるようなものを何ひとつ残せていない。残ったのは防潮堤だけである。そして三〇〇年後、そこに暮らす人たちは、ほとんどいない。私たちはもう、思想を持った行政や、思想を持った建築、思想を持った芸術を作ることができないのではないか。これだけの傷を負った東日本大震災で、あれだけの予算をかけながら、私たちが残したのは、防潮堤だけであった。「小名浜竜宮」は、そんな地域の課題、復興の失敗を、明確に提示しているようにも見える。

地域に眠る文化や歴史を掘り起こすこと。それはすなわち「死者の声を聞く」ことだ。すなわち文化や歴史は、過去の地域づくりの痕跡そのものである。過去の人たちが、いわきをどのような地域にしたかったのか、どのような地域を私たちに残そうとしたのか、その意志の表れなのだ。震災後、私たちは「どのような地域を未来に残したいか」ばかりを考えてきてしまった。しかし、それだけでは、どうしても文化や歴史は断絶してしまう。私たちの住む浜通りは、次は石炭だ、次は原子力だ、次は再生エネルギーだ、そんなことばかり繰り返し、自分自身で過去の文化を投げ捨ててしまったという歴史がある。そうではない。死者の声を聞くことの先に地域の未来があるべきだ。カオス*ラウンジの市街劇は、私に大きな学びをもたらし、私の「地域づくり観」を根底から変えてしまった。

芸術家たちは「震災復興で防潮堤しか作れなかったではないか」という批評を残しながらも、「いわきにはこれほど豊かな文化や歴史、風景があるではないか」という希望に満ちた問いも残した。地域アートとは、そのように、地域の課題と魅力の両方を提示し、そこに暮らす人たちを突き動かすものなのだろう。これからは、彼らが与えてくれたヒントを、私たちが思想と呼べるものに練り上げ、地域社会に実装していかなければならない。でなければ、私たちはこのバックヤードで絶望とともに暮らすしかない。バトンは、地域に暮らす私たちに手渡された。

第9章　誤配なき復興

地域に課題を提示するアート。その原動力の裏には、現実に対する「怒り」があるだろう。二〇一三年と二〇一七年のいわき市長選、二〇一四年の福島県知事選、さらには三度の衆院選と二度の参院選。震災から七年の政治が被災地にもたらしたのは、大きな「怒り」の感情だった。

震災後の県政を検証するはずの県知事選は、自民党本部が地元代表である福島県連の意向を覆し、野党が推薦する内堀雅雄（現福島県知事）に相乗り。完全なる無風選挙となった。いわき市長選では、現役と新人が低レベルなネガティブキャンペーンを展開し、投票率は最低を記録。まだ記憶に新しい二〇一七年の衆院選では、勝手に野党が分裂して大敗。中道が失われ、安倍か反安倍かポピュリズムかという、あまりにも極端な構図で選挙が行われた。

とくに、国政を見ていると、震災や原発事故の被災地のことなど、とうの昔に忘れているんだろうなと思わずにはいられない。東北に演説に来たときに申しわけ程度に挨拶をするだけ。政治家としての矜持や、被災地復興に寄与しようという気持ち、あるいはビジョンを、過去の復興大臣から感じたことはほとんどない。沿岸部には人が戻って来ず、廃炉の工程は遅れに遅れている。最終処分場も決まってはいない。政治判断されるべき問題はたらい回しにされ、そのツケは現場に押し付けられている。そして、決断を迫られた地元は様々な立場の違いで分断されてしまう。そのような現場にこそ地域の代表が顔を出し、たとえ怒りをぶつけられても、地道に未来を考え、政策によって改善を図るべきなのに。

選挙が行われるたび、私は怒りと諦めに包まれた。選挙は「ベターな候補を選ぶもの」だと頭のなかでは分かっていても、誰にも投票したくない。支持できる政党もない。選択肢がないからだ。特に国政。私にだって国に届けて欲しい声がある。しかし、誰にも積極的に投票できない。私たちには、震災や原発事故、復興政策に対する怒りを表明するチャンネルがあまりにも少ないのだ。

だからこそ、私たちは政治ではない道、たとえば文化や芸術によって怒りを表明していかなければならないのではないか。政治的な友と敵に分かれ、右か左かしかないという道ではなく、過去と未来を見据え、歴史や文化に光を当て、死者の声を聞き、より遠くへ、そしてより未来へと発信していくような怒りを。

本書の第一章で、劇作家の平田オリザが語る「文化の自己決定能力」という言葉を使った。第七章では鈴木忠志の「方法的差別」という言葉を使った。そのどちらも、つまるところは「抗う」ということである。中央の収奪に抗い、原子力やバックヤードといった依存の構造に抗いながら、敢えて差別される道をとって世界に訴えていく。それには、文化の力、表現の力が欠かせない。福島県は、そしていわき市は、文化や芸術の力で、自らの歴史を顧み、理不尽に対する怒りを訴えていかなければならない。そこに連帯したいと思う国や地域は、世界にいくらでもあるはずだ。この最終章では、その連帯の可能性を探っていく。

楽しむことが抵抗になる

私たちが震災後にスタートさせたＵＤＯＫ．も、うみラボの実践も、本書で何度も紹介している「いわき万本桜プロジェクト」も、共通するのは徹底して楽しむこと、そして原発事故に対する怒りが込められているということである。「楽しむ」と「怒る」という言葉は、一見して相反するように見える。しかし私はそうは思わない。震災後の福島では、ふまじめに楽しむことは、怒りを表明することになり得る。

楽しむことは当事者性を拡大してくれる。「動員」と言い換えてもいい。福島の復興を応援したい人より、おいしいものが食べたい人のほうが圧倒的に多いのと同じで、人はポジティブでシンプルな動機にこそ心動かされる。調ベラボの例を思い出してほしい。おいしい、楽しい、面白い。これがなければ人は参加してくれない。つまり、動員の根源にはふまじめな欲求が存在しているのだ。

当事者が増えると、当然、活動は持続していく。震災後の復興活動は、助成金の切れる三年でなくなってしまうが、突きぬけて楽しい活動は少しずつファンを増やし、それゆえ持続性が生まれる。当事者を拡大し、活動に持続性を持たせたいからこそ、担い手は常に「新しく参加してくれるかもしれない人」を意識しなければならない。

当事者が増え、活動が持続的になると、その活動はやがて社会に漏れ出し、公共性が生まれる。つまり、楽しむことは、当事者性や持続性だけでなく、図らずも活動に社会性を与えてくれるものなのだ。最初はメンバーが勝手に楽しんでいただけのUDOK.が、いつの間にか町内会や商店会に巻き込まれたり、いつの間にか海外からも人がやってきてくれるようになったのに似ている。勝手に私有地に作られたいわき回廊美術館が、いわきを代表する観光地になってしまったのも同じだろう。ふまじめであることは社会性を帯び、やがて、目に見えない連帯を生み出していく。

楽しくなければ理念も伝わらない。面白くなければ興味を持ってもらえない。おいしくなければ口にしてもらえない。そして人は、簡単に何かを忘れてしまう。福島に、そして原発事故に関心を持ってもらいたいと思えばこそ、私たちはふまじめに徹し、遠くの誰かに、その面白さや楽しさを伝えていかなければならないはずだ。私たちが楽しむのは、風化や風評に抗い、原発事故への怒りを忘れないためでもある。

そしてもうひとつ。楽しむことは依存に対する抵抗になり得る。楽しむことで参加者が増えれば、何かに頼らずに、自分たちで場を運営できる体質になっていくからだ。参加者を増やすには、スケールを下げたうえで、多くの人たちが参加できるよう作業を細分化することが求められる。例えば、どこかに地域の共有スペースを作ろうというとき、莫大な予算をかけてすべてを業者に任せてしまったら、多くの人たちはそこに関わることができない。参加できないと愛着も湧かず、愛着が湧かないと当事者意識が高まらない。人が関われる規模までスケールを下げること。つまり小さく動かすこと。

それは参加者の「関わりしろ」を生むことにつながり、自立への第一歩になっていく。「大きなひとつ」に依存するのではなく「小さな集まり」が散らばった社会のほうが圧倒的に多様で、そして豊かだ。大きなひとつに依存する社会は、やがて思考停止を生み出し、敢えての依存が無意識の依存に変わっていく。そのような社会は福島第一原発事故で吹き飛んだはずだ。私たちが目にしたあの爆発は、原子力発電所という建物の爆発ではない。あれは、私たちがいつの間にか依存してしまう「大きなひとつ」、それによってもたらされる思考停止の社会が弾け飛んだのだと認識している。だから私は、原発以前に戻ることに、言いようのない抵抗感を感じてしまう。

徹底して楽しむこと。そして、小さく展開すること。それが文化だ。本書がこれまで書いてきたように、バックヤードに暮らす私たちは、中央の論理に翻弄され、地域の文化を奪われ、新しい産業を押し付けられ、いつの間にかそれを自分たちの誇りとして考えるようになってしまった。二度の敗戦の歴史を、第七章で紹介したばかりだ。それを繰り返さないために、私たちは文化と表現の力を再起動しなければならない。

中央に翻弄されやすい私たちは、だからこそ頻繁に敗戦以前の歴史に立ち返り、国から押し付けられたものではない、私たちが本来持っていた文化にアクセスする必要がある。それをしなければ、なぜ原発のようなものを受け入れたのか、なぜ敢えての依存が無意識の依存になったのかについて考えることを忘れてしまう。繰り返し問うことで、「私たちの地域の文化とは何か」という確固たる軸を取り戻すことができる。依存に対する警鐘の声を聞くこともできるだろう。数百年の生活の営みの積み重ねから、私たちの誇りとは何なのかを再発見し、そのうえで、数百年後の未来へ引き継ぐ。そのような地域にしていかなければいけない。

過去を振り返り、未来を考えること。それは死者の声を聞くことだと前章で書いた。先人たちはどのような思いで地域を作ってきたのか。どのような未来を私たちに託したのか。私たちは、アートや文学、音楽や演劇といった表現行為を通じて問い続けなければならない。数値やデータで紹介できるものは、すでに揃いつつある。ならば、余白があり、様々な受け止め方を許す表現活動によって、震災や原発事故とは何だったのか、そもそもその地域にあったものは何だったのかを訴えていくのだ。現実のリアリティに束縛される地域の担い手こそ、率先して、アートや文学、音楽や演劇、批評といった外部性に身を晒し、そこから得られた知見やビジョンを、地域のなかに提示しなければならない。原発事故以後の地域づくりは、外部を取り戻すべきだ。本書が訴えたいことはそれに尽きる。

原発事故と障害

文化と復興というテーマで書き進めてきた第三部。最後に、もうひとつ、問題を理解するための別の視点を挿入してみる。「障害」という考え方である。

震災後の福島で私が関わってきたことのひとつに、障害福祉の分野での情報発信というものがある。障害福祉に関わるようになって、私は「福島を伝えることは障害福祉を伝えることに似ている」という思いを強くしている。私がここまで書いてきたこと、そのほとんどすべてが、障害福祉に関わる人たちと、問題意識をともにしている。

二〇一五年から、いわき市などで就労移行支援事業所を運営しているNPO法人ソーシャルデザインワークスの広報業務を一部担当するようになった。法人の北山剛代表や、クルーの皆さん、様々な障害があり、ここに通所してくる皆さんにもたびたび話を伺っている。特に、北山の掲げる「ごちゃまぜ」というキーワードや、活動の理念に共感することが多かった［写真1］。

同法人では、毎月のように「ごちゃまぜイベント」という企画を開催している。障害の有無や年齢、国籍や性別に関わりなく参加でき、農業体験をしたり、スポーツをしたり、楽器を奏でたりクッキーを作ったり、それこそ「なんでもあり」なイベントである。北山に話を聞くと、必ずこういう言葉が出てくる。「障害福祉をやっている人だけでは課題は解決しない」とか、「障害福祉に関わらない人が関わることにヒントがある」とか、「無関心な人たちに届けないと意味がない」とか、「ごちゃまぜの状態を当たり前にする」とか。つまり北山はあまり内部には期待していない。外部からの影響によってしか変化

写真1　障害福祉の世界で徹底して「誤配」を期待しながら、当事者の壁を崩そうと活動を続けるNPO法人ソーシャルデザインワークスの北山剛

は起きないということを理解しているのだ。

障害を持った人が、支援を受け技術を身につけてどこかに就職したとき、一部の理解ある人たちだけが配慮を求められるのではなく、社会の皆が少しずつその配慮をシェアできるようになれば、一人ひとりに求められる配慮は小さくなる。そのためには、福祉のできごとを社会化することが求められる。関係のない人たちにも関係を持たせ、社会環境を改善することで結果として障害者本人が感じる障害を減じようというわけだ。だから北山たちは非当事者を巻き込んだ「ごちゃまぜ」のイベントを企画しているのである。

しかし、その社会化のプロセスでまじめさの度合いを上げてしまえば、福祉関係者や事情を詳しく知る人しか参加できなくなってしまい、結局タコツボ化してしまう。より多くの人にその課題の端緒を感じてもらうためのアクションを進めるには、まじめの度合いを下げるしかない。まじめさや当事者意識を希釈させ、ハードルを下げ、多くの人たちで少しずつ「障害とはなにか」という考えをシェアできるような仕組みを作っているのである。

業界内の人たちや専門家からすれば、事情を知らない人たちを相手にすることは至極つまらないことかもしれない。初歩的なことを伝え続けなければいけないし、相手の知識のなさに辟易することもあるかもしれない。しかし、同法人のクルーは、「そんなことも分からずに障害福祉に関わろうとしているんですか?」なんてことを絶対に言わない。「中途半端に関わらないで下さい」などとも言わない。むしろ「ここに来てくれたこと」そのものを評価してくれる。何の関心もなかった人が、ほんの少しでも関心を持ってくれたことに喜びを感じているのだ。そこからしか社会は変わらないのを、皆さん、強く感じていらっしゃる。

ここで思い出されるのが、思想家の東浩紀の『ゲンロン0 観光客の哲学』（ゲンロン、二〇一七年）である。同書は専門的な哲学書だが、批評の世界というより、我々のような実践の世界の住民こそ参照すべき多くのキーワードが記されている。そのひとつは「誤配」であろう。

この「誤配」という言葉、それそのものが実に哲学的な言葉で、それひとつだけで哲学書が何冊も書けるような言葉だが、届けようと思っていなかった人に偶然メッセージが届き、それが予期せぬ配達だったがゆえに、そこに新しい解釈や意味が生まれ、それが、問題を解決に導くヒントになる可能性を持ってしまうこと、そのような人たちに予期せず偶然に「届いてしまう」ということだと私は解釈している。そしてその誤配は、福祉でも必要とされている。

東は「誤配」には「ふまじめさ」が必要だと言う。ふまじめであるがゆえに、まじめではない人、つまり当事者としてみなされてない人に届いてしまうのだ。社会課題なんて知らない。全然関係がない。デモにも行かないしロビー活動もしない。そのような人に届いてしまうからこそ、硬直した世界に新しい風を吹き込むことができるということだ。二分化され硬直化した世界を前にすると、誤配とは希望そのもののように思えてならない。

しかし、ふまじめさは、まじめな人たちからは当然批判される。北山が、既存の社会福祉業界の方々から批判されたのも同じ構造だろう。福祉の現場を知らない人が福祉事業所なんてやるな。イベントばかりで障害者のほうを見ていない。チャラチャラしている。いろいろあるだろう。しかし、北山たちは批判を気にするでもなく、次の世代を見据えて「ふまじめ」に徹している。そうでなければ課題を解決できないことを知っているからだ。専門性が求められる障害福祉の世界に、あえてゆるい「ごちゃまぜ」というコンセプトを持ち出し、福祉とは関係なさそうなイベントを次々に打ち出し、地域にゆるやかな関心を生み出しながら、働くことを諦めていた人たちや、障害のある人たちを粘り強く支援し、少なくない人たちを社会復帰に導いている。ソーシャルデザインワークスとは、まじめさとふまじめさを往復する「誤配のＮＰＯ法人」でもある。

そのような人たちとともに仕事をするなかで、私は、北山たちがやらんとしていることと、「福島を伝えること」はよく似ていると感じるようになった。北山たちに向けられた批判の声と同質の声を、震災後の福島でもよく耳にするからだ。一言でいえば「当事者語り」である。事情を知らないなら関わらないで欲しい、もっと勉強してから関わって欲しい、ふまじめな言説はありがた迷惑だという声。つまり、福島を語ることは「まじめ」すぎるのだ。

確かに、私たちは謂われない差別に苦しめられた。酷い言葉を投げつけられたこともある。だから、その防衛反応として「関わらないで欲しい」という声が出てくるのは、致し方ないことのように思う。しかし、それが度を超して、当事者性を盾に「自分の気に入らない考えを排除すること」まで行き過ぎると、外部からの関わりそのものを排除することになってしまう。なかには、数多くの「ゆるく関心を持ちたい人」がいたのではないか。それは、未来の切り捨てだったのではないか。自戒を込めながら、これまでを振り返っている。

原発事故とは福島の「障害」である

第七章で紹介した、猪苗代町「はじまりの美術館」の岡部館長の言葉をもう一度ここで思い出してみよう。この美術館は、郡山市の社会福祉法人が運営しており、アール・ブリュットの作品をメインにしていることで知られている。岡部も、もともとは障害を持つ人たちのサポートが生業だった。だから自然に「原発事故＝障害」という考えを持ったのだろう。彼は、原発事故は福島の障害だと言った［写真2］。

私は、その言葉を聞いたときにかなり衝撃を受けた。純粋に、そのような考えがあるのかという驚きと、自分が感じていた問題をかなりクリアに説明できる含蓄があったからだ。

私も、原発事故とは障害だと思う。つまり私たちは障害のある人と同じ立場に立っている。まずはその障害を受け入れて自認したうえで、それを価値とできるよう自分たちの個性を知ろうとしなければならない。よその地域を見回せば、障害のある地域はほかにもある。広島や長崎、沖縄、あるいは水俣もそうだろう。戦災、公害、基地などを抱えてきた、あるいは今も抱えている地域。そのような地域と福島を同列に語るなという気持ちもよく分かる。けれど、原発事故を障害と考えるのであれば、やはりそれを「受け入れる」ところから始めるしかないのではないか。

誤配は「外部／未来／ふまじめ」を切り捨てない。北山たちが多様な人たちとイベントを展開するのと同じだ。ならば、私たちが取るべき道は、障害福祉に学ぶことができる。当事者ではないように見える人、まだまだ詳しく知らない人、誤った認識を持っている人、未来に生まれてくる子どもたち、うっすらと関心を持っている人を排除してはならない。むしろそのような人が関わってくれることにこそ希望がある。そう信じてみようではないか。

福島で原発事故が起きた歴史は消しようがない。いや、消してはならない。忘れるべきでもない。二度と繰り返してはならない。だからこそ、科学的な知見に基づくデータも含め、広く伝えていくべきだろう。もちろん、「おれたちは大変な思いをした！」「原発事故はこんなに酷かった」ということを伝えろというのではない。当然、健康被害を誇張することでもないし、同情を買おうとすることでもない。北山たちが手がける「ごちゃまぜ」のイベントのように、「障害があるといっても全然普通じゃん」と感じられるような、ゆるい伝え方でいいと思う。「意外と普通」だからこそ、そのような普通の人たちが普通に暮らすことのできない「社会の障害」や「矛盾」に目がいくように

写真2　はじまりの美術館の岡部兼芳。原発事故を障害と捉える視点は、私にも大きな影響を与えた

なるのではないか。
障害という迂回路を提示したことには、もうひとつ理由がある。それは「傾聴」の重要性を示したかったからだ。障害福祉では、まずはその個人の話を聞くというプロセスが重要視される。その人が何を望んでいるのか、どうしたいのか、どこに生きにくさを感じているのかを徹底して聞くのだ。聞くためには、その人が話をしてくれる環境を整える必要がある。そこに必要なのが「話を否定しない」というルールだ。これは、いわき市で震災後から続けられている対話集会「未来会議」でも用いられている。その人の話が科学的だろうが、非科学的だろうが、とにかく否定せずに聞こうというのだ。それは、信頼関係を作るための、コミュニケーションのもっとも重要な態度だと思う。

これは、アーティストが行うリサーチに近いかもしれない。作品を作るため、彼らは何ヶ月もその地域に暮らす。今を生きる人たちならば、地域の人たちと関係を作り、じっくりと対話しながら、今に生きる人たちの声をアーカイブしていく。あるいは過去に生きた人たちの声ならば、民俗学や歴史学の手法を借りながら丁寧に調べあげていく。障害福祉に関わる人たちも、アーティストも、丁寧に対象に肉薄し、真実の声を「傾聴」するのだ。

いわきでは、北山のソーシャルデザインワークスや「未来会議」以外にも、ケアマネージャーとデザイナーが企画する「フクシノワ」、老いや病をポジティブに捉えようというのいわき市の事業「いごく」など、福祉の要素を活かした企画が数多くスタートしている。原発事故は、考え方や立場の違いを様々なレベルでもたらしたが、原発事故後のいわきでそのような「新しい福祉」が起動されているのは、科学やデータから抜け落ちてしまうものを拾い上げながら、自分とは異なる他者と向き合い、分断を超えようという草の根の動きのように思える。福島を伝えようというとき、私たちは、福祉に学ぶべきことがたくさんあるような気がしている。

小名浜から発せられる電波

そろそろ本書の長い旅も終わりに近づいてきた。もういちど足下のいわきに戻ろう。

二〇一七年。地元の小名浜で開催された町歩きイベントに参加した。小名浜の神白（かじろ）地区のポイントを巡りながら、同地区の歴史を学びつつ、気ままにフォトシューティングしようというイベントで、仲間たちが企画する「小名浜本町通り芸術祭」というアートプロジェクトの関連企画のひとつとして開催された。

ガイド役の江尻浩二郎は、さきほど紹介したカオス＊ラウンジ「小名浜竜宮」でもリサーチを担当した郷土史研究家だ。いわきの日常に埋もれた「歴史の潮目」を探し出してくる名手である。

最初のポイントは、神白地区の権現山という小高い丘の頂上にある福島県漁業無線局。漁業無線とは、沖合漁業の安全を図るため、操業や天候などの情報をやり取りする無線である。無線局は、その送受信と管理を行っている。漁業に関わる人でなければその存在を知ることはほとんどないと思うが、こうした漁業無線局は全国各地に点在しているそうだ。どこそこの天候はどう、どんな魚をどのくらい水揚げした、といった情報のほか、事故や災害の情報もやり取りされる。実はとても重要なインフラなのだ。

ウェブサイトを開くと、漁船から届けられた情報が毎日更新されている。例えばこんな具合に。

２０１７／05／10 入出港船情報
［中略］
【鮪　船】
第37金栄丸　０８００時入港
第77祐喜丸　昨気仙沼発続航中

【旋網船】
第31日東丸　昨夕刻より北上、早朝より石巻に仮泊中
第２八興丸　今夜20時焼津入る
第28常磐丸　夕刻焼津に入る
［中略］
【鰹　船】
第28亀洋丸　06時焼津着［★1］

船上で魚たちと闘う漁師の皆さんには申し訳ないけれど、なんだかとてもほのぼのとする情報だ。シミュレーションゲームのように、海図と船のシルエット、次々に情報を寄越す船長の画像が思い浮かぶ。そして、あの船は調子がいいみたいだ、あと少ししたらカツオが食べられそうだと、勝手に漁の状況を思い浮かべては、水揚げを心待ちにしている自分がいる。震災後、福島の漁業や水産業に関わることが増えたこともあってか、私もすっかり港町の人間になってしまった。

福島県漁業無線局は､開局九〇年以上の歴史を誇る。主に福島県に籍を置く漁船が登録しているが、震災後は甚大な被害を受けた宮城県の漁業無線局の業務を引き継いでいることもあり、この白いアンテナが情報を送受信する漁船の数は、今や日本一を誇るそうだ。日本有数の水産県である宮城県の無線を引き受けることの重みを感じつつも、やはり「日本一」という言葉のインパクトは大きく、アンテナも心なしか輝いて見える。実は漁業無線というシステム自体が日本だけにしかないそうで、つまるところ、この無線局は「世界一」の規模だと言うこともできる。

しかし、誇らしさを感じると同時に、二〇一一年の三月一一日はどのような情報がやり取りされたのだろうかと、あの日に思いを馳せずにはいられなくなる。漁船の多くは津波を避けるために沖に退避した。陸にいる家族の安全を願いながら、不安な一夜を過ごしたことだろう。真っ暗な海で、無線を頼りに何らかの情報をやり取りしたのかもしれない。その時の不安や絶望感や焦燥はいかばかりか。大混乱に陥る小名浜の町の上を、大勢の漁師たちの思いが電波となって飛び交ったその痕跡を思い浮かべた。

世界一の無線局には、もうひとつ興味深いものが存在している。無線局の駐車場の手前に、こんもりと盛り土がされているような塚がある。実はこれ、小名浜を代表する古墳時代の遺跡のひとつ「千(せん)速(ぞく)古墳群」である。直径二〇メートル×高さ四メートルほどの円墳だそうだ。神白地区を支配していた有力者の墓と考えられているそうだが、詳しい学術的調査や詳細な測量は行われていない。

小名浜の市街地から見れば、この神白地区は海と川と山しかない僻地だ。しかし江尻によれば、平安時代中期に編纂された『和名類聚抄』のなかに、磐城郡の郷名として「神城(かしろ)」が挙げられていて、それが後世になって「神白」と表記されるようになったのではないかという。そういえば、同じ神白地区にある「国元屋」という温泉には、胃の不調に効き目があると神代より愛飲されてきたという鉱泉があった。地名に「神」がつくくらいだから、由緒ある土地なのだろう。

その神白地区にある千速古墳群。ここでは「センゾク」と読むが、訓読みすれば「ちはや」である。古文で「ちはやぶる」とは、まさに神にかかる枕詞。いろいろと妄想が膨らむ。僻地とバカにしていたこの場所が、実は小名浜のルーツなのかもしれない。小名浜に長年暮らしているのに、こんな場所がノーマークだったとは自分の目の節穴ぶりを恥じるほかない。

★1 「福島県無線漁業協同組合【小名浜・泉地区】」URL=http://jfw-fukushima.com/

歴史文化への無自覚

小名浜にはもうひとつ、大きな古墳がある。その古墳で、地域史をゆるがす大発見があった。いわき市小名浜林城(りんじょう)地区にある「塚前古墳」が、福島大学の調査によって、古墳時代後期に造られた全長一〇〇メートル級の前方後円墳だったことがわかった。つまり現存している部分は、全体の一部にすぎなかったのだ。新聞報道などによれば、後期古墳としては東北地方最大で、調査した福島大の菊地芳朗教授は「当時、東北にも大和政権とのつながりがある首長がいたことを示すものだ。6世紀の東北の繁栄や有力者の存在を再考する必要性が生じた」と語ったという[★2]。

河北新報には、東北大学総合学術博物館館長の藤沢敦教授のコメントもあった。「古墳の大きさや形から考えて、東北など地方の有力者が、古墳時代後期(6世紀)に大和政権の運営を支えていた可能性を示すものではないか。6世紀には近畿地方の大王による地方支配が強まり、7世紀の律令(りつりょう)国家形成につながったという直線的な歴史観が支配的だが、そうした定説に一石を投じる発見だ」[★3]。それだけ価値のある大発見だったのだ。

ただこの大発見、いわき市民として心から喜べない事情がある。実はこの古墳、かなり前に発見されていたにもかかわらず、詳しい調査が行われずに放っておかれていたからだ。宅地の造成に伴い、二〇一六年になっていわき市が再調査。結果をまとめた冊子一冊を発行しただけだった。その後、福島大学がさらに詳細な調査を行い、「巨大な前方後円墳」だという見方が示されたのである。いわき市は、巨大な前方後円墳であることを知っていた。しかし、その価値を世に問い、地域の財産として守ろうという意識もなかった。その結果、手柄を福島大学に持っていかれたわけである。

同じ福島県の南相馬市にある「桜井古墳」が、充実した保存整備事業によって桜井古墳公園として生まれ変わったのと対照的である。その公園が実際に大勢の市民に親しまれているのかは分からないけれども、貴重な文化財を後世まで保存し、市民の憩いの場として活用しようとした人たちがいたことは間違いない。いわき市は、何の情熱もなく文化財を放置し、福島大学という外圧によって、初めてその重い腰を上げたわけだ。歴史や文化というものに対する評価・理解の低さが、大発見の根底にある。

原発事故以降、双葉郡からの移住者、避難者を受け入れてきたいわき市では「土地が足りない」状態が続いてきた。この塚前古墳も「塚なんて崩して宅地にしっちめえ」という状況だったのかもしれない。地元の感覚だと、たぶんそんなものだろうと思う。むしろ「古墳」なんて邪魔なものでしかないはずだ。一銭にもならない。観光地になるわけでもないし、むしろ雑草が生えて見た目にもよくない。そんなものは早く崩して宅地にして売ってしまいたい、と。

★2 「東北最大の後期古墳　大和政権とのつながり示す」、毎日新聞、二〇一七年五月一一日朝刊（福島版）。
★3 「後期古墳 東北最大か」、河北新報、二〇一七年五月一一日朝刊。

いわき市の、文化や歴史に対する関心の低さ、敢えて言えば歴史や文化に対する「魂の欠落」は、本書でもたびたび取り上げてきた。この地域は、黒潮と親潮の潮目であり、ヤマトとエミシの潮目であり、関東と東北の境目であった。よく言えば、多様な文化が流れ着く場所だが、悪く言えば緩衝地帯だ。度重なる敗戦や領地替え、中央のエネルギー政策に翻弄され、自分たちの誇るべき歴史を失ってきた土地でもあるだろう。

さきほど見てきたように、私たちには、本来、誇るべき歴史や文化がある。しかし、国家の発展のための犠牲を押し付けられ、その過程で、自ら文化を葬り去り、町の誇りは、歴史や文化ではなく、「炭鉱」や「火力」や「原子力」であり続けた。それは、日本を支えているという自負でもあっただろう。しかし、その自負は、私たちが支えているはずの日本によって裏切られるという歴史を繰り返している。近世、近代、そして現代。かくも寡黙に日本を支え、それでも裏切られ続けている土地を私は知らない。

自分たちの土地の軸となる歴史や文化を取り戻すことができず、地域づくりに失敗し、その結果、中央への依存を余儀なくされ、やがてその依存構造をいつの間にか忘れ、自らを周縁化させていき、ついには中央に裏切られる。この地で繰り返されたのは、そのような歴史でもある。それを繰り返さないためには、文化や歴史、芸術といった領域の活動を再起動して、地域の軸を取り戻さなければならないのではないか。本書は、その主張を繰り返してきた。

沿岸地域の衰退を早めた復興

本書では、主観的に、そして批判的に震災復興の裏側を取り上げてきた。甚大な津波被害を受けた、いわき市豊間地区のまちづくりに関する文章を第一部で書いた。なぜ豊間を取り上げたのかと言えば、そこに復興の実像をまざまざと見た気がしたからだ。宅地造成のために里山が削られ、何重にも築かれた防災緑地と防潮堤が視界を塞ぐ様は、いわき市民の私からしても「やりすぎ」と感じてしまう光景だった。何しろ震災前の町の姿が跡形もないのだ。

防災のためには仕方ないのかもしれない。スピーディーな復興のためには目をつぶらなければいけなかったのだろう。だからこそ、こうした「二度目の喪失」に目をつぶってきた。しかし、復興は果たしてスピーディーだったのか。誰が、どの大臣が、どの政治家が、復興をスピーディーに進めようとしてきただろうか。震災から七年が経過した今、私の目の前に広がっている景色は果たして「まだ復興の途中にある」と言えるのだろうか。考えれば考えるほど疑問だらけだ。

復興は「地域づくり」のはずだ。観光や物産や風景や食文化がなければ、魅力的な地域は生まれない。その源泉となる風景を破壊し、形だけが整えられた安全な町のどこに魅力があるだろうか。地域復興の名の下に、中身のない、がらんとした器のような町を地域の人たちに手渡して「あとは皆さんの努力でなんとかせい」と放り投げてしまう、そのどこが復興なのだろうか。衰退を早めているだけではないか。復興とは、被災地を切り捨てるための方便なのか。

もともとそこに住んでいた若い世代は、仕事と子育てのため、その土地を離れて中心部に移住した。町が再建されたとして、そこに暮らす人たちの多くは高齢者である。皆さんもそれを理解している。だから、もっともっと若者に移住してもらわなければならない、魅力をどんどん作っていこう、子育てしやすい地区にしていこうと、いろいろなアイデアを考えている。

しかし、かつてロックバンドのくるりが「ばらの花」のプロモーションビデオを撮影した美しい薄磯の景色は、もう失われてしまっている。町と海が断絶した要塞のような町に、地方移住を考えているような若者が来るだろうか。彼らは「東京から三時間」だったら、静岡や房総を目指すのではないだろうか。これから厳しい地域間競争をしていかなければならないのに、彼らに訴えかけるものが、もうほとんどなくなってしまったのだ。

防潮堤で町は安全になった。公共事業で地域も多少は潤った。しかしもう三〇年もしたら、高齢化によってその町に住む人はいなくなる。町の人たちは「この町が未来も続いていくように」と、一生懸命に魅力を創出しようとしている。しかし、その思いとは裏腹に、未来は切り取られているようにも見える。防潮堤は、津波ではなく「外部」や「未来」を遮断してしまったように思えてならない。第一部で紹介した復興商店「豊間屋」は、二〇一八年の一月をもって営業を終了した。とても残念だが、若い担い手を集めることも難しかったのだろう。

沿岸部の被災地では、記憶の継承も大きな問題になった。しかし、そもそも文化や歴史を大切にできない地域が、今あるものを未来に残していけるだろうか。古墳をつぶして宅地を作りたい町に、震災遺構を残すことは難しいだろう。保存するノウハウも人も人脈も、思想も理念もないのだ。文化や歴史の軽視、あるいは「今ここ」への過度な依存。それは震災後の「記憶の継承」にも大きな影響を及ぼしてしまった。

私たちのこの七年の選択は、つねに「今、この私たちが苦痛だから」という視点で決められてきた。私たちの苦しみはあなたにはわからない。当事者ではない人間は口を出すな。こんなものと向き合っていきたくない。もちろん、そうした声にはつぶさに耳を傾けていく必要がある。そしてそのうえで、「被災した人」だけでなく、「これから住むことになるかもしれない人」の視点を考えながら、復興のあり方を考えることはできなかっただろうか。

「風評」への対応も同じかもしれない。当事者語りは、確かに「今ここにいる人」を癒してきたかもしれない。傷つけられた心を多少は回復する効果もあっただろう。しかし、ただでさえ外部が関わりにくい当事者論争にさらに政治的な友と敵の関係が加わり、福島はさらに話題にしにくい場所になってしまった。

当事者語りはまじめな人しか生産しない。まじめな人は、ずっと福島のことを考え、福島を愛し、復興のことを考え、地域振興を考える。それはそれで評価されるべきだし、そういう人たちが必要なのも分かる。一方で、高校生たちが「福島復興に寄与したい」などと言うのを聞くと、頼もしさよりも「おまえ、戻ってくるのはもっと外を見てからでいいぞ。それまでは楽しんでこいよ」とも思ってしまう。福島に関わることによって十字架を、過剰な地元愛を背負わせてしまっているようにも思えるのだ。

私は、地域づくりに関わる人たちこそ、外部を受け入れよと書いてきた。そうした思考は時として苦しいし、悔しい思いをすることもある。まじめな業界であれば抵抗も大きいし、孤立することもある。理解されないことも少なくないだろう。しかし、未来を、そして自分の子や孫たちを見据えれば、「今この苦しさ」を多少は和らげることはできるはずだ。どこかの県の、名前も知らない、会ったこともない誰かに、偶然、自分たちの思いや商品が届き、共感してくれたときの喜びを、私はかまぼこメーカー時代に何度も味わった。目の前の苦しみや悔しさを超えて、未来に、そして外に向かって、だからこそ気軽に福島を伝え続けること。それは希望でもあるだろう。

今に至って、ようやく私は気づかされた。復興には誤配がないのだ。復興は分かりきった人たちに、分かりきった答えしかもたらさない。そこには未来がない。外部がない。つまり、どこにも行けないのだ。

地域づくりも同じだろう。地域づくりに必要な人を「ヨソモノ・ワカモノ・バカモノ」と言う。この三つを言い換えれば、そのまま「外部・未来・ふまじめ」になる。当然、被災した土地の未来は、そこに暮らす人たちが決めるべきだし、怪しいコンサルの話を聞く必要もない。しかし、地域の決断は、「今この私」と「外部・未来・ふまじめ」を何度も何度も往復した末にあるべきだ。未来と外部を切り捨ててはならない。なぜなら私たちの地域は「今この私」だけのものではないからだ。これは、小名浜という地域で、地域づくりや食に関わる私の、実践者としての信念でもある。偶然に移り住むかもしれない人たち、震災のことなんて分からない未来の子どもたち、本当は関心を持っていたのに言葉を発するのをためらっていた人たち、そして、膨大な数の死者たち。そのような人たちを切り捨てた復興であってはならないのだ。そう思えばこそ、愛する地元との間に適度な余白ができる。愛するでもなく、すべてを憎むでもなく。まるで観光客のように地域と関わることができると思う。

防潮堤のスタンドで

小名浜で参加した神白地区の町歩きツアー。川沿いを歩いて海岸へと出て、砂浜を南に歩き、再び海側から防潮堤に登ってみると、意外な光景が目の前に広がった。防潮堤の下が、ちょうどいわき海星高校のグラウンドになっていて、高校生たちが野球の練習試合をしていたのだ。高校の敷地だとは思っていたが、それにしても防潮堤のすぐ下がグラウンドになっているとは［写真3］。

上に登って見てみると、防潮堤そのものが三塁側スタンドになっていて、保護者や下級生たちが陣取っている。その光景が、私には心地よかった。国や土木業者の思惑なんて関係なく、ましてや

写真3　いわき海星高校の防潮堤のグラウンド。三塁側がそのまま観戦スタンドになっている

復興なんて気にもとめることなく、高校生たちがちゃっかりその防潮堤を利用している。そこには、被災地に生きる高校生たちのしたたかさがあった。無意識にせよ、私たちの求める「ゲリラ」があった。

いわき海星高校の球児たちと試合をしていたのは、双葉郡広野町にあるふたば未来学園高校の選手たちだった。練習着の背中に「FUTURE」と大書してある。私はてっきり「FUTABA」と書かれているのだと思った。しかし、FUの次のスペルは「未来」そのものにつながっていた。彼らは、福島の復興の最前線を進むことになるだろう。死ぬまで復興と付き合わねばならない、いわば「まじめに」復興に関わるエースたちだ。そんな未来学園の球児たちが、小名浜の水産高校の愛すべきクソガキたちと防潮堤のスタジアムで相見える。それがとても痛快だったし、なにかとても必然的なもののように思えた。

私は、この防潮堤を、やはり震災復興に批判的な文脈のなかで伝えていくだろう。しかし同時に、球児のように防潮堤を遊び尽くしたいとも思った。気軽に遊び、悪ふざけをし、楽しみ尽くす日常のなかでこそ、歴史の再発見は価値を持ち、批評性が生まれ、世代を超えて考え続ける回路になると思うからだ。私はこれからも、福島を遊び、福島を楽しみ続ける。皆さんも、この福島を軽薄なまでに遊び尽くして欲しい。そこにはきっと誤配の種が生まれるはずだ。

ふと校舎の奥を見上げると、さきほど訪れた漁業無線局のアンテナが見えた［写真4］。いわき海星高校は水産高校である。この球児のなかから、もしかしたら何人かは漁師になり、沖の船から様々な情報をこの無線局に届けることになるのかもしれない。アンテナからも、四方八方に無線電波が飛ぶ。どこの誰が受け取るかわからない。受け取られないかもしれない。それでも、誰かが何かを受け取ってくれるかもしれないと信じて、このアンテナは知らせを飛ばし続けることだろう。そのように発信される電波こそ、被災地の希望そのものなのではないか。白球を追いかける「ＦＵＴＵＲＥ」の文字が、そう告げているような気がした。

写真4　いわき海星高校と、その背後の小高い丘の上にある漁業無線局。
細いアンテナが空に何本も伸びる

おわりに

現場の世界にいると、「批評を持ち込まずに体を動かそう」とか、「実践の場に批評は要らない」とか、そういうやりとりを目の当たりにすることが多い。どうやら私たちの現場では、批評というものはあまり必要とされていないようなのだ。ここでいう批評とは、「文句」とか「批判」とか「ディス」のようなものとして受け止められているだけなのかもしれないが、いつしか私はそうした現場の雰囲気に違和感を覚えるようになった。なぜなら、現場で動く人間だからこそ、自分が取り組んできたものを一度遠いところから客観的に評価するというプロセスがないと、次に進むべき道も見えてこないからだ。

一人の人間としても、やはり同じことだろう。自分が取り組んでいることや、自分が作ろうとしているもの、なぜ自分はこれをやり、自分は今どのあたりにいるのか。自分の軸のようなものを作りたいと思えばこそ、人は誰かに自分について論じてもらったり、自分の作品を見てもらったり、講評してもらったりする。他者の目線を通すことでしか、自分を再構築することはできない。つまり、私は、私だけではどこにも行けない存在なのだ。地域とて、同じだろう。しかし、震災復興や地域づくりの現場では、現場のリアリティばかりが持ち出され、とにかくガムシャラに何かに打ち込むことが善しとされてきた。地域社会やコミュニティ全体が、急速に「一人化」しているのかもしれない。そしてそのまま、地域はこれからさらに縮小していくことになる。

以前、障害者の福祉に関わるソーシャルワーカーに取材した時のことだ。そのソーシャルワーカーは、福祉職全般の地位向上を図らなければ、その重要性を社会に知ってもらうことも、待遇や給与を上げることも、これから福祉の道を歩もうとする若者を増やすこともできないと感じていたそうだ。そしてこんなことを言っていた。「現場で議論になると、どうしても自分が関わる領域の話を持ち出しがちで、内向きの議論や、制度や資格といった枝葉の話になってしまうけれど、ほんとうに求められているのは、そもそも福祉って何だろうという大きな問いなんじゃないかな。高齢者や障害者を世話するというレベルの話じゃなくて、哲学や思想と同じものとして福祉を定義し直さないといけないはずなのに」と。

現場の話ももちろん重要だ。けれど、そもそも問われるべきビジョンが失われた状態で話が進むと、内に閉じた論理が持ち出され、枝葉のところで「賛成／反対」の議論に終始してしまう。そして二分化された狭い議論のなかで、疲労だけが蓄積されてしまうようになる。そもそも地域がどうあるべきか、どこに進むのかを考えずに、防潮堤に賛成か反対かの議論に明け暮れてしまうのと同じ構図である。福祉や復興だけではない。内側と外側に分かれた議論を引き起こしてしまうことが、他の領域でもよく起きている。その意味で、社会は急速に「二人化」しているとも言えるのだ。

一人になってどこにも行こうとしなくなるのか。二人に分かれて足踏みの議論に明け暮れるか。私たちは、とても狭い世界のなかで悶々とさせられているように見える。私たちは「三人目」を探さなければいけないのではないだろうか。

二〇一五年からフリーランスになり、急速に福祉業界の人たちと関わるようになった。「弱者」と関わる仕事である。いかにもまじめな議論が繰り広げられているのだろうと思ったが、私が出会った人たちはそうではなかった。社会的にまじめさを要求され、弱者やマイノリティ、差別という問題を扱うような場なのに、彼らは一人ひとりの個人と向き合いつつも、もっと「大きな話」をしたがっていた。膨大な現場の仕事に押し潰されそうになりながら、少なくない人が、二分化した議論や、現場のリアリティに疲れ果ててもいたのだ。

福島でも、それに大変よく似た状況が生まれている。少なくとも私は「福島のどこにも行けなさ」に心底疲れ果てた。何を言っても反論が寄せられ、何を書いても両翼から批判された。伝えようと思えば思うほど伝わらなさを感じ、目の前の対話の壁がますます高くなるのを感じていた。現場を離れ、少し大きなところからいわきという地元を、一人の人間とじっくり向き合うように見つめてみたいと思うようになった。

そんなとき、娘が生まれ、その娘が三歳になった。誰に似たのか、おしゃべりだけは得意で、一人前に言葉を使って、いろいろなことを私に話してくれる。私も娘に、色々なことを伝えたいと思っている。当然、娘は震災と原発事故を知らない。まだ幼いので、数値やデータを使って教えることもできない。自分の家族なのに、これほど愛する存在なのに、彼女は私とは別の個性を持った人間であり、圧倒的に他者なのだということだけがはっきり分かった三年間だった。血がつながった家族なのに他者でもある。自分の親だって同じ存在だけれど、そう思ったのは娘が初めてだった。

近くて遠いその娘に、どのように福島を伝えたらよいかを考えるようになった。昔話がよいだろうか。絵本がよいだろうか。歌にしたり、踊りにしたりすべきだろうか。そうやって考えていったら、結局それは皆、表現者たちが取り組んできたことと同じであった。そうして私は、地域の芸能や表現行為、広くアートと呼ばれるようなものに、以前よりも頻繁に接するようになった。なぜ歌なのか、なぜ踊りなのか、なぜ絵本であり、なぜ絵画なのか。それらを見ていくと、皆、圧倒的に「外部」に伝わる力が備わっていた。そしてそのいずれもが、今となっては「死者の声をより遠くに伝えるもの」であることに気づいた。

私たちの地域づくりは、娘のような近くて遠い存在、いわば「三人目」の存在を意識してきただろうか。知らない人間は語るな。被災者でなければ分からない。福島のことは福島が決める。そんなことを娘に言ってしまったら、娘は一生、私たちが経験したことを知ろうと思わないだろう。娘のような「三人目」の存在を意識しながら、地域づくりが行われなければならない。

そのような目線で地元を見ると、復興の形は違ったものに見える。大きくて新しい小名浜魚市場は、誇らしい新型の魚市場ではなく、完全にオーバースペックな市場に見える。防潮堤もまた、人の暮らしを断絶するものに見え、潤沢すぎる復興予算は、人々を自立から遠ざけているようにも見える。これらは、娘たちの世代にとっては、むしろ重荷ではないか。課題が大きければ大きいほど、人は過去や未来を遠くまで参照しなければいけないはずなのに、課題の大きさに束縛され、いたずらに決断を急がされ、私たちは現場のリアリティに引きずられてしまった。今思い返せば、そこに本当に「リアリティ」はあったのだろうか。被災地の復興政策は、誰がその決断を下したのかすら、もう忘れてしまっているように見える。いつの間にかそう決まっていた。ああするしかなかった。そうやって述懐するのだろう。要するに復興の失敗である。

これから進められるであろう「地方創生」。聞こえはいいが、実際には地方はさらに縮小していく。これからの地域は、被災地が七年で感じた復興の失敗を、少しだけ遅れて感じていくことになる。猶予はあるのかもしれない。だから、被災地の復興の失敗を繰り返さないよう失敗から学んで欲しいのだ。

「現場には批評は必要ない」のではない。現場にこそ批評がなければいけないし、思想を持たねば地域は死んでしまう。市長も市議も区長も、地域に関わる決断をする人や企業のリーダーこそ圧倒的に外部を受け入れ、思想を持たなければいけない。そもそも、それがリーダーの仕事ではないか。数百年先まで国家や地域を見据えて欲しい。そして、今この私たちに頭を下げてでも、子々孫々のために地域を残すような理念とビジョンを示して欲しい。

もちろん、皆が思想家や哲学者のような存在になれというわけではない。私たちは批評の世界ではなく現場の人間だ。専門家ではない私たちは、自分の都合のいいように批評の世界に足を踏み入れ、都合のいい解釈だけを引用して、「おれのやっていたことはまさにこのことだったのか」などと知的好奇心をくすぐられながら、腑に落ちたり、今後の進むべき道を考えることができる。本書の「はじめに」に書いたように、私は二〇一一年に刊行された『思想地図β』を読み始めてから、批評というものに触れるようになったにすぎない。何の専門知識もないし、専門書を読みあさったわけでもない。本書を読んでみればわかるように、シュミットやデリダ、ベンヤミンといった思想家の引用は一度も出てこない。観光客のようにふまじめに、私は批評や現代思想を楽しんできただけだ。そのような非専門家や素人、いわゆる「ニワカ」である人こそ、こじれてしまった現実を解きほぐし、新たな風をもたらすことができる。私たちは堂々と楽しめばよいと思う。本書もまた同じである。批評の専門知識がないのにゲンロンから本が出る。身の程知らずなのを理解しつつ、それすら楽しもうとした。

そのように楽しみながら書いた本である。編集を担当して頂いたゲンロンの編集チームの上田洋子さん、横山宏介さん、そしてスタッフの皆さんには迷惑をかけ続けたと思う。私のような人間を「発掘」し、本を書くという機会をくれた東浩紀さんには心より御礼申し上げたい。東さんの『福島第一原発観光地化計画』は失敗だったかもしれないが、そこで種は蒔かれた。私もまた、その種を受け取った一人であり、本書は「フクイチ本」への五年越しの応答でもある。南限と北限の植物が入り乱れる、この潮目の地にて、観光客の哲学の種は発芽し、その茎を伸ばそうとしている。私は、それを育てていこうと思う。

最後に、東日本大震災で被害を受けた皆さん、ふるさとから離れ不如意な暮らしを余儀なくされている皆さんの、一日も早い復興を心からお祈りいたします。私のような人間ではどうすることもできないかもしれませんが、ふるさとを愛する気持ちは同じです。一緒に手を携えながら、多様な生き方や考えが尊重されるような、よりよい地域にしていきましょう。そして、あの震災で命を落とした皆さんのご冥福を心より祈ります。皆さんが「こんな地域になって欲しい」と望んだ地域に、少しでも近づけられるよう、最後の一瞬まで、この地に生きることを楽しみ尽くします。そして、いつか天国で会ったとき「皆さんの分も楽しんでやりました」と胸を張れるよう、勝手に皆さんの死を背負って生きていくつもりです。どうか、見守っていて下さい。

第4部

復興と物語

『新復興論』初版の発行から二年半が経過した。この二年半、被災地の置かれた状況も、ぼくの置かれた状況も、じわじわと変化してきている。二〇二〇年に開催されるはずだった東京オリンピック・パラリンピックに合わせ、双葉郡には美しい駅舎や道路も作られた。原発の廃炉作業も、一進一退とはいえ前には進んでいる。避難指示の解除に伴い、かつてそこに暮らしていた人が戻り、新しく移り住む人もやってきて、少しずつ人の流れができてきた。外から見れば、その変化は小さいかもしれないが、いいことも、よくないこともどちらも、二年半分、変化はしてきている。

二〇二〇年三月。JR常磐線が全線で開通した。原発事故の影響で途切れていた富岡－浪江間での運転が、ついに再開されたのだ。この区間は放射線量の高い帰還困難区域に位置する。復旧のための作業にも大きな苦労が伴ったはずだ。九年という時間がかかっただけに、地元の人たちの喜びもひとしおだろう。当時の新聞記事をネットで検索してみると、地元の人たちの喜びの声をいくつも見つけることができる。

常磐線の開通は、今後の観光にもポジティブな効果をもたらすはずだ。大熊町や双葉町といった、被害の大きさゆえこれまではなかなか足を運ぶことの難しかった地域に、電車一本でアクセスできるようになる。双葉町には、福島県が建設した「東日本大震災・原子力災害伝承館」も完成した。復興や廃炉の現状を知りたいという人たちが、特急列車「ひたち」に乗り、双葉駅や大野駅（大熊町）に降り立つ。そんな光景も、当たり前になっていくだろう。

村の一部が帰還困難区域になっている飯舘村にも大きな変化があった。除染せずに一部地域の避難指示を解除できるよう、国に対する要望を出したのだ。これを受け二〇二〇年一二月、政府の原子力災害対策本部は、国による除染をせず避難指示解除を可能にする新たな特例措置を決定した。居住は不可など条件付きではあるものの、この方針転換は、ここ数年の復興政策のなかでもかなりインパクトのあるものだと思う。除染はもともと「国の責務」と位置づけられていたはずだからだ。もちろんこの方針転換には飯舘村の事情を勘案する必要があるだろう。飯舘村は、村内の長泥地区のみが帰還困難区域に指定されており、さらにその一部は国から「特定復興再生拠点区域」（帰還困難区域内で、新たに居住可能と定めることができるようになった地域）に認定され、二〇二三年春の帰還困難区域指定解除を目指して整備が行われている。しかし長泥地区には、再生拠点区域に指定されていない区域も当然ある。この「再生拠点外区域」に対して、国は除染や指定解除の明確な見通しを示していない。このため住民から、地元に出入りできるようにして欲しいという声が上がったのだそうだ。

飯舘村の一部の地域とはいえ、莫大な税金を使って行われてきた「除染」をすることなく避難指示が解除されるわけである。大きな方針転換だ。政府はきめ細かな説明を行っていく必要がある。国に対して徹底して除染を求めてきた双葉郡内の自治体からは反発の声も上がっているようだ。朝日新聞の報道によれば、事故から三、四年までは、除染や避難指示解除が早いほど住民が帰還したという[★1]。

★1　「除染なき避難指示解除　『手放しでは喜べない』住民複雑」、朝日新聞、二〇二〇年一二月二五日。

しかし、除染が長引いた地域の場合、避難先への定住が進み、住民は戻っていない。今回の措置も、除染しても人が戻らないのなら意味がない、税金の無駄遣いだ、ということなのだろうか。改めて、一〇年という月日の長さを思わずにいられない。

廃炉に伴う課題も、この二年半で変化した。例えば、本書の第二部で取り上げた「トリチウム水」の問題は、情勢が大きく変わりつつある。二〇二〇年一〇月中旬、地元の福島中央テレビが、トリチウムを含む処理水を海洋放出する方針を政府が固めたと報じたのだ。このニュースは大きな反響を呼び、賛成派と反対派の間に激しい議論を起こした。最終的には、漁業関係者の大きな反発があり、政府は決定先送りを決めたが、改めて海洋放出が既定路線であることが白日の下に晒された。奇しくも、福島県漁連が本操業へのビジョンを示したばかりのタイミングだった。漁業者も強く反発せざるを得なかったのだろう。

ただ、このトリチウム水の扱いを巡る言論のほうは、問題の複雑さとは裏腹に、単純化され、粗いものになっているように感じる。ネットでは相手の人格を否定するかのような言説が飛び交い、冷静に問題をひもとこうという声すら、敵か味方かという構図に回収されてしまう。メディアは、「分かりやすい当事者＝反対する漁業者」の声を発信するばかりだ。自治体は受け身になり、漁業を軸にいかに魅力的な地域を再生していくのかという議論を開こうとはしなかった。多くの人たちにとってこの問題は「他人事」になり、「自分事」だと考えている当事者との「間」が抜け落ち、その間にあったはずの声が不可視化された。

この二年半、こうして間が抜け落ちたことで、忘れられ、見えなくなってしまった課題はほかにも多くあるはずだ。互いに立場を譲らない人たちが感情的に語ろうとするから、問題はすぐに二項対立化してしまう。本来は、賛成と反対の間に妥協点が見つかるかもしれないのに、中間の議論が抜け落ち、多様な声が聞こえにくくなっていく。問題がさらにこじれ、なし崩し的に「政治判断」されていく流れがより顕著になったのも、この二年半かもしれない。

変化の最中にあるのは、何も福島ばかりではあるまい。ぼくがこの文章を書いているのは二〇二一年の正月である。コロナ禍にある今、日本全体が大きな変化の途上にある。本来ならば「復興五輪」が行われるはずだった二〇二〇年、五輪は開催されず、人が集まること自体が難しくなった。大きな声を出して誰かを応援することもできず、人と会ってはいけない、近づいてはいけない、体に触れてはいけないと言われるようになった。人は「親密さ」を体で表現することが難しくなったわけだ。

仲間たちと企画してきた食のイベント「さかなのば」も、もう半年以上開催していない。小さな魚屋にぎゅうぎゅうづめになって、酒も飛沫も交わしながら、自分のこと、まちのこと、漁業のことを語る場が失われて久しい。毎月一回のあの熱気が、もう遠い過去の出来事のように思える。

ぼくたちの社会は、新型コロナウイルスの流行によって大きな混乱に陥った。日本で流行が始まったのは二〇二〇年の春だ。三月。忘れられない一一日だった。被災地の自治体が、最小限の規模、あるいはリモートで追悼式の開催を目指すなか、政府は、開催を模索した形跡もなく、あっさりと中止を決めてしまった。政府の諦めの早さに、九年という時の流れと、コロナ禍のインパクトの大きさを感じずにはいられなかった。三月一一日の午後二時四六分。ぼくはひとり、マスクをして小名浜港の岸壁に立っていた。式典は開かれていない。とても静かな日だった。混乱の最中の黙祷は、いつになく静寂を引き立て、かえって自分の内なる声が聞こえてくるような気がした。

桜の花が咲く頃からマスクをつける日々が始まった。いや、正しくは「また始まった」のだ。白いマスクは、否応なくぼくに原発事故を思い出させた。あの頃のぼくたちも、同じようにマスクをし、外出から帰ったらすぐに手を洗い、目に見えない存在への不安を掻き立てられ、様々な数字を語る科学者や医学者、頼りない政治家たちの声を一喜一憂しながら聞いていた。初めて耳にする言葉や、これまでの暮らしに馴染みのない情報を見聞きしては、目の前の状況は大丈夫なのか、子どもの学校は休ませたほうがいいのか、行政の対応は信頼できるのかと疑念の目を向けていた。これまで信頼できていたものが信頼できなくなり、自分と異なる行動をする人を思わず非難したくなってしまう。あの頃と、やはり同じだ。放射能やウイルスではなく、人が作り出す分断、差別、混乱を思い出さずにはいられなくなる。

東京や大阪など大都市に暮らす人は、「うちの地域に来るな」と言われるようになった。ぼくの暮らすいわきでも、「二週間以内に東京などの感染拡大地域に出入りした方は入場をお控えください」というような注意書きを目にするようになった。ゴールデンウィークの頃だったか、県外ナンバーの車を排除する動きが地方から生まれ、その声がＳＮＳに書き込まれたのを覚えている。同じ頃、地元のカー用品店には「県外ナンバーだけど地元民です」などと書かれたプレートが売られていた。

コロナ禍において、被災地や震災について語る回路は確かに狭くなった。実際に人の移動や面会が制限されたばかりでなく、多くの人たちにとって、コロナ禍は震災や原発事故よりも心理的インパクトの大きい災禍だったからだ。ただ、ぼくには、コロナ禍が「繰り返し」のように見えることがある。震災や原発事故を思い出すことが増えた気さえする。いや、ぼくばかりではないだろう。コロナ禍を通じて、九年半前にぼくたちに向けられていた視線を多くの人たちが追体験していると言えるだろうし、全国民が補助金の対象になったという意味で、すべての人たちが「被災者」になったと言っても過言ではないと思う。体で感じることはできなくとも、思考が結びつかなくとも、コロナウイルスは、どこかで、あなたと福島の距離を縮めた。そう言えるかもしれない。

エラーという希望

ぼく自身の変化についても語ろう。まず、本書が当初は想像もしていなかった大きな反響をいただくことになった。本を出すこと自体、ぼくにとっては想定外の出来事だったのに、それが「大佛次郎論壇賞」まで受賞するとは夢にも思わなかった。本を書く数年前まで地元のかまぼこメーカーに勤めていた人間だ。道の駅やスパリゾートハワイアンズにかまぼこを配達し、陳列することが主たる業務だったのだ。「論壇」と名の付くような賞をもらえるとは到底思えない。そもそも本を書いたこと、その本が思想や批評を軸とするゲンロンという会社から出版されたことが場違いでありエラーなのである。しかしそのエラーの結果、本書は世に出された。実際に本を読んだ人から、思いがけないリアクションをもらったり、まったく想像もしなかった新しい関わりがもたらされることも増えた。次第にぼくは、「場違い」や「エラー」というものに希望を見出すことが増えた。エラーが、硬直化した領域に新たな風穴を開け、面白い何かをもたらしてくれるからだ。

ぼくたちは、どうしても「今日と変わらない明日」を求めてしまう。変化のなさこそを心地いいと感じてしまい、「阿吽の呼吸」や、言わなくても分かるような人間関係に安心感を覚えてしまうものだろう。けれど、混じり合っていたものも、時間が経過すれば分離し、分かれたまま固定化する。異物を、外部を受け入れなければ、攪拌されることも性質が変化することもなくなってしまう。福島を巡る議論も、そうして風通しが悪くなり、新しい関わりを失い、固定化し、古びてきた。本書が賞を取り、発言や主張がメディアに取り上げられ、いっぱしの論客のように扱われるようになったぼくにも、その固定化の責任はあるのだろう。

「おわりに」にも記したとおり、震災後のぼくにとっての「外部」は娘だった。二年半で、その娘が二年半ぶん成長した。彼女は、今はもう六歳になっていて、この春からは地元の小学校に通い始める。多くの言葉を理解できるようになった。海沿いをドライブしたときには、ここで津波があったこと、大勢の人たちが死んでしまったことを話した。いわきから浪江町まで、二人でロッコクをドライブしたときには、ぼくがガイドをしながら見て回った。ゲートで固く門が閉じられた家々。震災当時の姿を残す建物。伸び放題の木。そこで何が起きたのかを、彼女はまだほとんど理解できない。けれど、父が何か大事なことを話そうとしていることや、この場所で何か大変なことが起きたということを受け止めようと必死になっている、そんな顔をしていた。いつか、この本を手にし、自分の足で被災地を見て回ろうと考える日が来るのかもしれない。それが、「分かれたまま固定化した」環境に、新しい風をもたらしてくれるかもしれない。いや、案外、興味すら持たないかもしれない。けれど、その不確かさがどこか楽しみでもあるのだ。

『新復興論』を書いた後、ぼくは「場違い」や「エラー」というものの積極的な意味を探し求めるようになった。震災やコロナ禍を経験し、気を病むほど世の中の不確実さ、ままならなさを経験したというのに、娘を見ていると、未来という不確かなものに希望を感じてしまうのだ。

なぜだろう。やはりぼくが震災の「当事者」だからだと思う。あの凄まじい揺れを経験し、津波でふるさとが破壊される様を目にした。福島の食に現場で関わり、これまでの経験を四〇〇ページもの本にまとめてもいる。だから、震災を語ること、原発事故を語ることに対して思わず熱くなってしまう。議論が起きれば賛否を表明したくなるし、異なる考えには反発したくなってしまう。本書で、どれほど「外部」の存在が重要かを説いたところで、ぼくは、根源的に当事者の縛りのなかにいる。

しかし、矛盾するようだが、本書で何度も語ってきたように、ぼくは震災復興の「当事者ではない」とも思っている。ぼくは、家や家族を失ったわけではない。地元が帰還困難区域や中間貯蔵施設になったわけでもない。有識者として、何か具体的に、困難解消のために向き合ったわけでもない。ボランティア活動に参加したわけでもない。ただ、自分の好きなこと、興味のあることが、たまたま結果として活動につながっただけである。ふまじめな回路を通じて、たまたま当事者の「そば」に立つことになっただけなのだ。

震災の当事者でもあるが非当事者とも言える。個人としては当事者ではないが、社会の一員という意味では当事者であり、完全な非当事者ではない。そんな割り切れない存在があるのではないか、とぼくは考えるようになった。不思議なことに、当事者であることと当事者でないことは、ぼくのなかでは矛盾していない。もしかすると、あなたもそうなのではないだろうか。

困難を抱える当事者の立場から見たとき、エラーは凝り固まった課題のなかに外の風をもたらしてくれる希望に満ちた存在に見える。一方で、非当事者の立場から見たとき、エラーは、そこに新たな「関わりしろ」を作ってくれる希望に満ちた存在に見える。だからぼくは、娘のような、当事者とも非当事者とも言えないエラーに希望を感じるのかもしれない。

関わりの新たな切り口

『新復興論』の執筆以来、ぼくはそんな「場違い」な立場や関わり方を、もっとポジティブに考えたいと思うようになった。災害復興以外の分野、例えば福祉のような領域でも「エラーの希望」を感じたからだ。その課題に直接携わるわけではないのに、結果として課題解決に結びついてしまうような人たち。目的遂行のために直接的に携わる回路とは別に、迂回しながら、面白いものや楽しいものを追求しながら、気軽に、ゆるふわっと関われるようなあり方。そういうものがあるのではないか、と。

ふたつ、象徴的だった出来事を紹介したい。二〇一九年四月から一年間、ぼくは、静岡県浜松市の認定NPO法人「クリエイティブサポートレッツ」が運営する福祉事業所に通った。レッツは、健常者の側から見たら「迷惑行為」にも思える行動を、その人ならではの「表現」として捉え直し、その人がいたいように、表現したいようにできる場づくりを行っている。ぼくは、ひょんなことから「レッツの日常を体験し、書き綴って欲しい」というオファーをもらい、毎月一回、泊まりがけで事業所を訪問し、体験記を記すという仕事を引き受けることになった。その体験記は、『ただ、そこにいる人たち』(現代書館、二〇二〇年)として、一冊の本にまとめられている。

なんのスキルもない部外者である。ぼくができることと言えば、一緒に歌を歌ったり、昼寝をしたり、一緒に散歩をしたりすることだけだ。けれど、レッツのスタッフは「あるべき支援」をぼくに提示することは一度もなく、「一緒にいてくれるだけでいい」「リケンさんも自分がいたいようにしていて欲しい」とその関わりを受け入れてくれた。レッツで多くの時間を過ごすことで、ぼくは「障害」とされるもののなかに、その人ならではの表現や生き様があることを知り、彼らを「障害者」としてしか見てこなかった自分を恥じた。人を見る目、社会を見る目が大きく変わる体験だった。

しかし、ぼくのレッツでの体験とは裏腹に、世間の「障害者支援」に対する心理的なハードルはまだまだ高いように思う。対人支援は専門的な知識が必要だと多くの人が思っているだろうし、家族や支援者に「あなたの関わり方は間違いだ」と言われたら反論は難しい。当事者に寄り添おうと思うほど、もっと「正しい支援」があるのではと悩んでしまい、関わりのハードルをさらに上げてしまうこともあるだろう。と同時に、家族の面倒は家族で見るべきだというような、冷たい自己責任の風潮も強まっている。

また、こうした課題領域では、被害者の声を「代弁」して自説を補強したり、当事者性の濃淡を持ち出して、他者の関わりを排除するような動きも生まれやすい。「あなたにはこの問題を語る資格がない」という言説は、同時に「私にはこの問題を語る資格はない」という遠慮を生み出してしまう。そして、自分も被害者かもしれないのに、自分も当事者かもしれないのに、より当事者性の強そうな人に忖度し、「もっと辛い人はいるのだから」と、自分の当事者性について語る機会を失わせてしまう。

そうして語られる機会を失った悲しみや苦しみ、喪失感もあったのではないだろうか。例えば、被災三県には含まれなかった茨城県北部の被災地などはどうだろう。宮城や岩手ほど辛い思いはしていないから。犠牲者も出ていないから。そうして当事者性を比較して、自分の感情に蓋をしてきた人もいるはずだ。東京に暮らす人も同じかもしれない。あの日、東京にいた人も、大きな悲しみや喪失感、自分なりの被災体験があったはずなのだ。それを語る機会はあっただろうか。自分も被災者だった。悲しかったし辛かった。苦しかったという思いを誰にも共有できないまま、自分のトラウマに蓋をすることで震災を語らぬ日々を重ねるうち、震災そのものを「他人事」にしてしまった人も多いのではないだろうか。そうさせてしまったのは何だろう。当事者に寄り添おう、寄り添うべきだという空気が、誰かの、その人自身のなかにある当事者性の芽を摘み取ってしまったのかもしれない。ぼくたちは、震災の記憶を風化させないためにこそ、当事者とされていない人たち、当事者の「そば」にいる人たちの声にも耳を傾けなければいけないのではないか。

虚構の持つ力

もうひとつの出来事が、二〇一八年、作家の柳美里が主宰する劇団、青春五月党による『町の形見』という作品を見たことだ［写真1］。『町の形見』は、二〇一八年一〇月一五日から二〇日まで、小高町の演劇アトリエ La MaMa ODAKA で上演された演劇作品である。南相馬在住のいずれも七〇代のアマチュアの男女八人と、プロの俳優たちが舞台に上がり、住民が語り部として自身のエピソードを語ったのち、彼らの震災時の記憶を俳優たちが演じるという構成になっていた。

南相馬の皆さんが語るのは、幼少時の思い出や青春時代の記憶、震災や原発事故直後の話など自らの体験である。彼らの被災体験を、俳優が演じるという構成が大変よかった。どのエピソードも温かく、どこか懐かしい。しかし、その温かい記憶と震災が結びつき、強烈な悲劇となって舞台上で繰り広げられるのだ。プロの俳優たちは感情を排して演じることもできるだろう。しかし、南相馬の皆さんは一般の人たちだ。悲しいエピソードを上演のたびに繰り返し語らなければいけない皆さんの心労を思うと、余計に涙が出てきた。

震災報道などでも、劇と同じように被災者本人が語ることはよくある。番組を見ると、当時を思い出し、胸の震えを抑えられなくなることもある。けれど、『町の形見』にはそれ以上に感情を揺さぶられた。同じ「被災者が悲しみの記憶を語る」内容なのに、なぜ柳の作品は、そこまで悲しく、心に迫ってくるのだろう。それは演劇が虚構の産物、フィクションだからではないか。柳が書き出した台詞は、南相馬で被災した八人が語ったことがベースになっている。けれど、その事実には、幾重にも虚構の膜が重ねられていく。複雑な演出によって、事実は事実らしさから離れる。そして、事実らしさから離れるほど、語り部の言葉はなぜか真実味や普遍性を帯びていく。語られていることは事実ではない。それなのに、劇を見れば見るほど、語り部の言葉はまぎれもない真実としか思えなくなってしまうのだ。

人は、事実や現実に対しては直接的に関わることができる。自分の手足を動かし、その場に介入することができる。けれども、舞台上で繰り広げられているのは虚構だ。当然、直接的に関わることはできない。ぼくたちはただ観客席に座り、語り部や演者の声の震えに、大きな悲しみと共に、そこにいることしかできないのだ。しかしだからこそ、誰かの心のなかに閉じ込められていた悲しみがその人から漏れ出し、観客に、部外者に、そして社会に開かれるのではないだろうか。

虚構を通じて、悲しみの震えが自分の震えになり、語り部の傷がぼくの傷になる。そうして、誰かの心のなかにあった悲しみが自分の傷となって引き継がれたとき、悲しみは希望へと姿を変える。そう解釈するのは、無理があるだろうか。柳は、作品のパンフレットのなかで、『町の形見』は「記憶

写真1　青春五月党復活公演vol.2『町の形見』より　提供=青春五月党

のお葬式」なのだと語っている。その意味が、今ならよく分かる気がする。悲しい記憶と共に震え、共に涙する。その証が傷となって引き継がれる。本書で紹介した、作家の古川日出男の言葉を今一度借りるならば、事実を伝えるのではなく真実が翻訳されて伝わったとき、悲しい記憶の弔いの場が築かれる。

いずれ、震災を直接経験した当事者はいなくなる。震災はすべて、それを直接経験していない「当事者ではない人」によって語られることになる。だからこそ改めて、ぼくは、フィクションの力、「当事者ではない人たち」の存在について考えたいと思うようになった。

伝承館への道で

車道と歩道の間、その継ぎ目のところから松の若木が生えている。沿岸部の防風林に生えているような立派な松とはまだ言えないが、背丈はぼくをゆうに超え、幹は、これを「木」と呼んでしまってもいいと思えるほどの太さがある。人々の苦悩も希望も養分にしながら、一生懸命空へ体を伸ばして、そう、一〇年ぶん、この木は成長したのだ。ぼくは、この木のように成長できたのだろうか。町は、復興しただろうか。

大熊町である。人はいない。人を乗せた車もない。ただ、除染土を積んだダンプカーが、エンジンの低い音を響かせながら忙しく往来するだけだ。あたりを見渡せば、鉄のゲートが、以前と変わらず住宅の前に置かれている［写真2］。そのゲートは、今なお、人の到来を拒むように固く閉じられたままだ。松ぼっくりから若木へと育った松の木が、生き生きとした命を輝かせながら、その一〇年という年月を、静かに訴えていた。

二〇二〇年一一月。ふと思い立ち、福島県双葉町に完成した「東日本大震災・原子力災害伝承館」を見てきた。グーグルで検索すると、自宅から伝承館までおおよそ八〇分と出る。常磐自動車道に新しく大熊インターチェンジが完成したこともあり、意外なほど近い。とても天気のいい日の朝だった。ぼくは、真横から差し込む朝日を浴びながら、豊間や薄磯といった津波被災地域を通る県道を抜け、ロッコクを北にひた走った。そして、いわき四倉インターチェンジから常磐道へと入り、大熊インターを目指した。真新しいインターを降り、大熊町内の住宅地に入ったところで、ぼくはその松の木と出会ったのだった。

この地域では「新しい地域づくり」が始まっている。土地を除染し、市街地エリアを新たに整備し、人が住める地域を区画し直す。産業の再生のため、研究機関や企業を誘致しようと、「福島イノベーション・コースト構想」というビッグビジョンを掲げ、地域を新たに興そうとしているのだ。こうして「新しい地域づくり」と言葉にすると、何かこの地域に未知のフィールドが広がっているかのように感じるかもしれない。けれど、どの地域にもぼくらが生きてきた数十年の人生より圧倒的に太く長い歴史があって、「新しい地域」なんて本当はないんだな、ということを考えずにいられなかった。そもそも「新しい地域づくり」など、ほとんど不可能だ。ぼくたちはいつだって膨大な死の上に立っている。この地にも、暮らしが、歴史が、日々の営みがあったのだ。車道の両側の風景は、来るべきイノベーティブな未来、ではなく、忘れられた過去を伝えていた。

帰還困難区域内を一〇分ほど走るとロッコクに再び合流する。ちょっと前までは震災当時の姿をとどめていた建物が多かったが、一部は解体され、敷地ごと整地されたところもあった。先ほどの住宅地とは打って変わって、ロッコク沿いの復興は進んでいるようだ。この年の夏に開催されるはずだった東京オリンピックを当然意識したのだろう。特定復興再生拠点区域である大野駅周辺や、駅西側の

写真2　道路ですれ違う車の多くは除染土を運ぶトラックだった（2020年撮影）

下野上地区、町役場のある大川原地区などでは新しい町をつくる工事も始まっている。しかし、この地域全体がかつての風景を取り戻すことはない。大熊町のロッコク以東の地域のほとんどが中間貯蔵施設の用地に指定されているからだ。町の復興再生計画によると、中間貯蔵施設の用地は、東京ドーム二三四個分の一一〇〇ヘクタール。特定復興再生拠点区域の八六〇ヘクタールよりも広い。それでも、未曾有の原子力災害の被災地に新たな暮らしを創出しようという取り組みに尽力してきた人たちの苦労を思うと、よくぞここまで、と頭を下げるほかない。計画によれば、一部先行エリアの避難指示が解除された二〇一九年度から三年で特定復興再生拠点区域の生活・社会インフラを整備し、さらに五年で二六〇〇人の居住人口を目指すとしている。

福島第一原発を抱える大熊町に五年間で二六〇〇人。この計画にどの程度難易度があるかを考えてみる。震災時、およそ二一〇〇〇人の人口があった浪江町では、二〇一七年三月に、町民のおよそ八割が住んでいた市街地エリアの避難指示が解除された。それから三年半以上が経った二〇二〇年一一月時点での人口は一五二九人だったそうだ。まだ一割も戻っていない。同じく、震災時、約一六〇〇〇人の人口があった富岡町では、福島第一原発に近い町北部以外のすべてのエリアで避難指示が解除となった。二〇二一年一月時点での居住者数は一五六八人と、こちらも一割を少し下回っている。これから復興が進めば人口は回復していくはずだが、それでも震災前の人口を完全に回復することはないだろう。そこで政府は、原発周辺の市町村に移住する人に対し一世帯あたり最大で二〇〇万円、移住後五年以内に起業する場合は、必要経費の四分の三、最大四〇〇万円を支給するという制度を設ける方針を決めた。イノベーション・コースト構想を後押しするような若手人材の移住に期待が寄せられているようだ。構想のそもそもの理念や魅力ではなく、金銭に頼らねばならないというところに現状の難しさが垣間見えるが、全国で活躍する「地域おこし協力隊」も、「ベーシックインカム」を受け取っているわけで、現金支給に頼らざるを得ないのはどこも似たようなものだろう。この二〇〇万円は、おそらく移住のハードルをかなり下げてくれるはずだ。大熊町は、どの程度再生していくのだろう。

ロッコクをさらに北上すると双葉町に入る。双葉町は、双葉駅の西側を先行的に再生するほか、町の東側の中野地区で「復興産業拠点整備事業」を行う計画になっている。「東日本大震災・原子力災害伝承館」も、その中野地区にある。双葉駅と中野地区とを結ぶ道路は「復興拠点アクセス道路」として整備される予定だ。道路そのものはすでに開通していて、ぼくもその道路を通った。真新しいアスファルトが眩しい。しかし、その眩しさとは裏腹に、伝承館のあるエリア以外は、区画は整理されているものの建物が建っていない。ススキとセイタカアワダチソウが伸び放題に生い茂っているだけだ。その様子からは、まだ「新しい地域づくり」の全容は見えてこない。もし、東京湾岸の埋立地のような場所ならば、「イノベーション・コースト構想」のような言葉もしっくりくるのかもしれない。ここは、そうではない。どうしたって「ここにあったもの」を思い描いてしまうのだ。いくら「新しい地域を」「ここはまっさらな土地だ」と華々しいキャッチコピーを掲げても、そこにあった歴史をまとう空気までは刷新できない。

前史なき展示

伝承館は、その真新しい装いの土地に建っていた［写真3］。立派な建物だった。チケットを購入してなかに入ると、まず最初に、横幅八メートル近いスクリーンのある部屋に通される。オープニングのムービーを見るようだ。福島県を代表する俳優、西田敏行の福島訛りのナレーションで、それは始まった。誰もが発展を求めた高度経済成長の時代、この地域に原子力発電所が誘致された。この地で作られるエネルギーは、福島だけでなく、首都圏の発展を、そして日本を支えた。しかし、その数十年後、地震と津波に襲われた原発で想定外の事故が起き、多くの人が避難を余儀なくされた。地域は大きな苦境に立たされるが、それでも、県民の強い思いに支えられ、今まさに復興の途上にある。そこには、当然光も影もある。だから、これからの未来のことを、皆さんと一緒に考えたい。そんなことが語られていた。

こういう映像なら何度も見てきた気がする。なんとなく、復興系の大型イベントで再生されそうな映像だな。そんな気がした。

ムービーが終わり、スクリーンを取り囲むように設計されたスロープに入ると、その壁に、「東日本大震災・原子力災害関連年表」が掲示されている。これまでの地域の歴史が写真とともに年表形式で記載されているものだ。年表の最初には「１８８４　常磐炭鉱創業」とある。そこから右側に視線

写真3　真新しい伝承館（2020年撮影）

を移すと、石炭火力ができ、原発ができ、というように、エネルギー産業史が紹介されている。意外だった。というか、少し唐突に感じた。双葉町や大熊町のそもそもの歴史に触れることなく、いきなり炭鉱から歴史が始まっているからだ。つまり、この伝承館の伝えたい歴史は、エネルギー産業を受け入れた「後」の歴史なのだ。

年表そのものは、事故後の歩みを理解するのに役立ちそうだ。原発事故、住民の避難と帰還、各自治体の避難指示の解除や、常磐線の復旧などポジティブなニュースにも触れながら、現在に至っている。観覧者は、最初のムービーと、このスロープの年表で、原発が誘致された背景や、事故後の混乱、復興への歩みをざっくりと知ることができる。とても分かりやすいと感じたし、初めてこの地を訪れる人にとっては、ここで何が起きたのかを知る入口になると思う。

スロープを登り切ると資料展示ブースだ。ブースは五つに分かれている。震災前の暮らしを紹介する「災害の始まり」、事故直後の対応や記録を伝える「原子力発電所事故直後の対応」、証言や思い出を中心に展示する「県民の想い」、災害の影響を科学的に分析した「長期化する原子力災害の影響」、今後の将来像などを紹介する「復興への挑戦」、この五つだ。実際の展示がどうだったか、個別の展示については、皆さんにじっくりと見てもらいたいのでここでは詳細には語らない。いくつかの展示に言及しながら、ぼくがこの伝承館からどのようなイメージを受け取ったかを書いていくことにする。

すべての展示室を見てまず率直に思ったのは、意外なほど、何も印象に残らなかったということだった。子どもたちの学校に展示されていた壁新聞や、学校に残された文房具などは、幼い子を持つ親としては心に強く訴えかけてくるものがあったし、住民の避難について紹介するブースでは、住民がいかに辛い思いをしていたのか、よく伝わってきた。廃炉の現状を伝えるブースも非常に分かりやすい。大きな図が展開されていて、的確に情報を伝えているとは思う。

ところが、なぜか心にほとんど残らなかった。その理由を考えてみて、あるひとつの結論にたどり着く。この伝承館には、この地にどのような歴史や文化があったのか、そして、原発事故がなぜ起きたのかということを語る展示がないということだ。特に後半、震災後の復興を伝える展示は、対外的に発せられた情報パネルのようなものが主で、これまでに資料やメディアなどを通じて知っていた内容が多かった。「伝承」というからには、原発事故の教訓を伝える展示や、双葉町や双葉郡のこれまでの暮らしぶりを伝えるような展示があると思っていた。実際には、それがない。どちらかというと資料館、情報館といったほうがふさわしい展示かもしれない。双葉郡が、あるいは大熊町や双葉町がどのようなまちだったのかを、展示はほとんど語らない。

象徴的だったのが、最初にある「災害の始まり」のブースだ。そこには、双葉についての記述があった。しかし、「双葉」の名が標葉郡と楢葉郡が合併したことに由来するということ、地域のシンボルが「双葉ダルマ」であること、このふたつが紹介されるだけで、この地の文化や歴史を語る記述がないのだ。いや、厳密には、壁に展示された写真や、町民インタビューなどで語られてはいる。しかしそれはあくまで展示としては「添え物」であって、伝承館として、福島県として、明確な言葉で双葉の歴史を伝えようとはしていない。

もちろん、ここは博物館や歴史資料館ではないから必要ないという声もあろう。けれども、震災や原発事故が、いかにその地域の文化や暮らしを傷つけたのかを知るには、この土地にどのような歴史や文化があったのか、それがいかに町民の暮らしや誇りに根づいていたのかを資料とともに考える必要があるはずだ。

また、津波の犠牲者に関する言及がほとんどないのも気になった。伝承館の建っている双葉町の津波被害に関する説明もない。再生拠点として生まれ変わる前、この場所はどういう土地だったのか。どのような暮らしがあったのか分からないので、犠牲について思いを馳せることもできない。この伝承館には、追悼、慰霊の概念が抜け落ちているのだ。

歴史的な文脈がないから、展示に軸を見出せなかったのだろう。先ほど書いたように、ここにあるのは、あくまでエネルギー産業受け入れ「以後」の歴史だ。それ「以前」がやはり抜け落ちている。ぼくがいわきで文化や歴史を語るときにも、似た問題にぶちあたるのでよく分かる。いわきを語ろうとすると、どうしても常磐炭鉱「以後」になってしまう。それ以前にも、いや以前にこそ豊かな文化があったにもかかわらず、目が向かなくなってしまうのだ。いわば「前史の喪失」ともいうべき視点の欠如は、エネルギー産業を受け入れた土地に共通した問題かもしれない。だからこそ本書では、エネルギー産業を受け入れる前のいわきの歴史にも踏み込んで考えてきた。それでもまだまだ不十分かもしれないが。

もうひとつ気になったことがある。どのようなメカニズムで事故が起きたのか、津波対策はどうだったのか、国の安全神話はいかにして作られたのかなど、原子力政策や、原発事故そのものに関する検証や記録もほとんどないのだ。その一方で、復興や復旧に携わってきた人たちの声は、とても充実している。事故直後、どのように行動し、どのような意志を持って事態にあたったのか。現場の声はしっかりと伝えられている。事故「後」の充実ぶりと、事故「前」の語られなさのバランスの悪さが、ぼくはとても気になった。

伝承館の「弱さ」

展示されている情報はよく分かる。展示数も多い。実際に展示されているもののほかにも現場からいろいろなものを収集したのだろう。けれど、この施設がいったい何を次の世代に伝承したいのかが見えてこない。この土地にあった文化や歴史も、事故がなぜ起きたのかも、極めて重要な論点であるはずだが、それらへの強い問題意識は伝承館の展示からは感じられなかった。もしかしたら、それらの文物をどうやって展示したらいいのかよく分からないままオープンしてしまったのではないか、と勘ぐってしまうほど、何も展示されていない感じがした。ぽっかりと穴が空いたような。

なぜぽっかりと穴が空いているのだろう。なぜ歴史や原発事故の検証を展示できなかったのだろう。ぼくは、展示を見ながら、ふたつの仮説を立ててみた。「展示できなかった説」と「展示する必要がなかった説」、このふたつだ。

まず、第一の仮説。伝承館は、そもそも展示できるような状態ではなかった。この土地は、まだ、自分の地域で何が起き、何が奪われ、何が残ったのかを直視できないような、あまりにも傷の深い状態、とても弱い状態なのかもしれない。辛い状態のまま、いろいろなものを収集はしたけれど、それをいかに展示し、配置し、伝えていくのか、何も決められないまま、復興五輪に合わせるため、場だけがオープンしてしまったのではないか、とぼくは思った。

その弱さは、例えるなら、まだ自分の傷やトラウマ、目の前の現実に向き合うことができないまま、一方で「復興」の強さを演じなければいけないという、ある種の「解離状態」によって生み出されているように思う。その解離状態は展示にも見て取れた。先ほどぼくは、そもそもの歴史に関する記述や、原発事故についての詳細な検証記録などはほとんど展示されていなかったと紹介した。一方で、その後の復興の取り組みについてはとても充実した展示がある。それこそまさに解離ではないだろうか。原発事故の被害によって生じた全地域的なトラウマにより、原発事故の「前後」を統合できなくなってしまい、展示に通底する軸を見失ってしまった。そう考えることはできないだろうか。

その「弱い展示」からは、もうこれ以上、この土地をネガティブに取り扱って欲しくない、傷をほじくり返さないで欲しい、できることなら、そっとしておいて欲しい。そんな、傷ついた双葉の声が聞こえるような気がするのだった。だからか、この伝承館を批判的に語るのは申し訳ないという思いも生まれてくる。

思えば、東電が運営する富岡町の「廃炉資料館」には強い軸があった。地域の人たちに大きな傷を与えてしまったという加害者としての軸。あるいは、科学の力、日本の力で必ずや復興を成し遂げるんだ、この地域は再生していくんだというマッチョな軸。語りの軸があるからこそ、ぼくたちは、展示を見て賛同したり共感したり、逆に強く批判したくなったりする。「東電史観の資料館だ」とよく批判されるが、それだってそこに「東電史観」という軸があるからだ。その廃炉資料館と比べて、伝承館には軸が感じられない。誰が、どの立場で、誰に、何を伝えたいのかが、よく分からないのだ。だからぼくは、まだ「展示できる状態にないのかもしれない」と感じた。

ところで、なぜぼくが「解離」などという言葉を用いるに至ったかというと、二〇二〇年の八月、富岡町のコミュニティスペースで精神科医の斎藤環によるオンライン講演を聞いたからだ。東北を舞台に繰り広げられている「みちのくアート巡礼キャンプ」のプログラムであった。内容は、震災や原発事故ではなく、斎藤がコロナ後に書き上げた「コロナ・ピューリタニズム」に関するものだった。講演のなかで斎藤はこんなことを語っていた。「トラウマは、ナラティブ（語り）として統合されることでアイデンティティの一部となり、忘れ得ぬ記憶として定着する」。当時のぼくの取材メモにも残っている。伝承館の展示を見て、ぼくは、ふとそのことを思い出した。

心の奥にしまっていたトラウマを、カウンセラーや医師との対話を通じて外在化させることで、辛い出来事にも、少しずつ新たな意味を見出すことができるようになり、それが本人の回復につながることがある。主に精神医療の現場でとられているアプローチだが、ぼくたちは日常的にも、「あの辛い経験があったからこそ今がある」と自分自身に語りかけることで、辛い出来事を受け入れようとする。周囲に仲間がいたり、家族や理解者がいればそこまで意識することはないけれど、ぼくたちはそうして自分でナラティブを立ち上げて先に進もうとするはずだ。しかし、伝承館は、まだそこに至っていない。言い換えると、伝承館にはナラティブがないのだ。

これは、メディアを騒がせた「語り部」の問題にも当てはまる気がする。伝承館側が、同館の語り部に対し特定の団体への批判を行わないよう要請し、従わない場合は、語り部の登録を解除すると警告していた。そう朝日新聞が報じたのだ[★2]。語り部は、ぼくたち来館者に向かって震災の経験を語っ

★2　「語れない『語り部』　特定団体の批判含めぬよう求める手引　事前に内容添削」、朝日新聞、二〇二〇年九月二三日朝刊。

てくれる。けれど、それは一方的なサービスなのではなく、誰かに「語る」という行為を通じて、傷やトラウマを教訓や伝承として「昇華」させ、語り部自身も震災と向き合い、傷を癒し、回復していると言える。けれど、報道が事実なら、語り部たちは怒りや悲しみを語ることができず、ナラティブを統合することができないのではないか。地元の人たちのナラティブすら封印された伝承館に、歴史が立ち上がらないのも無理はないのかもしれない。

風評払拭というナラティブ

いや、しかし、とも思った。この伝承館を作ったのは福島県である。福島県は自治体の「公式見解」として、この伝承館に何らかのナラティブを立ち上げ、実装しているはずだとも考えた。前述したように歴史や自己の検証を「展示できなかった」のではなく、「展示する必要がなかった」のかもしれない。町の歴史や文化、原発事故の詳細な記録を展示しなくても成立する別のナラティブを実装したのではないか。これが第二の仮説だ。

その仮説にハッと気づかされたのは、最終盤にある「復興への挑戦」ブースを見ているときだった。冒頭のムービーを見たときの違和感がふと蘇ってきた。そしてこう思った。この場所は、アーカイブ施設でも、原発事故について考える施設でもなく、風評払拭のための施設なのではないかと。つまりこの伝承館に実装されたナラティブは「この地で起きた震災や津波、原発事故について考えること」

ではなく、「風評を払拭すること」なのではないかと。

そう考えると、西田敏行がナレーションしていることも、ぼくがそのムービーを見て「どこかのイベントで見た気がする」と感じたことも、震災前の文化や歴史が抜け落ちていることも、この場所でどのような津波の犠牲があったかの記述や原発事故そのものの詳細な記録がないことも、そして、アーカイブの専門家ではない「放射線リスクコミュニケーション」の専門家が館長を務めていることも納得できる。風評被害は、地震や津波ではなく、原発事故「後」の偏見や差別的言説、メディアによって引き起こされた。だから風評被害「以前」の歴史は展示する必要がない。つまり、歴史や原発事故そのものに向き合わなくても済む「風評払拭」というナラティブを実装したということだ。

実際、福島県の復興政策は、地域の再生から風評払拭に軸足を移してきた。多くの人たちの関心事も、SNSで炎上騒ぎが起きるのも、風評にまつわることが多くなっている。それは当然かもしれない。原発事故から時間が経てば、地域は少しずつかつての姿を取り戻す。そのタイミングで「原発事故が残した課題」を考えようとすれば、原発事故そのものによる直接的な被害ではなく、自ずと風評になっていくだろう。

たしかに、現在ではかなり少なくなってきたとはいえ、それでも風評は残っている。これまで農水産物の売り上げを減らす一因になってきたし、事故直後は、被災地が有象無象の差別的言説に晒されてきたのも事実だ。広島や長崎でも風評の問題は長く続いたという。長期の避難や生業の喪失のような大きな実害があったわけではない県民に「原発事故によって生じた最大の課題は何でしたか？」と聞けば「風評」と答える人は多いはずだ。

だが、敢えて意地悪な書き方をするが、「風評払拭」というナラティブは、福島県にとって都合がいい。風評は原発事故後に生じたものであり、原発事故「前」の課題や、原発事故「そのもの」を直視しなくていいからだ。風評払拭のためにポジティブな情報発信を推進できるし、被害者の立場でいることもできる。復興予算を計上するときなどは、「風評が未だに強い」ことを理由にすれば、潤沢な風評被害対策費を確保できるのかもしれない。だから福島県は、県を代表する情報発信拠点である伝承館に、地域の再生や原発事故の検証ではなく「風評払拭」というナラティブを組み込んだのではないか。つまり、傷を受け、トラウマを抱え、解離状態に陥っていたがゆえにナラティブを立ち上げられなかったのではなく、まさにその解離のすき間に、意図して風評払拭というナラティブを挿入した。これがぼくの第二の仮説だ。風評払拭のための場所だから、前史は必要ない。原発事故そのものの検証をすれば、むしろ風評の再生産になる。そう考えたのではないだろうか。

風評被害の再考

もちろん、風評を払拭するための発信は必要だと思う。しかし、取り扱いには注意が必要だ。「風評被害こそ最大の課題だ」という言説は、そもそもなぜ原発事故が起きたのか、原発事故とは何だったのか、という問いからぼくたちの視線をずらしてしまうからだ。「原発事故はなぜ起きたのか」を、事故前の長い歴史まで含めて詳細に見ていこうと思えば、国や東電ばかりでなく、どうしたって自分たちの課題や責任にも向き合わなければならない。一方で「風評被害」を最大の課題とすれば、それを引き起こしているのはメディアであり、差別的な言説を振りまく人や、正しく理解をしようとしない人たちである。東電や国の責任は結果として曖昧なものになり、加害の責任は分かりやすい「メディア」や、ぼんやりとした「無理解な国民」へとスライドしてしまう。もちろん、これだけ大きな被害を受けた地域に「自らの課題にも向き合え」というのは、あまりに酷かもしれないが。

本書で繰り返し書いてきたように、ぼくは「風評被害」という言葉は他罰的な言葉だと感じてきた。「風評被害でものが売れない」という場合、売れない理由をメディアや無理解な人に求めてしまい、自らの課題を見なくて済むからだ。本当は、商品づくりに課題があったかもしれないし、企画力がなかったせいかもしれない。流通の構造的な課題かもしれない。売り上げを回復しようと思えば、そうしてマジックワード化した「風評被害」という言葉を分解し、事故前の商品づくりや産業形態にまで視野を広げながら、個別の解決策を考えなければならなかった。かまぼこメーカーに勤めていたぼくもまた、なぜいわきでかまぼこが作られているのか、かまぼこという食品にはどのような魅力があり、どのように製造されていたのか、そもそもの歴史や特性に徹底して向き合った。誰も好き好んで自分たちの内側にある課題を見たいとは思わない。けれど、自分の課題と向き合わなければ進むべき道も見えてこない。

さらに、震災から時間が経過したことで、「風評被害」という言葉自体が多義的になっていることも問題を複雑にしているように思う。少し整理してみよう。風評被害は、ぼくがかまぼこメーカーに勤めている時代には「経済的被害」を表す言葉として考えられてきたが、経済的被害が改善するうち「心情的被害」を表す言葉に変化した。経済的被害ならば「売り上げ回復」が解決策であり、数字を見て判断できる。風評なんか気にせずにとにかく売り上げを立てよう、というマインドで突破できる。

けれど、「心情的被害」なら、差別されたと感じる人がいる限り風評被害は生まれ続ける。現実的に考えて、原発事故があった歴史は変えられず、時間が経てば報道も減る。原発事故について知らない若者たちも増えていくだろう。そして、知らないがゆえ、ネガティブな印象を持ってしまう人もゼロにはならないだろう。つまり風評はゼロにはできない。その意味で、風評被害もなくせない。ぼくのように「売り上げを立てればいいのだ」という言説は、取り戻すべき売り上げを持たず、差別的言説に苦しめられてきた人にとっては、暴力的な言葉に聞こえるだろう。

風評はとても厄介だ。風評という言葉を使えば、容易に自分を「被害者」の立場に立たせることができるからだ。被害者という当事者性を悪用し、被害者感情を煽り、真っ当な言説を排除することもできるだろう。

思い出されるのが「グリーンコープ問題」だ。二〇一七年、グリーンコープ生活協同組合連合会が企画した被災地応援キャンペーンに対し、県内紙『福島民友』が「福島外し」だと批判連載を展開し、グリーンコープがネットを中心に凄まじいバッシングを浴びたことがあった。グリーンコープは、実は二〇一六年にカタログ上で「東北5県」という表現を使ったことで批判を浴び謝罪に追い込まれたことがある（それは当然批判されるべきだろう）。しかしその後、姿勢を改め、福島県産の産品を扱うようになった。ところが二〇一七年に、たまたま福島県産品が掲載されていないカタログを福島民友が見つけたのだ。グリーンコープによれば、福島民友は実情を取材することなく、一方的にグリーンコープを非難する記事を繰り返し掲載したようだ。グリーンコープ側は、実際には福島県産品を取り扱っており、記事は事実と異なると福島民友に説明を求めたが、福島民友がこれを拒否。するとグリーンコープは、一方的な批判記事により社会的信用を傷つけられたとして損害賠償の訴えを起こしたのだ。裁判は二年以上の時間を要し、二〇二〇年にようやく、グリーンコープ勝訴の判決が出された。この章の執筆時点では、民友は控訴する方針だと伝えられている。

確かに、東北を応援するカタログに福島県産の商品がない、あっても取り扱い数が少ないというのは、食の末端に関わる人間として非常に悔しい。しかし、福島県の産品が完全に排除されているわけではない。グリーンコープにも選択する権利はあるし、独自の基準もあるのだろう。グリーンコープと揉めて面倒なことに巻き込まれるより、「ご縁がなかった」とほかの取引先を探すほうがいい。しかしそれでは、業者ではない人の「ふざけるな!」「差別するなんて!」という感情の行き場がなくなる。だから県内メディアの福島民友が、その怒りの声を「代弁」し、それを続けるうちに引っ込みがつかなくなったのかもしれない。この「心情的風評被害」を飼い慣らすことは、実に難しい。

もうひとつ、エピソードを紹介する。以前、県内のある高校の授業に参加したときのことだ。一人の男子生徒が「自分の町に賑わいが戻らないのは風評のせいだ。だから風評をなくしたい」と語った。

ぼくは「君の町ってそもそも面白いもの何があるの？」と聞くと、彼は「農産物もあるし、立派なスポーツ施設もある。生産者さんたちも頑張っている」というようなことを答えた。ぼくはその言葉の生真面目さと薄っぺらさにショックを受けた。彼らは、風評被害とは具体的に何なのかや、全国の地域づくりの成功事例、あるいは自分の暮らす町を客観的に知る前に、「風評に苦しめられた福島」だけを学んでしまい、被害者意識を増大させ、大人たちの語る風評被害を内面化してしまったのかもしれない。すべてが風評のせいではないはずだ。風評が発生する「前」にも課題解決の糸口はある。それなのに、風評だけが問題になってしまう。ぼくは、それもまた形を変えた「風評の固定」だと思う。

ここまでの文章を読んで「今もそんなに風評ってあるの？」と感じる読者が多いのではないだろうか。実際には、福島県産品を避ける消費者はかなり減った。つまり経済的な風評は、無視できるレベルになっている。むしろ、課題は「棚をいかに取り戻すか」だ。風評というよりマーケティングや流通、営業といった実務上の問題である。一方で県民の一部には、また差別的な言説を浴びせられるのではないかと懸念する人もいるし、ネット上の誹謗中傷を見つけて傷つく人もいる。震災から時間が経てば報道自体が減るだろうから、原発事故に関する誤った言説をゼロにはできない。つまり心情的風評は最後まで残り、それを払拭する事業もずっと続けられていくのだろう。しかし、そこで考えておきたいのは、その「風評払拭というナラティブ」は、果たして、自己の復興や地域の復興に、本当に有効なのだろうか、ということだ。

復興とは、トラウマからの回復

他罰的で、他者の変容を前提とする「風評払拭」ではなく、必要なのは、自分の傷を省みること、震災前と後を自分なりに再統合するような、じっくりと内面に向き合うような時間ではないだろうか。例えば、前述した斎藤の言うような、トラウマと向き合うことでそれを忘れ得ぬ記憶として地域のアイデンティティに統合していく、そういう語りの作業ではないだろうか。伝承館にはやはり、双葉町の歴史や、津波の被害、原発事故そのものの検証の展示が必要だと思う。双葉町には、エネルギー産業を受け入れた「後」や、原発事故の「後」だけがあるわけではない。常にそこには分厚い「前史」がある。その「前」と「後」を統合するような展示、自分のトラウマを語ることのできる場が、やはり求められる。

いや、第一の仮説で考えたように、双葉町や大熊町は未だに深いトラウマを抱え、ある種の失語状態にあるのかもしれない。力を回復させるにはさらなる時間がかかるだろう。それほどの傷を受けた地域なのだと思う。復興のためには、アーカイブや地域史の専門家によるさらなる支援も必要だ。町民たちが、語り得なかったことを語れるようになるための回復を待つ時間も必要だし、伝承館の語り部が怒りや悲しみを不安なく吐露できる環境も必要だと思う。まだ災後一〇年たらず。再生には、やはり時間が必要だ。

ぼくがそんなふうに考えるようになったのには別の理由もある。「復興」の意味が、ぼくのなかで急速に変化しつつあるからだ。その大きなきっかけが、二〇二〇年一月、いわき市で、韓国・浦項（ポハン）市の文化財団のメンバーを招いたシンポジウムを主催したことだ［写真4］。ぼくは、伝承館のベンチに座りながら、シンポジウムで交わされた言葉を思い出していた。

二〇一七年一一月、韓国の東の港町、製鉄の町としても知られる浦項市で、韓国史上二番目とも言われる大きな地震が起きた。後になって、地熱発電所が地下水を取り出す過程で地盤が脆弱になり、それが地震を引き起こしたと分かったのだが、当時、原因はまったくの不明で、多数の住民が不安な暮らしや避難生活を余儀なくされた。そこで、現地の住民が主体となった復興プロジェクトが立ち上げられた。ぼくたちは、そのプロジェクトを支援する浦項市文化財団から声をかけられ、同じ「被災地」であるいわき市で、ツアープログラムとシンポジウムを開くことになったのだ。

浦項市からやってきたプロジェクトのメンバーの職業や肩書きを見てぼくは驚いた。小学校教師、看護師、心理カウンセラー、植物セラピスト、教師のメンタルトレーナーなど、メンバーの全員が人の心に向き合うプロフェッショナルだったのだ。さらに、アートや演劇など、表現を専門とする大学教授などがサポートに入っている。日本で「復興プロジェクト」というと、企業の経営者や実業家、クリエイター、建築家やアーティストなどが集まって地域の復興を担うことが多い。ところが韓国は、地域の復興ではなく、被害者の心の復興こそが真の復興だと考えているようだった。地域の復興か、心の復興か。日本と韓国とで、復興に対する考え方が根本から違っていたことに、ぼくは大きな衝撃を受けた。

浦項のメンバーの一人は、復興とは自分の心のトラウマと向き合い、そこから回復していくことだとハッキリ語っていたし、別のメンバーもまた、その回復のために必要なのは、信頼して自分の悲しみを吐露できる環境や、同じような悲しみを持った人たちと交流し、言葉を交わすことだと語った。彼らは、震災の被災者同士だけではなく、二〇一四年に起きたセウォル号沈没事故の遺族と対話したり、文化や芸術を通じて悲しみと向き合うという活動を続けてきたそうだ。

その話を聞いて、ぼくは深い反省の念に駆られた。ぼくは、分かっていなかった。「韓国から来た人たち、めっちゃ普通の人たちっぽいけどシンポジウム成立するのかな」などと心配していたほどだ。実際には、まさに普通の人たちが、復興の本質を柔らかく、そして的確に語ったのである。思えば彼らは「被災地視察」に来たのではなく、「同じ傷を負った者同士で心の傷に向き合う」ためにいわきに来ていたのだ。それなのに、ぼくは、地域でこんな面白いことをやってきた、ということばかりを語ろうとしていた。浦項の人たちと言葉を交わし、ぼくは、いったいこの九年もの間、復興の何に向き合ってきたんだろうと自分が恥ずかしくなった。

写真4　2020年1月にいわき市で行なわれたシンポジウムの参加者たち

ぼくは、本書の冒頭で「復興とは地域づくりだ」と明確に書いている。けれど、今冒頭から読み返してみると、ぼくは、地域の復興を考えるあまり、個人の心の復興やトラウマからの回復という視点を、ほとんど考えていなかった。確かに、地域の歴史や、地元のことを書きはした。けれど、個々の人たちの心の復興、トラウマからの回復が復興には欠かせない。それを「新復興論」と名付けたこの本に書き記さなければいけなかったのではないか。

とそこまで考えて、ぼくはハッとした。はっきりと気がついたのだ。ぼくがこの『新復興論』という本を書いたこと。その行為自体が、ぼくにとっての「トラウマからの回復」であり、再生であり復興だったのではないかと。

たしかに本書には、震災復興の矛盾や、福島を巡る議論の息苦しさを記述している。本に記述したことはすべてぼくが実際に体験したことがもとになっている。また、本書で触れてきたいわきの複雑な歴史は、ほとんどすべて郷土史の本に書いてあることだ。しかし一方で、ぼくが書いたことは、ぼくの受けた傷の話であり、コンプレックスの話でもあった。そして、書いてあることは事実だけれど、事実の結びつけ方や文脈の立ち上げ方、解釈の仕方はある種の「虚構」だ。つまり、ぼくは、虚構の力によって自分だけのナラティブを立ち上げ、震災「前」の自分と震災「後」とを結びつけようとしたのではないか。まさに「事実ではなく真実」を見つけることで、震災と原発事故で受けた傷やトラウマを「翻訳」し、自己のアイデンティティに統合したのではないだろうか。ようやく気づいた。ぼくは『新復興論』を書くことで復興したのだ。執筆から二年半もの時間を要したけれど、弱く頼りない伝承館をこの目で見たからこそ、このことに気づけたのかもしれない。だからこそこの章は、「私」ではなく等身大の「ぼく」で書こうと思った。

もちろん、自分のやり方がすべてに当てはまるわけではないが、こうして自分なりに筋道を立てて考えてみると、浜通りに必要なのは、事実だけでなく「真実」を立ち上げる力だと思えてくる。その力は、本書で紹介してきたような、アートや演劇などから生まれるかもしれない。またあるいは、浦項の人たちがそうであったように、被災者同士がつながり、自分の傷や弱さを吐露できる場から生まれるかもしれない。そもそもの町の歴史や文化を知れる場所や、原発事故についての考えを虚心坦懐に語れる場からも育まれるだろう。食を通じて地域の魅力も課題も面白がり共に味わい、共に学べるような共歓の場をつくることからも、その力は生まれてくるだろう。地域を知り、文化を知り、自分が今、ここで暮らす意味を見つけていく。それが結果として復興につながっていくのではないだろうか。伝承館をどのように運営していくのか。何を展示するのか。ここで、どんな対話をしていくのか。問い続ける機会と時間が必要だ。

伝承館の「外」から

そんなことをつらつらと考えながら伝承館の外に出た。風が吹いている。伝承館と、その隣にある産業交流センター以外に目立った建物はない。視界の奥には、津波に壊された建物だろうか、鉄骨の骨組みが残っている。その周りには、ただただ、風に揺れるススキとセイタカアワダチソウが群生している。新しい区画と手付かずの野っ原。その奇妙な組み合わせが、この地域の今を的確に表していた。でも、そこには土があり、空があった。防潮堤の工事で奥は見えないが、視線の先には海がある。深く息を吸い直すと、心が少し落ち着いた。

駐車場の奥のほうにパネルを見つけた。そこには、目の前の空間が「被災伝承・復興祈念ゾーン」になると記されていた。スマホで検索してみると、目の前の地域が両竹地区と呼ばれていること、双葉海水浴場のそばに位置し、近くに前田川という川が流れていること、地区のほとんどが浸水したこと、双葉町全体で二一名の死者・行方不明者がいること、そのうち多くの方がこのエリアで亡くなっていたと分かった。

グーグルで「双葉町両竹」と検索した。両竹は「もろたけ」と読むようだ。珍しい地名なのでさらに検索してみると、「双葉町両竹の歴史と文化を継承したい！」と掲げたクラウドファンディングサイトに出くわした。サイトには、かつてこの地に生えていた竹のなかに二股に分かれている竹があったことから「両竹」と呼ばれるようになったこと、双葉町指定の磨崖仏(まがいぶつ)、中世の城郭跡や旭観音という安産の仏様など、数多くの文化遺産があることが記されていた。さらに、サイトを読み込むと、こんなことが書いてあった。

この地には復興祈念公園が造られます。近隣集落には中間貯蔵施設も建設されます。二度と元の姿に戻ることはできない、新たな一歩を進まなくてはならなくなった両竹地区。この歴史をのこして、地域の人々と共有すること、多くの皆さんに福島県双葉町の状況を知ってもらうことは緊急の課題です。［★3］

ぼくは、これこそが「伝承」だと思った。双葉という土地にぐっと血が通う気がするし、だからこそ、大津波や原発事故が何を奪ったのか、何が失われたのかがヴィヴィッドに見えてくる気がするのだ。原発事故後の「被災地」としての双葉に出会う前に、こんなふうに、被災する前の双葉と出会えたらよかった。

風評は原発事故後に生まれた。だから風評払拭を掲げる場所では、原発事故「後」の双葉にしか出会えない。原発事故そのものや、原発事故前の、原発を誘致する前の双葉を知ることにもつながらない。すると、「前」と「後」を統合するナラティブが立ち上がらない。つまり、「風評払拭のナラティブ」では、自己を、地域を再生することにつながらない。

二〇二〇年一一月五日付の地元紙、福島民報に、伝承館の展示改善を訴える社説が掲載されていた。

★3 「東日本大震災と原発事故で失われつつある福島県双葉町両竹の歴史と文化を承継したい!」URL=https://a-port.asahi.com/projects/morotake-jumping/

県外の読者は、この伝承館が地元でどのように論じられているかご存じないかもしれない。最後の一節を引用する。

> 伝承館は複合災害の深刻さや復興に向けた歩みを伝えるばかりでなく、なぜ原発事故が起きたのかを受け継いでいく上で、重要な役割を負っている。原子力政策における国と事業者の関係、県の関わり、原発事故後の混乱などを国民が共有できるようにしないと、甚大な被害と犠牲を払って得た教訓が無駄になってしまう。[★4]

「教訓」は、甚大な被害と犠牲の上に立っている。傷ついた人たちが、その傷を教訓と呼べるものに昇華させるまで、どれほど自分の傷、地域の傷と向き合ってきたのだろう。語り部たちの声に、真摯に耳を傾けたいと思う。そしてその一方で、ぼくは、この地域にやはり「ふまじめに」関わりたいとも思った。なぜなら、この地にまじめに関わろうと思えば思うほど、原発事故「後」の双葉にしか出会えないからだ。人に話を聞こうと思えば「原発事故後の苦しさ」の話ばかりになってしまうし、地域のことを調べようと思えば「原発事故後の課題」にばかり出会う。双葉にも、今ここで生きる人たちにも、県外に避難した人たちにも、原発事故以外の、原発事故前の、豊かで多彩な物語がたくさんある。そうして原発事故「以外」、原発事故「前」を経由して初めて知り得るものがあると思うのだ。だから、個人の興味や関心、ふまじめな欲求を通じて、原発事故「以外」の回路で、地域や人に出会い直したい。それが、原発事故について考えることだと思うからだ。

震災復興の「共事者」

ここまで書いてきたように、ぼくはこの二年半、以前のように復興の現場に関わることはなくなった。震災について何かを書いたり、話したりする機会も減った。震災ではなく、原発事故でもなく、障害福祉事業所を取材し、演劇を見、小説を読み、当事者とは離れたところで、震災とは別の物事を考え続けてきたように思う。それなのに、こうして書いてみると、結局ぼくが考えてきたのは「震災復興の当事者とは何か」という問題だったことに改めて気づく。

障害福祉という、極めて当事者性の強い領域では、当事者とは言えない自分の役割に気づくことができた。直接にはなんの手助けもできない虚構の劇を通じて、大きな悲しみに触れることができたようにも思えた。当事者のようでいて当事者ではない。当事者ではないはずなのにどこかで当事者性を持っている。それは、ぼくの震災との距離感そのものだった。その距離感を、その「間」を、言語化することはできないか。本書の最後の最後で、それを試みたい。

★4 「論説　原子力災害伝承館　早急に展示改善を」、福島民報、二〇二〇年一一月五日朝刊。

震災復興に限らず、社会課題というものは、深刻になるほど、当事者の悲痛な声が伝わるほど、「自分とは関係ない」と、自分を「非当事者」の側に置いてしまう人も作り出してしまうと感じる。例えば、毎年三月に震災について報じるテレビ番組があるとしよう。被災者の悲しみを伝えようと、その悲痛な声を強調すれば、たしかにそれを見て涙してくれる人もいるかもしれないが、「それほど悲しかったんだなあ」で終わってしまう人も同時に作り出す。課題の深刻さを伝えるほど、「自分のような素人では関わることは難しいな」と思ってしまったり、「ぼくは直接被災したわけではないから悲しみや課題には寄り添えないのでは」と思ってしまったりする人も多くなるだろう。専門家が「こういう対策が必要だ」「このような支援が必要だ」と語れば、そこに「正しい関わり」があるように見え、そこに「正しい支援」が生まれ、それ以外の関わりが排除されるようなことにもなりかねない。「当事者」という言葉を使って困難を発信するほど、同じ課題を抱える人たちの共感は生むけれど、「非当事者」を作り出してしまうようにも思うのだ。本来は、多くの人たちで支えなければいけないのに、外側の人が「関わりのハードルの高さ」を感じてしまったら、関わりは、当事者性や専門性の高い人に限定されてしまう。

原発事故についても同じだと思う。さきほどぼくは、原発「以外」と、原発事故「前」と出会うことが必要だと書いた。しかし震災を強調するほど、原発事故をまじめに考えようと思うほど、原発事故後の双葉や福島にしか出会えない。

思えば第九章で取り上げた、「障害者」の支援も同じかもしれない。その人には「障害」だけがあるわけではない。それなのに、支援が必要だとまじめに語るほど、「障害者」や「困難」ばかりに目がいってしまい、本来のその人らしさを見えにくくしてしまうのだ。それに、まじめな支援は「支援する人」と「される人」の関係を固定する。障害のある人は、常に「支援される人」の立場にあり続けなければいけなくなる。そこで必要なのは、「支援する人」と「される人」の関係がフラットになるような、その関係がかき混ぜられるような、ふまじめな場ではないか。支援するのではなく友達になってしまうような。

ぼくは、本書で一貫して「震災の当事者とは誰か」について考えてきた。課題が大きければ大きいほど、古今の知を参照し、当事者の外側にいる人とも意見を交わす必要がある。当事者性の高さを競い合うような言説は外部を遮断してしまうし、〝真の当事者〟などいないのだから、皆が当事者であるという意識のもと、外部を切り捨ててはいけないのだと。

しかし、今読み返すと、暴力的な意見だったかもしれない。ぼくの論は、紛れもなく当事者と言わざるを得ない、困難を宿命づけられた人たちを無視するような言動につながるかもしれないからだ。逃れられない困難を抱えた当事者はいる。だから「当事者性なんて関係ない」というぼくの論が暴力的に聞こえるのは当然だろう。もちろん、決して当事者を無視していいとは思っていない。当事者性の濃淡で異論を排除するような言説はいけないと言いたかっただけだが、言葉が足りなかった。

当事者同士で課題を持ち寄ったり、支援者を交えながら課題と向き合ったりするチャンネルは必要だ。そのうえで、当事者性や専門性に関わりなく、むしろ当事者の外側にいる人たちがゆるっと参画できるような場も肯定的に捉えられたらいい。それを双葉郡に当てはめれば、原発事故やエネルギー産業「以外」の、そもそもの双葉の町の魅力や歴史、被災者ではない、地元の人たちの「素」に接続されてしまうような、それを面白がってしまうような場。ぼくは、そうして迂回しながら、ふまじめに関わって初めて見えてくる原発事故というものがあると思う。

ぼくは今、「当事者」ではなく「共事者」ともいうべき存在があるのではないか、ということをぼんやり考えている。「当事者」とは「事に当たる者」と書く。言葉の響きからして、いかにもその課題に直接的に関わっているように感じられる。課題に直面した本人やその家族、支援者や有識者など、直接的に事に当たる人のあり方が「当事者的な関わり」だと言えるだろう。一方、「共事者」とは「事を共にする者」と書く。当事者本人ではない。事に当たっているわけではない。けれど当事者性はゼロではなく、事を共にはしている。ぼくがレッツを通じて障害福祉に関わってしまったように、当事者とは別の回路を迂回して、結果として何らかの課題に関わってしまうような人たち、当事者とは別の関わりというものがあるのではないか。そして「共事者」こそが、固定化した現場に「エラーの希望」をもたらす存在なのではないか。

「当事」を、関わりの強度を上げる回路だとすれば、「共事」は、0から1の関わりを作るような回路だと言えるだろう。当事者的な関わりから見れば、そんなゆるい関わりでは意味がないと思われるかもしれない。しかし、関わりが少しでも生まれれば共事の回路は開かれる。とにかく関わりを作り出さないことには、課題の根深さを理解することにも、当事者の困難を社会に開くことにも、偏見の解消や現場の人たちへの敬意にもつながらない。社会が「正しさ」を追い求め、当事者への寄り添いが求められる今、「共事／者」というキーワードで、人と人、人と社会の関わりを新たに読み替えることはできないだろうか。

もちろん、この「共事」に確たる理論はない。学者ではないぼくには理論を構築する力もない。言葉遊びをして、自分の中途半端な立ち位置を肯定したいだけかもしれない。

けれど、あなただってそうだろう。あの日、辛い思いをしなかった人はいない。悲しい思いをしなかった人もいない。あの日の混乱を、揺れを、震えを、ぼくたちは共にしていたはずなのだ。それなのに、被災地の課題が、原発事故の厄介さが伝えられるうち、「当事者に比べたら大したことがない」と自分の心の傷に蓋をし、蓋をしたこと自体を忘れてしまっていないだろうか。

あなたは、当事者とは言えなかったとしても、共事者だとは言えるのではないか。震災を直接的に経験していなくても、震災について語る誰かの言葉を受け取ったはずだ。震災とは別の災害を体験した人もいる。災害大国日本においては、すべての人たちが「未来の被災者」かもしれない。演劇や小説など、虚構を通じて悲しみに「共事」したことがある人もいるだろう。震災後の日本に生きている以上、震災と「事を共に」していない人はいない。

共事者は専門的な知識もない。当事者性も低いかもしれない。けれど、当事者や専門家とは別の回路で、自らの興味や関心を通じて、困難を開く新たな関わりを作ることができる。歴史への興味でもいい。作品を作りたいという熱意でもいい。うまいものが食べたいとか、会いたい友人がいる、という動機でもいい。そうして0から1の、「共事」の回路を開くことが、原発事故「前」の福島を知ることにつながり、結果として、より重層的に、立体的に、あるいは自分事として、原発事故に向き合うことにつながる、かもしれない。

ぼくは、伝承館の展示を思い出しながら、駐車場の周りをゆっくりと歩き、ひとつ、深く息をして、もう一度、真新しい伝承館を振り返った。

この伝承館ばかりが双葉の歴史を語るわけではないだろう。鍵は、伝承館の「外」にもある。町を歩くことで、伝承館が展示しているもの、展示できなかったもの、展示しなかったものも見えてくる。そこに、事実とも虚構とも言えないものが立ち上がってくるはずだ。そこで出会うのは、現地の人たちの悲しみかもしれない。思い出かもしれない。死者の存在かもしれない。人は具体的な関わりには「当事」できても、悲しみや思い出、死者には直接触れることができない。当事することもできない。ぼくたちは、いずれ皆、あらゆる出来事の「共事者」になる運命なのだ。

双葉郡内の避難指示がじわじわと解除されている今、様々な場所を、ぼくたちは直に見ることができる。歩くことができる。そうして目の前の風景のなかに、そこで語られる悲しみや喜びの記憶のなかに、この地と関わる接点を作ることもできる。福島を、浜通りを、双葉を、いわきを自分なりに面白がり、楽しみ、誰かと共に歓び合うことの先に、力強いナラティブが立ち上がってきたらいい。当事者から共事者へ。復興の回路は、すでに開かれている。

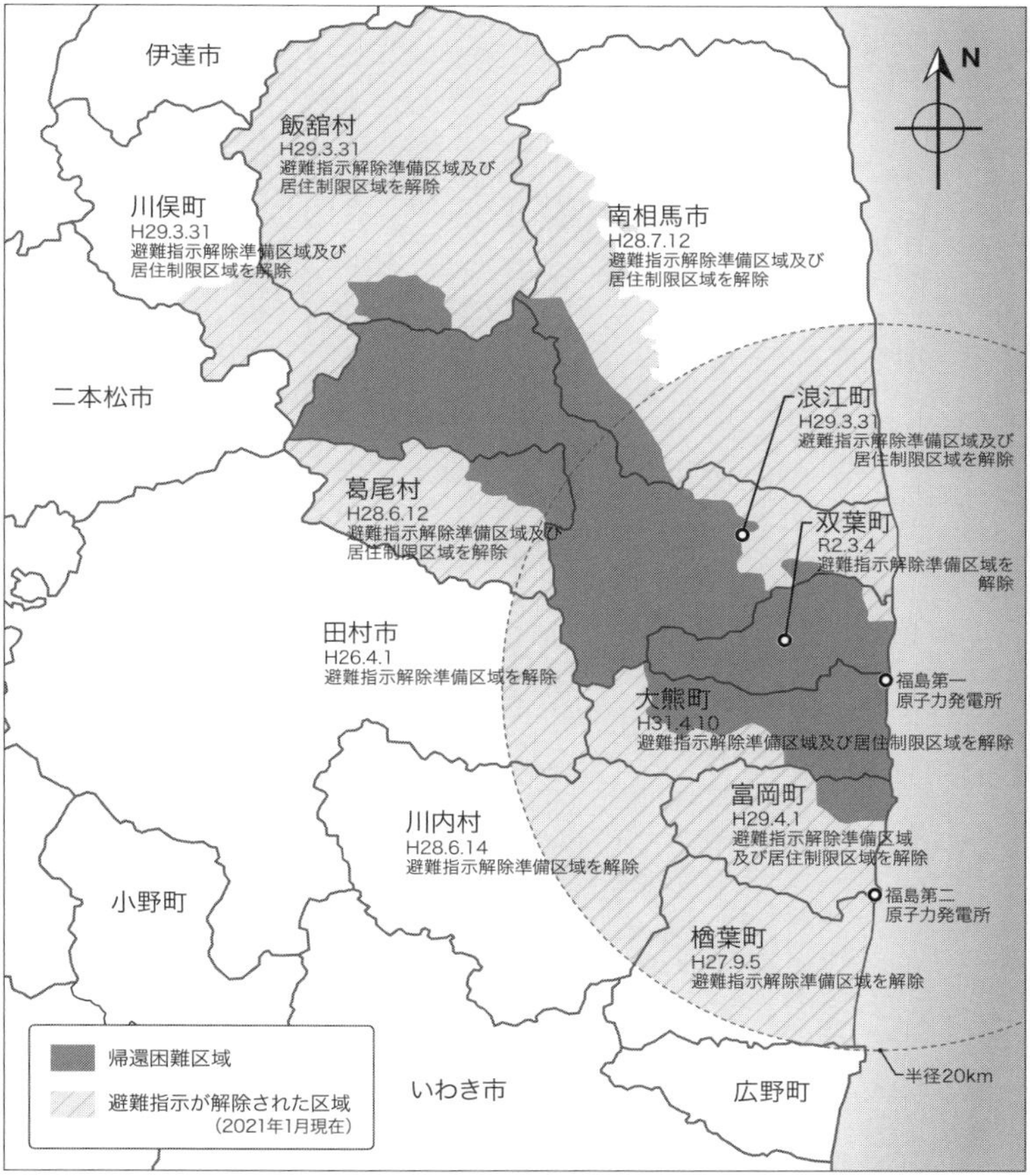

図1 避難指示が解除された区域（増補版刊行時点。特定復興再生拠点内の解除区域を除く）
福島県ホームページ「避難指示区域のイメージ」をもとに制作

本書は、小社が2018年に刊行した『新復興論』を一部修正し、書きおろしの序文と第4部を加えたものです。

【各部扉写真】
第1部　小名浜港でのさんまの水揚げ
第2部　UDOK.の壁面に震災報道を貼りつけたアート作品《弔いの壁》(部分)
第3部　いわき回廊美術館に展示された《廻光—龍骨》(部分)
第4部　2020年に双葉町にオープンした東日本大震災・原子力災害伝承館

地図作成=佐和健治

ゲンロン叢書｜009

新復興論 増補版

発行日　二〇二一年　三月一一日　第一刷発行
二〇二二年一〇月一〇日　第二刷発行

著者　小松理虔

発行者　上田洋子
発行所　株式会社ゲンロン
一四一－〇〇三一　東京都品川区西五反田二－二四－四　WEST HILL 2F
電話：〇三－六四一七－九二三〇　FAX：〇三－六四一七－九二三一
info@genron.co.jp　https://genron.co.jp/

装丁　大岡寛典
本文デザイン　LABORATORIES
組版　LABORATORIES／株式会社キャップス
印刷・製本　株式会社シナノパブリッシングプレス

ISBN 978-4-907188-41-2 C0036